CHRISTIAN FANDRYCH / ULRIKE TALLOWITZ

Klipp und Klar

Übungsgrammatik für Deutsch als Fremdsprache A1 – B1

Neubearbeitung

Ernst Klett Sprachen
Stuttgart

1. Auflage 1 ⁵⁴³²¹ | 2025 24 23 22 21

Alle Drucke dieser Auflage sind unverändert und können im Unterricht nebeneinander verwendet werden.
Die letzte Zahl bezeichnet das Jahr des Druckes. Das Werk und seine Teile sind urheberrechtlich geschützt. Jede Nutzung in anderen als den gesetzlich zugelassenen Fällen bedarf der vorherigen schriftlichen Einwilligung des Verlages.

© Ernst Klett Sprachen GmbH, Rotebühlstraße 77, 70178 Stuttgart 2021
Alle Rechte vorbehalten.
www.klett-sprachen.de

Autoren: Prof. Dr. Christian Fandrych, Dr. Ulrike Tallowitz

Redaktion: Sibylle Krämer, Eva Neustadt
Layoutkonzeption: Sabine Kaufmann
Illustrationen: Susanne Bochem, Mainz
Gestaltung und Satz: Swabianmedia, Eva Mokhlis, Stuttgart
Umschlaggestaltung: Sabine Kaufmann
Titelfoto: iStockphoto (Max2611), Calgary, Alberta
Druck und Bindung: Salzland Druck, Staßfurt
Printed in Germany

ISBN: 978-3-12-674205-4

Klipp und Klar Übungsgrammatik Deutsch als Fremdsprache A1 – B1

Neubearbeitung

Liebe Lernerinnen und Lerner,

klipp und klar, das heißt kurz, klar, übersichtlich, einfach und praktisch. Das war das Konzept der ersten Auflage von „Klipp und Klar" im Jahr 2000, und es hat „Klipp und Klar" zu einem Grammatik-Klassiker gemacht. Auch die grundlegende Neubearbeitung und Aktualisierung folgt diesem Prinzip: Alle Grammatikthemen von A1 bis B1 werden in 99 Kapiteln behandelt. Jedes Kapitel folgt dem Doppelseitenprinzip: Links die Erklärungen, rechts die Übungen. Die Erklärungen sind visualisiert, und neben den Regeln gibt es eine Fülle von Beispielen, die den modernen Gebrauch zeigen – auch informellere Sprachformen werden erklärt.

Als Einstieg in jedes Thema gibt es visualisierte Situationen, die auch die Handlungsorientierung aufzeigen. Es finden sich vielfältige Übungen, dazu gibt es einen ausführlichen Lösungsschlüssel. Ergänzt werden die 99 Kapitel durch ausführliche Übersichten und Verblisten im Anhang.

Neu in dieser Überarbeitung ist vor allem:
- Aktualisierte Einstiege, Themen und Situationen
- Berücksichtigung des modernen Sprachgebrauchs
- Noch konsequentere Ausrichtung an den Niveaubeschreibungen des Gemeinsamen Europäischen Referenzrahmens für Sprachen
- Modifizierte Ordnung der Grammatikthemen, um die Grammatik noch besser nutzbar zu machen und die Orientierung zu verbessern
- Viele neue Übungen und Hinweise

Mit „Klipp und Klar" können Sie parallel zu Ihrem Sprachkurs arbeiten, einzelne Themen wiederholen oder vertiefen, aber auch sehr gut allein arbeiten. Dabei helfen Ihnen auch die vielen Lerntipps, Querverweise und ein Register für alle verwendeten grammatischen Begriffe. „Klipp und Klar" eignet sich auch sehr gut für die Prüfungsvorbereitung.

Wir wünschen Ihnen viel Spaß und Erfolg beim Lernen mit „Klipp und Klar"!

Christian Fandrych, Ulrike Tallowitz, Redaktion

Inhalt

Grundlagen: Verb, einfache Sätze im Präsens

Artikel, Nomen; Sätze mit Akkusativ, Dativ, Genitiv

Negation

Pronomen

Adjektive

Präpositionen und Adverbien im Satz

Inhalt

Inhalt

Zahlen und Maße

Wortbildung

> Kochst du heute?

> Ja, klar! Heute koche ich.

Aussagen

Verb auf Position 2
Subjekt auf Position 1 oder
direkt nach dem Verb

①	② Verb		
Ich	koche.		
Heute	koche	ich.	
Ich	arbeite.		
Heute	fahren	sie nach München.	
Wir	kommen	gerne	mit.

Trennbare Verben → **7**

Ja / Nein-Fragen

Verb auf Position 1
Subjekt direkt nach dem Verb

① Verb	②		
Kochst	du?		Ja, klar!
Arbeiten	Sie?		Ja.
Kommen	Sie	mit?	Nein, ich fahre nach Berlin.

du und *Sie*

	Singular		Plural	
informell:	Koch**st du?**	Ja, **ich** koch**e**.	Koch**t ihr?**	Ja, **wir** koch**en**.
formell:	Koch**en Sie?**		Koch**en Sie?**	

Verben im Präsens → **3**

1 **Machen Sie das?**

1. ● Kochen Sie heute?　　　　　　　　　　　　　● ___Klar, heute koche ich. (Ja, ich koche heute.)___

2. ● Arbeitest du viel?　　　　　　　　　　　　　● Ja, _____.

3. ● Lesen Sie gerne?　　　　　　　　　　　　　● Ja, _____.

4. ● Kommst du heute?　　　　　　　　　　　　　● Ja klar, _____.

5. ● Hört ihr gerne Musik?　　　　　　　　　　　● Ja, _____.

2 **Im Zug München – Hamburg**

1. ● ___Kommen Sie___ _____ aus München?　　● Nein, ich komme aus Stuttgart.

2. ● _____ nach Hamburg?　　● Nein, ich fahre nach Hannover.

3. ● _____ in Hannover?　　● Nein, ich wohne in Frankfurt.

4. ● _____ in Frankfurt?　　● Nein, ich arbeite in Mainz.

3 **Sophie fragt und fragt.**

1. ● Papa, ___spielen wir gleich___ ____ ?　　● Okay, wir spielen gleich.

2. ● Papa, _____ ?　　● Gut, wir lesen jetzt.

3. ● Papa, _____ ?　　● Na gut, wir kochen Spaghetti.

4. ● Papa, _____ ?　　● Gut, wir essen jetzt.

5. ● Papa, _____ ?　　● Ja, wir fahren gleich.

4 **Hobbys am Wochenende**

spielen • lesen • ~~schlafen~~ • malen • essen • hören • …

Am Wochenende ___schlafe___ ich gern lange.

Dann _____ 1 ich Tennis oder _____ 2 ein Buch.

Manchmal _____ 3 ich Musik und _____ 4 ein Bild dabei.

Am Wochenende _____ 5 ich immer im Restaurant.

5 **Fragen Sie und antworten Sie frei.**

● ___Entschuldigung, arbeiten Sie gerade?___　　● ___Ja! Ich arbeite gerade!___

lesen
kochen
telefonieren
träumen
~~arbeiten~~

● _____　　● _____

● _____　　● _____

● _____　　● _____

● _____　　● _____

jetzt • ~~gerade~~ •
heute • oft •
manchmal •
gerne • nie •
immer

6 **Im Zug: Ein Passagier steigt ein. Ein Dialog beginnt.**

arbeiten in … • leben in … • studieren in … • fahren nach … • kommen aus … • wohnen in …

● Guten Tag!

● Guten Tag.

● Kommen Sie aus _____ ?

● Ja / Nein, ich komme aus _____ . Und Sie?

● Ich _____ .

● …

> Ich heiße Esther Ramos.

> Wie heißen Sie?

W-Fragen

① W-Wort	② Verb		
Wie	heißen	Sie?	
Was	machst	du, Klaus?	
Wohin	fahren	Sie?	
Wer	kommt	heute	mit?

Fragen

- **Was** machst du, Klaus?
- **Wer** kommt mit?
- **Wie** heißen Sie?
- **Wo** wohnen Sie?
- **Wohin** fahren Sie?
- **Woher** kommen Sie?
- **Wann** kommt ihr?

Antworten

- Ich spiele.
- Ich! / Ich nicht. / Ich komme nicht mit.
- Müller, Klaus Müller. / Ich heiße Müller.
- In Hamburg. / Ich wohne in Hamburg.
- Nach München. / Ich fahre nach München.
- Aus Italien. / Ich komme aus Italien.
- Heute. / Wir kommen heute.

Woher?   **Wo?**   **Wohin?**

… aus …   … in …   … nach …

Lokale Präpositionen → `32-36`

Berlin, Wien, … (Städte)
Spanien, Russland, Japan, … (Länder)

(1) Wer ...? Wo ...? Was ...? Ordnen Sie zu.

1. Wohin fahren Sie?	_1c_	a.	Morgen.
2. Wer kommt mit?	_____	b.	Aus Düsseldorf.
3. Wo wohnen Sie?	_____	c.	Nach Bern.
4. Woher kommen Sie?	_____	d.	Ich arbeite.
5. Was machen Sie?	_____	e.	Wir!
6. Wann fahren wir nach Hamburg?	_____	f.	In Salzburg.

(2) Ein Dialog im Zug

● Guten Tag! Endlich fahren wir los! _Wohin_ fahren Sie denn?

● Nach Leipzig, und Sie?

● Ich fahre _____ 1 Potsdam.

● Ah, Potsdam! Schön! Und _____ 2 kommen Sie?

● _____ 3 München, und Sie?

● Ich komme gerade aus Nürnberg.

● Arbeiten Sie in Leipzig?

● Nein, ich arbeite _____ 4 Halle, aber ich wohne _____ 5 Leipzig.

   Und Sie, _____ 6 machen Sie _____ 7 Potsdam?

● Ich schaue Schloss Sanssouci an und besuche Freunde.

● Wie schön!

(3) Fragen Sie.

1. ● _____   ● Ich spiele.

2. ● _____   ● Heute oder morgen.

3. ● _____   ● Nein, wir fahren nach Berlin.

4. ● _____   ● Klaus kommt mit.

5. ● _____   ● In München.

(4) Bürokratie. Fragen und antworten Sie.

Beamter:	1. Wie _heißen Sie_____?	(heißen)
Student:	Ich _____.	
Beamter:	2. Woher _____?	(kommen)
Student:	_____.	
Beamter:	3. _____?	(wohnen)
Student:	_____.	
Beamter:	4. _____?	(studieren)
Student:	_____.	(Physik, Germanistik, Soziologie, ...)
Beamter:	5. _____?	(fahren)
Student:	_____.	

Verben im Präsens

Sie kommen (formelle Anrede) und *sie kommen* (3. Person Plural) haben immer die gleiche Verbform.

 Mündlich oft: ich komm', ich mach', ich sag' …

kommen					
Singular			**Plural**		
ich	komm**e**		wir	komm**en**	
du	komm**st**	**Sie** komm**en**	ihr	komm**t**	**Sie** komm**en**
er / es / sie	komm**t**	(formell)	sie	komm**en**	(formell)

Das Subjekt bestimmt die Endung: **du** komm**st**

du oder *Sie*?

Hier sagt man meistens *du*:
→ Studierende an der Universität
→ junge Erwachsene in informellen Situationen (Konzert, Clubs, Sport)
→ oft in den sozialen Medien

du / ihr
informell (Familie, Kinder, Freunde, gute Bekannte)
Anrede: Vorname

- Klaus, komm**st du** mit?
- Geh**t ihr** los?
- Jakob, Anna, komm**t ihr** auch mit?
- Ja, **wir** komm**en** mit.

Sie
formell (Erwachsene, Fremde)
Anrede: Herr / Frau + Nachname

- Herr Maier, komm**en Sie** mit?
- **Gehen Sie** los?
- Frau Stern, Herr Müller, **kommen Sie** auch mit?
- Nein, **wir** komm**en** nicht mit.

Sie oder *sie*?

Herr Maier, komm**en Sie** mit?
Herr Maier und Frau Stern, komm**en Sie** mit?

Maria arbeitet, **sie** komm**t** nicht mit.
Klaus und Maria arbeiten, **sie** komm**en** nicht mit.

Genus

maskulin:	der … er	**Der Mann** wartet. **Er** wartet lange.	Da kommt **der Zug**. **Er** kommt aus Jena.
neutral:	das … es	**Das Kind** schläft. Gleich wacht **es** auf.	**Das Auto** ist alt, aber **es** funktioniert.
feminin:	die … sie	**Die Frau** telefoniert. **Sie** fährt los.	**Die Wohnung** ist groß, aber **sie** ist billig.

1 **Kombinieren Sie.**

macht • gehst • male •	_ich male,_____	ihr • du • wir
wohnt • fahren • komme •	_____	• Sie • er •
machen • spielst	_____	es • ich • sie

2 **Wir gehen los – und ihr?**

1. ● He Peter, wohin ___gehst_____ du? ● Ich _____ jetzt nach Hause. | gehen, gehen

2. ● _____ Sie? ● Ja, das _____ Sie doch! | arbeiten, sehen

3. ● Klaus und Markus, was _____ ihr? ● Ruhe! Wir _____ Schach. | machen, spielen

4. Da _____ Markus. Er _____ in Berlin. | kommen, wohnen

5. Wann _____ wir endlich los? Und wann _____ der Zug in Graz an? | fahren, kommen

3 **Einladung zum Essen**

Klaus und Maria: 1. Katharina, Thomas, komm____ _ihr_ mit? Wir fahr_____ nach Hause.

Katharina und Thomas: 2. Was mach_____ _____ denn da?

Klaus und Maria: 3. _____ koch_____ und dann ess_____ _____.

Katharina und Thomas: 4. Prima! _____ komm_____ gleich. Klaus, koch_____ _____? Oder koch_____ Maria?

Maria: 5. Klaus koch_____. Was trink_____ _____?

Katharina und Thomas: 6. _____ trink_____ gerne Saft.

4 **Fragen Sie Freunde.**

1. Woher kommen Sie? (Plural) → _Woher kommt ihr?_____

2. Wann stehen Sie normalerweise auf? (Singular) → _____

3. Was machen Sie morgens? (Plural) → _____

4. Was spielen Sie gerne? (Plural) → _____

5. Wo wohnen Sie zurzeit? (Singular) → _____

5 **er, es oder *sie*?**

1. Das Schiff geht nach England. Heute Abend fährt _es_ los.

2. Klaus spielt nicht, _____ arbeitet.

3. Die Arbeit macht Spaß, aber _____ ist anstrengend.

4. Herr Fischer und Herr Bauer fahren heute nach Nürnberg. _____ arbeiten dort.

5. Da kommt der Zug! _____ fährt weiter nach Hamburg.

6 ***Sie* oder *sie*?**

1. ● Ich heiße Ulrich Maier. Wie heiß__en_ _Sie_ ?

2. Da kommen Karin und Thomas. Was mach_____ _____?

3. ● Ah, guten Tag Frau Müller. Komm_____ _____ mit? Wir gehen in die Kantine.

4. Claudia arbeitet, _____ komm_____ nicht mit.

5. ● Guten Abend, Herr Weber und Frau Weber, fahr_____ _____ ins Zentrum? Nehmen Sie mich mit?

   ● Ja natürlich, steig_____ _____ ein!

Unregelmäßige Verben: Vokaländerung

lesen			
ich	lese	wir	lesen
du	lie**st**	ihr	lest
er / es / sie	lie**st**	sie	lesen
Sie (formell)	lesen	Sie (formell)	lesen

Unregelmäßige Verben
→ Anhang

Singular: **Vokaländerung**   Plural und *Sie*: keine Änderung

	e → ie	e → i	!!!	a → ä	au → äu	!!!
	lesen	**sprechen**	**nehmen**	**fahren**	**laufen**	**wissen**
ich	lese	spreche	nehme	fahre	laufe	wei**ß**
du	lie**st**	spri**ch**st	**nimm**st	f**äh**rst	l**äu**fst	wei**ß**t
er / es / sie	lie**st**	spri**ch**t	**nimm**t	f**äh**rt	l**äu**ft	wei**ß**
wir	lesen	sprechen	nehmen	fahren	laufen	wissen
...	...	...	...	...	...	...
	sehen	essen, geben, helfen		schlafen, tragen		

Verb-Endung: Varianten

	fin**d**en	läche**ln**	rei**s**en	wer**d**en
ich	finde	läch**le**	reise	werde
du	find**est**	lächelst	rei**st**	wi**r**st
er / es / sie	find**et**	lächelt	reist	wi**rd**
wir	finden	läche**ln**	reisen	werden
ihr	find**et**	lächelt	reist	werdet
sie	finden	läche**ln**	reisen	werden
Sie (formell)	finden	läche**ln**	reisen	werden
	bilden, arbeiten, warten	klingeln, sammeln	heißen – du heißt ..., beißen	

① **Kombinieren Sie.**

ihr • du • er •
es • ich • wir
• sie • Sie

sie spricht, _____

_____

_____

spricht • nimmt • weiß • gebe •
siehst • nehme • klingeln •
schläft • sprecht • gebt • gibt •
läufst • schlaft • lauft • wisst •
liest • seht • wartet

② **Ergänzen Sie.**

1. ● Warum lächelst du nicht?

   ● *Ich lächle nie.* _____

2. ● Klingelst du oder ich?

   ● Ich _____

3. ● Schlafen die Kinder schon?

   ● Konstantin _____ schon, Lucy _____ noch. (schlafen, lesen).

4. ● Wie _____ der Herr dort? (heißen)

   ● Tut mir leid, das _____ ich nicht. (wissen)

③ **Fragen Sie einen Freund oder eine Freundin.**

1. Arbeiten Sie viel? → *Arbeitest du viel?* _____

2. Reisen Sie gerne? → _____

3. Warten Sie schon lange? → _____

4. Nehmen Sie Zucker? → _____

5. Was lesen Sie gerade? → _____

6. Sprechen Sie Russisch? → _____

④ **Im Flugzeug**

Familie Engel __*fliegt*__ nach Spanien. Das Flugzeug _____ 1, | fliegen, starten

es _____ 2 los, immer schneller, es fliegt! Leon _____ 3 hinaus. | fahren, sehen

Anna _____ 4 ein Buch. Da _____ 5 die Flugbegleiterin. | lesen, kommen

Sie _____ 6 nur Spanisch! Endlich. Das Essen! Herr Engel _____ 7 | sprechen, essen

nicht, er _____ 8. Aber Frau Engel, Leon und Anna _____ 9. | schlafen, essen

Leon _____ 10 : „Wann kommen wir an?" Frau Engel _____ 11 : | fragen, antworten

„Leon, ich _____ 12 es nicht! _____ 13 du nicht?" | wissen, schlafen

Aber Leon _____ 14 , er _____ 15 nicht. | lesen, schlafen

⑤ **Finden Sie Reime.**

1. er trägt _____

2. du siehst _____

3. du heißt _____

4. ihr geht *ihr seht,* _____

schlagen • wissen •
lesen • sehen •
drehen • beißen •
stehen • ...

Ich bin müde – aber ich habe noch viele Termine!

sein und *haben* im Präsens

sein	
ich	**bin**
du	**bist**
er / es / sie	**ist**
wir	**sind**
ihr	**seid**
sie	**sind**
Sie (formell)	**sind**

haben	
ich	habe
du	**hast**
er / es / sie	**hat**
wir	haben
ihr	habt
sie	haben
Sie (formell)	haben

sein + Adjektiv / Nomen

①	② Verb		
Ich	bin	sehr	glücklich.
Wir	sind	heute	müde.
Sie	ist		Direktorin.
Das	ist		Goethe.

haben + Nomen

①	② Verb		
Ich	habe	immer	Glück.
Sie	hat		Pech.
Er	hat	nie	Zeit.
Wir	haben		Lust.

Deklination der Adjektive
→ 26, 27

sein + Adjektiv (ohne Endung)
sein + Nomen

Feste Wendungen:
haben + Nomen (ohne Artikel)

Beispiele mit *sein*

- Ist sie nervös?
- Ist er Direktor?
- Ist das Goethe?
- Bist du müde?
- Ist sie 24?
- Ja (, sie ist nervös).
- Ja (, er ist Direktor).
- Nein, das ist Bach.
- Ja, ich bin todmüde!
- Nein, sie ist 23.

Was ist los? Wo ist das Problem?
Da ist Maria!

Beispiele mit *haben* (feste Wendungen)

Ich habe Zeit.
Habt ihr Lust? Fahren wir nach Hamburg?
Ich habe Angst / Hunger / Durst.
Ich habe immer Pech.
Sie hat Talent. Haben Sie auch Talent?
Sie haben Geld, aber keine Zeit!
Er hat Mut!

1 Wie ist ...? Ergänzen Sie.

1. Ich _bin_ aus Wien. Wien _ist_ sehr _historisch_ _____.

2. Wir _____ aus München. München _____ _____

3. Was, ihr _____ aus Paris? Paris _____ _____

4. Aha, Sie _____ aus London. London _____ _____

5. Marta und Eva _____ aus Rom. Rom _____ _____

alt • sonnig
langweilig
kosmopolitisch
interessant
~~historisch~~
schick • teuer
romantisch
groß

2 Müde oder fit?

1. ● Bist du müde?   ● Nein, ich _____ nicht müde, ich _____ unglücklich.

2. ● _____ Sie nervös?   ● Wir? Nervös? Nein, nein, wir _____ sehr ruhig.

3. ● _____ er fit?   ● Nein im Gegenteil: Er _____ todmüde!

4. ● _____ sie arrogant?   ● Arrogant? Nein, sie _____ elegant.

5. ● _____ ihr glücklich?   ● Ja, wir _____ sehr glücklich.

3 Berufe

1. ● _Ist_ sie _Sekretärin_ ?   ● Nein, sie _ist_ _Direktorin._

2. ● _____ Sie Direktor?   ● Nein, ich _____ _____

3. ● _____ du Franzose?   ● Nein, ich _____ _____

4. ● _____ Lukas und Marco Lehrer?   ● Nein, sie _____ _____

~~Direktorin~~
Argentinier
Vize-Direktor
Künstler

4 haben

1. Ich _habe_ heute viel Zeit, aber ich _____ keine Lust.

2. ● _____ du Talent?   ● Ich _____ Geduld, aber ich _____ kein Talent.

3. ● _____ ihr Geld? Wer Geld _____, der _____ Glück – oder?   ● Geld ist nicht alles!

5 Schlechte Laune: *haben* oder *sein*

Ich bin müde. Das Wetter _ist_ schlecht. Der Chef _____ 1 arrogant. Das Projekt _____ 2

noch nicht fertig. Ich _____ 3 Angst! Und ich _____ 4 keine Lust. Immer _____ 5 ich Pech!

_____ 6 das Leben nicht traurig? Was _____ 7 nur los? _____ 8 das normal?

6 Ist das ...?

a. ~~der schiefe Turm~~   b. der Eiffelturm   c. der Big Ben

~~Pisa~~
Berlin
London
Wien
Paris
New York

d. das Brandenburger Tor   e. das Empire State Building   f. der Stephansdom

a. _Das ist der schiefe Turm. Er ist in Pisa._   d. _____

b. _____   e. _____

c. _____   f. _____

> *Ah, guten Tag Frau Beier, kommen Sie herein!*

Imperativ

	Singular	Plural
informell	Anton, **komm** bitte!	Ah, Hannah und Paul, **kommt** herein!
formell	Frau Beier, **kommen Sie** herein!	Herr und Frau Özcan, **kommen Sie** bitte!

informell:	meistens kein Pronomen: Komm! Kommt!
formell:	*Sie* ist obligatorisch: Kommen Sie!

Positionen im Satz

> **!**
> **Das sagt man oft:**
> Hört mal zu, das ist wichtig!
> Sprechen Sie bitte langsam!
> Wiederholen Sie, bitte!

① Verb		
Komm	bitte!	
Macht	ab und zu eine Pause!	
Lesen	Sie mal	vor!

bitte und *mal* machen Imperative höflich:
Fahr **bitte** langsam! (oder: **Bitte** fahr langsam!)
Schau **mal**, ist das nicht schön?

Funktion / Bedeutung

Bitte
Rat
Aufforderung

Unregelmäßige Verben

Unregelmäßige Verben → **4**

e → i		a → ä		-e-	
du sprichst → sprich		du fährst → fahr		du arbeitest → arbeite	
ihr sprecht → sprecht		ihr fahrt → fahrt		ihr arbeitet → arbeitet	
Sie sprechen → sprechen Sie		Sie fahren → fahren Sie		Sie arbeiten → arbeiten Sie	

ebenso:	ebenso:	ebenso:
lesen → lies, nehmen → nimm,	laufen → lauf,	finden → finde,
geben, essen, helfen, sehen, …	schlafen, halten, …	warten, öffnen, atmen, …
aber: werden → werde		

haben			**sein**		
Du hast Angst.	→	**Hab** keine Angst!	Du bist nicht vorsichtig.	→	**Sei** vorsichtig!
Ihr habt Angst.	→	**Habt** keine Angst!	Ihr seid nicht vorsichtig.	→	**Seid** vorsichtig!
Sie haben Angst.	→	**Haben** Sie keine Angst!	Sie sind nicht vorsichtig.	→	**Seien** Sie vorsichtig!

1 Reisetipps für Ihren Freund / Ihre Freundin

Autofahren ist gefährlich! _Fahr_ bitte vorsichtig! _____ 1 immer auf

den Verkehr! _____ 2 mal Pause, _____ 3 gesund und _____ 4

nicht so viel Kaffee! _____ 5 viel Geduld und _____ 6 vernünftig!

| fahren, achten,
| machen, essen, trinken
| haben, sein

2 Bitten Sie einen Fremden / eine Fremde.

1. Sprich bitte langsam! → _Sprechen Sie bitte langsam!_

2. Wiederhol das bitte! → _____

3. Erklär das bitte! → _____

4. Hör bitte genau zu! → _____

3 Liebe Kinder ...

Liebe Kinder, ich arbeite heute länger. _Geht_ bitte in die Küche, da ist etwas zu

essen. _____ 1 auch etwas Milch! Dann _____ 2 noch ein bisschen,

aber _____ 3 nicht! _____ 4 nicht so spät ins Bett! Und _____ 5

vorher die Zähne! _____ 6 gut und _____ 7 was Schönes!

Ich komme so um 10 Uhr nach Hause. Eure Mama.

| gehen
| trinken, spielen
| streiten, gehen, putzen
| schlafen, träumen

4 Delegieren Sie.

1. Das ist kompliziert. Wer hilft mir mal? (Anna)   _Anna, hilf mir bitte mal!_

2. Wer telefoniert mit der Firma in Jena? (Petrow) _____

3. So ein Chaos! Wer bringt das in Ordnung? (Lukas und Klaus) _____

4. In Wien ist ein Kongress. Wer fährt nach Wien? (Frau Blau) _____

5 Bitten Sie höflich.

1. (ihr; warten)   _Wartet bitte_ _____, ich komme gleich!

2. (du; nicht so lange arbeiten) _____, es ist Freitag!

3. (du; pünktlich sein) _____, die Maiers sind so pedantisch!

4. (ihr; etwas Geduld haben) _____, ich bin gleich fertig.

6 Der Chef ist krank. Ergänzen Sie die E-Mail.

Hallo Herr Maier, ich bin krank und komme heute nicht!

Bitte _öffnen Sie_ die Post! Rufen Sie mich an und _____ 1 !

Das München-Projekt ist wichtig. _____ 2 nicht bis morgen, _____ 3

sofort! Ganz wichtig: Frau Rot hat morgen Geburtstag. _____ 4 bitte Blumen und

eine Flasche Sekt! Ah – da ist noch etwas: _____ 5 mit Herrn Huber in Passau,

aber _____ 6 vorsichtig, der Mann ist sehr kritisch. _____ 7 Geduld

und _____ 8 ihm alles!

Bis später, Walter Schmidt

warten
telefonieren
reagieren
berichten
sein
öffnen
haben
erklären
kaufen

> *Was nehmen wir mit?*

Trennbare Verben

> ⚠ Bei trennbaren Verben ist das Präfix immer betont: **mit**nehmen, **an**fangen, **aus**steigen …

Infinitiv: ein Wort			
mitnehmen			
anfangen			
aussteigen			
Präfix + Verb			

Satz:		Satzklammer	
Was	**nehmen**	wir	**mit**?
Ich	**fange**	gleich	**an**.
Hier	**steigen**	wir	**aus**.
	konjugiertes Verb		trennbares Präfix

Positionen im Satz

①	② konjugiertes Verb	Satzmitte	Satzende: trennbares Präfix	
Ich	**packe**	alles	**ein.**	Aussage
Was	**nehmen**	wir	**mit?**	W-Frage

	① konjugiertes Verb	Satzmitte	Satzende: trennbares Präfix	
	Fahren	wir	**los?**	Ja / Nein-Frage
	Kommt	bitte schnell	**mit!**	Bitte, Aufforderung

Präfixe, die immer trennbar sind:

ab-	Achtung auf Gleis 3! Der Zug **fährt** gleich **ab**!
an-	**Fang** schon mal **an**, ich komme gleich!
auf-	Ich bin müde, ich **höre** jetzt **auf**.
aus-	Oh, da ist die Schulstraße, hier **steige** ich **aus**!
ein-	Am Samstag **kaufe** ich immer viel **ein**.
her-	**Schau** mal **her**! Findest du das Kleid schön?
hin-	Karl macht morgen ein Fest – **gehen** wir **hin**?
los-	Es ist schon spät, **fahren** wir **los**?
mit-	Wir gehen ins Kino, **kommt** ihr **mit**?
raus- / rein-	**Komm** doch **rein**! (**Komm** doch **herein**!)
vor-	Was machen wir jetzt? – **Schlag** doch was **vor**!
weg-	**Lauf** nicht zu weit **weg**!
zu-	**Hören** Sie mir bitte genau **zu**: …
zurück-	**Komm** bitte bald **zurück**!

Andere Verben mit zwei Teilen:

- ● Endlich – die Sonne scheint!
  Ich **gehe** jetzt **spazieren**. Kommst du mit?
- ● Immer **spazieren gehen**! Ich **sehe** lieber **fern**
  (spazieren gehen, fernsehen)

- ● Heute **findet** ein Jazzfestival im Park **statt**.
  Kommst du **mit**?
- ● Super, ich **lerne** gerne neue Musik **kennen**.
  (stattfinden, kennenlernen)

Lernen Sie die Schweiz **kennen** – im Winter **fährt** man **Ski**, im Sommer **geht** man **baden**! (kennenlernen, Ski fahren, baden gehen)

1 **Unterstreichen Sie die trennbaren Verben.**

Heute <u>räume</u> ich mal <u>auf</u>. Die Wohnung sieht chaotisch aus! Wie fange ich nur an? Vielleicht wasche ich zuerst

das Geschirr ab. Dann putze ich die Fenster. Da klingelt das Telefon. Wer ruft denn jetzt an? Da hört das Klingeln

wieder auf. Zu dumm! Ich sauge, wische, trockne ab, poliere … Am Schluss bin ich sehr müde!

2 **Ein Albtraum. Ergänzen Sie.**

Jemand sagt: „ _Steigen_ Sie sofort _ein_ ! Wir _____ gleich _____ 1 !" | einsteigen, losfliegen

Ich gehorche. Auf einmal sind da viele Leute. Alle _____ _____ 2 . | herschauen

Jemand _____ die Tür _____ 3 . Wir _____ _____ 4 . | zumachen, losfliegen

Ich rufe: „Halt, halt! Ich _____ nicht _____ 5 , _____ | mitkommen, zurückfliegen

Sie sofort _____ 6 !" Alle lachen. Sie _____ nicht _____ 7 . | zuhören

Wohin fliegen wir? Da _____ ich plötzlich _____ 8 . | aufwachen

Ein Glück, ich fliege nicht, ich liege im Bett!

3 **Karla und Paul bereiten eine Reise vor. Ergänzen Sie.**

Karla: Bitte, bitte, Paul, _hol das Flugticket ab_ ! | ~~das Flugticket abholen~~

Dann _____ die Wohnung _____ 1 ! | aufräumen

Ah, und bitte _____ auch _____ 2 ! | abwaschen

Und _____ den Reisepass _____ 3 ! | einstecken

Ich _____ 4 , | Proviant einkaufen

_____ 5 und | alles einpacken

_____ das Haus _____ 6 . | abschließen

Dann _____ wir endlich _____ 7 . | losfahren

4 **Ergänzen Sie die trennbaren Präfixe.**

1. Der Zug fährt gleich _ab_ , schnell, wir steigen jetzt _____.

2. Ja, ja, okay, nimmst du den Koffer _____?

3. Mach ich, aber komm jetzt bitte _____!

4. Und schon fahren wir _____. Puh, so ein Stress!

mit • los •
~~ab~~ • rein
• ein

5 **Vergnügungen. Fragen Sie einen Kollegen oder eine Kollegin.**

1. spät aufstehen ● _Stehst du auch gerne so spät auf?_ ● _Ja. / Nein. / Nicht so gern._

2. lang frühstücken _____ _____

3. spazieren gehen _____ _____

4. einkaufen _____ _____

5. Freunde anrufen _____ _____

6. fernsehen _____ _____

7. Musik hören _____ _____

8. früh einschlafen _____ _____

… _____ _____

> *Ich ruf' später nochmal an, dann machen wir was aus!*

Aussage

Position 1: nur ein Element, oft: Subjekt oder ein Adverb (*dann, heute Morgen, dort, da vorne…*)
Position 2: konjugiertes Verb
Satzmitte: meistens Subjekt zuerst, wenn nicht auf Position 1
Satzende: zweiter Verbteil

Satzklammer

①	②		Satzmitte	Satzende
Ich	ruf'		später nochmal	an,
dann	machen	wir	was	aus.
Die Frau	telefoniert.			
Es	ist		schon	spät.

W-Frage

W-Wort: immer auf Position 1, Subjekt meistens direkt nach dem Verb

① W-Wort	②	Satzmitte	Satzende
Wie	heißen	Sie?	
Wo	steigst	du	aus?

Ja / Nein-Frage

Verb: Position 1, Subjekt meistens direkt nach Position 1

①	Satzmitte	Satzende
Telefoniert	Herr Maier gerade?	
Kommst	du	mit?

Imperativ

Verb: Position 1, *bitte* steht manchmal vor dem Verb: **Bitte** schau mal her!

①		Satzmitte	Satzende
Fangt		schon mal	an!
Schreiben	Sie	bitte!	

Satzkombinationen

Satzkombinationen mit *und, aber, oder, denn*: Die Stellung der Sätze bleibt gleich.

Sie liest	**und**	er sieht fern.		Bleibe ich zu Hause	**oder**	gehe ich spazieren?
Heute arbeite ich,	**aber**	morgen habe ich Zeit.		Ich höre jetzt auf,	**denn**	ich bin sehr müde.

Satzverbindungen mit
Konjunktionen → 65

1 **Die Sonne scheint! Unterstreichen Sie das Subjekt.**

Heute ist <u>Herr Maier</u> froh. Der Chef ist nicht da, die Arbeit ist leicht und die Sonne scheint. Er überlegt: „Was mache ich heute Abend? Fahre ich nach Hause oder gehe ich spazieren?" Da ruft Anna an und fragt: „Gehen wir heute Abend essen?" Aber der Chef kommt früh zurück. Er hat schlechte Laune: „Was machen Sie da, Herr Maier? Rufen Sie bitte sofort in Stuttgart an! Es ist dringend! Wir warten und warten und die Datei ist immer noch nicht da. Ach ja: Die Kunden aus Hamburg kommen gleich. Heute Abend gehen wir alle essen – Sie kommen bitte mit!"

2 **Eine Einladung: Was passt? Ordnen Sie zu.**

Marie:

<u>1d</u>   1. <u>Bist du fertig? Es ist schon spät!</u>

_____   2. Ja, du weißt doch, Magda und Vinzent warten nicht gerne! Mach bitte schnell!

_____   3. Ich habe es. Was nehmen wir mit? Wein? Blumen? Schokolade?

_____   4. Okay, dann gehen wir jetzt los!

Julian:

a. Wein und Blumen. Schokolade finde ich kindisch.

b. Ja. Aber ich habe gar keine Lust!

c. Ja ja, ich komme ja schon. Wo ist das Geld?

d. <u>Was? Müssen wir schon los?</u>

3 **Formulieren Sie die Bitten als Fragen.**

1. Packt bitte alles ein! → *Packt ihr bitte alles ein?*   3. Ruf mich nachher an! → _____

2. Hör jetzt bitte auf! → _____   4. Koch bitte heute Abend! → _____

4 **Ergänzen Sie die Fragen.**

1. ● *Wo wohnt Frau Klos?* ● In Halle. (Frau Klos)

2. ● _____? ● Nein, ich lese.

3. ● _____ ● Das ist Frau Lohse, die Lehrerin.

4. ● _____ ● Ich lese gerade ein Buch.

5 **Kombinieren Sie Sätze.**

1. Heute scheint die Sonne. Herr Maier ist glücklich.

Heute scheint die Sonne und Herr Maier ist glücklich.

Herr Maier ist glücklich, denn heute scheint die Sonne.

aber • und • denn • oder

2. Ich gehe gerne spazieren. Ich schwimme nicht gerne.

_____

3. Endlich ist Urlaub! Was meinst du: Fahren wir nach Italien? Fahren wir nach Frankreich?

_____

4. Nein, ich komme heute nicht. Ich habe viel Arbeit und schlechte Laune.

_____

5. Der Tag ist stressig. Anton ist glücklich. Heute Abend kommt Anna.

_____

> Guck mal, Mama! Da ist ein Berg! Und da ist ein Wald! Und ich sehe auch einen See, da vorne!

Nominativ und Akkusativ: Indefiniter Artikel

Nominativ	Akkusativ
Da ist **ein Berg**!	Die Frau sieht **einen Berg**.
Da ist **ein Pferd**!	Die Frau sieht **ein Pferd**.
Da ist **eine Kirche**!	Die Frau sieht **eine Kirche**.
Eine Frau klingelt.	Sie bringt **einen Brief**.
Ein Zug kommt an.	Wir kaufen **eine Zeitung**.

Das Subjekt des Satzes ist immer ein Nominativ. Das Objekt von vielen Verben ist ein Akkusativ.

> In einigen Sprachen sagt man zum Akkusativobjekt auch „direktes Objekt".

Verben mit Dativ oder Akkusativ
→ Anhang

> Zeitausdrücke immer im Akkusativ:
> Ein**en** Moment, bitte!
> Ich gehe jed**en** Tag spazieren.

Verb

Verb

| Subjekt | | Subjekt | | | Akkusativobjekt |

weitere Verben mit Akkusativ: haben, finden, suchen, nehmen, hören, essen, …

Wir	tanzen.	Sie	liebt	nur	**einen Mann**.
		Ich	lese		**ein Buch**.
		Wir	machen		**eine Party**.

Deklination: Indefiniter Artikel

Dativ → 12

Genitiv → 15

	Singular					Plural		
	maskulin		neutral		feminin			
Nominativ	ein	Berg	ein	Pferd	eine Kirche	Berge	Pferde	Kirchen
Akkusativ	**einen**	Berg	ein	Pferd	eine Kirche	Berge	Pferde	Kirchen
Dativ	einem Berg		einem Pferd		einer Kirche	Bergen	Pferden	Kirchen
Genitiv	eines	Bergs	eines	Pferds	einer Kirche	Berge	Pferde	Kirchen

1 **Was passt hier zusammen? Bilden Sie Sätze.**

1. David hat heute		Taxi.
2. Angelika macht oft	einen	gute Ideen.
3. Wir suchen	ein	Birnen.
4. Dort drüben ist	eine	Wohnung.
5. Hoffentlich findest du bald	–	Fehler.
6. Wir suchen		Frisör.
7. Sabine isst gern		Termin.

2 **Im Geschäft. Ergänzen Sie *ein, einen, eine*.**

Samira hat heute Gäste. Sie kauft im Lebensmittelgeschäft ein. Sie nimmt ___*eine*___ Melone, zwei Pfund Äpfel,

_____ 1 Pfund Kartoffeln, _____ 2 Wein aus Frankreich, _____ 3 Rinderbraten, _____ 4

Glas Pilze, _____ 5 Salat und _____ 6 Packung Spinat. _____ 7 Apfel ist schon schlecht.

Samira reklamiert. Dann kauft sie noch _____ 8 Zeitung und trinkt im Café _____ 9 Kaffee.

3 **Gibt es hier ...?**

Wir wohnen in Oberneudorf. Das ist eine kleine Stadt. Hier gibt es

eine Kirche, _____

_____

_____

Kirche • Schule • Rathaus •
Eissalon • Bank • Kino •
Bahnhof • Einkaufszentrum • …

4 **Zeitausdrücke**

1. Er ist schon ___*einen*___ Monat hier.   2. _____ Augenblick, bitte! Ich komme gleich.

3. Er telefoniert schon _____ Stunde lang.

5 **Sebastian ist zufrieden. Ergänzen Sie.**

Er hat ___*eine*___ Kamera, _____ Auto, _____ Job und _____ Haus.

6 **Ein Ausflug. Ergänzen Sie.**

Herr und Frau Müller machen ___*einen*___ Ausflug. Sie nehmen die S-Bahn. Frau Müller hat schon _____ 1

Fahrkarte, Herr Müller braucht _____ 2 Münze für die Maschine. In Starnberg besichtigen sie _____ 3

Kirche. _____ 4 Reiseleiter beschreibt gerade _____ 5 Bild von Dürer. – Im Restaurant essen sie noch

_____ 6 Schweinebraten und trinken _____ 7 Bier. Dann fahren sie wieder nach Hause.

7 **Im Restaurant. Ergänzen Sie den Dialog.**

1. Kellner: Sie wünschen, bitte?

2. Frau López: Ich möchte gern ___*einen*___ Tee und _____ Stück Kuchen, bitte.

3. Herr López: Und ich möchte _____ Schnitzel und _____ Apfelsaft!

4. Leo: Ich will _____ Wurst und _____ Cola!

5. Kellner: Kommt sofort!

Variieren Sie: Kaffee, Limo, Traubensaft, Glas Milch, Torte, Gulasch, Spaghetti, Steak, Pizza, Hamburger, Salat

Seht ihr die Uhr, das Fenster und den Turm?

Nominativ und Akkusativ: Definiter Artikel

Nominativ	Akkusativ
Die Frau fragt:	Siehst du **den Turm**?
Das Kind antwortet:	Nein, aber ich sehe **die Kirche**.
Der Mann fragt:	Seht ihr **das Fenster**?
Die Kinder lachen:	Ja, **das Fenster** sehen wir!

> Das Akkusativobjekt kann auch auf Position 1 stehen.

Positionen im Satz (2) → **17**

Deklination: Definiter Artikel

Indefiniter und definiter
Artikel: Verwendung → **11**

Dativ → **12**

Genitiv → **15**

	Singular						Plural			
	maskulin		neutral		feminin					
Nominativ	der	Mann	das	Kind	die	Frau	die	Männer	Kinder	Frauen
Akkusativ	**den**	Mann	das	Kind	die	Frau	die	Männer	Kinder	Frauen
Dativ	dem	Mann	dem	Kind	der	Frau	den	Männern	Kindern	Frauen
Genitiv	des	Mannes	des	Kindes	der	Frau	der	Männer	Kinder	Frauen

Fragewörter

Nominativ		Akkusativ	
Wer fragt?	**Der** Mann.	**Wen** fragt sie?	**Den** Mann.
Was ist dort?	**Der** Turm.	**Was** siehst du?	**Den** Turm.

(1) Wer? Wen? Was?

1. Wer sagt das?   (Mutter)   *Die Mutter.*

2. Wer will das?   (Vater)   _____

3. Wen will er sprechen?   (Bruder)   _____

4. Was sucht er?   (Buch)   _____

5. Was findet er?   (Briefe)   _____

(2) Wie bitte? Wen siehst du?

Max und Lena sind in einem Club. Die Musik ist sehr laut. Lena versteht Max nicht gut.

Max: Da, guck mal! Da kommt Justin Bieber!

Lena: Was? – ___*Wer*___ kommt da?

Max: Justin Bieber! Und da ist auch Beyoncé!

Lena: _____ 1 ist da? _____ 2 siehst du?

Max: Justin Bieber! Mit Beyoncé! Ich lese gerade eine Biografie von Beyoncé.

Lena: Wie bitte? _____ 3 liest du?

Max: Eine Biografie von Beyoncé. So, und jetzt tanzen wir.

Lena: Echt jetzt? _____ 4 machen wir?

(3) Herr Lopez hat heute Kopfschmerzen. Er versteht den Lehrer nicht.

„Entschuldigen Sie bitte, Herr König. Ich verstehe ___*den*___ Satz nicht, und ich verstehe auch _____ 1

Akkusativ noch nicht. Können Sie bitte _____ 2 Deklination noch einmal erklären? Ich verstehe _____ 3

Wörter, aber ich verstehe _____ 4 Text nicht."

(4) Im Kurs: Was passt? Es gibt mehrere Möglichkeiten.

1. Wiederholen Sie bitte ___*den Satz!*___

2. Buchstabieren Sie bitte _____ _____

3. Lesen Sie bitte _____ _____ vor!

4. Schreiben Sie bitte _____ _____ ab!

5. Beantworten Sie bitte _____ _____

6. Machen Sie bitte _____ _____

> Text • Texte
> Übung • Übungen
> Wort • Wörter
> Satz • Sätze
> Frage • Fragen

(5) Subjekt (S) oder Objekt (O)?

1. <u>Die Sätze</u> analysiere ich schnell. S ☐ O ☒   3. <u>Den Dieb</u> sieht der Mann nicht. S ☐ O ☐

2. <u>Der Mann</u> sieht den Dieb nicht. S ☐ O ☐   4. <u>Die Ampel</u> bemerkt die Frau nicht sofort. S ☐ O ☐

(6) Wo ist der Akkusativ? Unterstreichen Sie.

1. Der Hund beißt <u>den Mann</u>.   4. Die Frau liebt der Mann wirklich sehr.

2. Die zwei Brüder begrüßt das Kind sofort, aber nicht den Onkel.   5. Das Land in Asien kennt die Frau gut.

3. Den Mann auf dem Foto kennt die Frau nicht.   6. Der Junge kennt die Frau gut.

Prinzessin Marja hat ein schönes Schloss und ein großes Bett. Sie liebt das Bett – hier zaubert sie immer!

Indefiniter Artikel

Indefiniter Artikel → 9

Hier wohnt **eine** junge Frau.	eine neue Person
Ich habe **ein** gelbes Auto.	eine neue Sache
Er ist **ein** schöner Mann.	generelle Charakterisierung
Kopenhagen ist **eine** Stadt.	Definition
Maria kauft **einen** Apfel und zwei Bananen.	Zahl

Definiter Artikel

Definiter Artikel → 10

Hier wohnt <u>eine junge Frau</u>.	**Die** Frau ist Friseurin.	die Person ist schon erwähnt
Ich habe ein gelbes Auto.	**Das** Auto hat vier Türen.	die Sache ist schon erwähnt
Fragen Sie **den** Mann am Schalter!		man zeigt auf eine bestimmte Person
Wo wohnt **der** Bundeskanzler?		die Person ist allgemein bekannt
Wo ist **die** Donau?		die Sache ist allgemein bekannt
Der Mensch hat Vernunft, **das** Tier hat Instinkt.		generelle Aussage (= der Mensch / das Tier an sich)

Sehen Sie den Knopf hier?

man zeigt auf eine bestimmte Person / Sache

Kein Artikel

Er ist Lehrer / Arzt / Mechaniker.	Beruf
Sie ist Deutsche / Französin / Amerikanerin.	Nationalität
Das ist Frau Müller.	Name
Wir haben Hunger. Wir essen Reis.	man kann es nicht zählen

1 Stadt – Land – Fluss. Ergänzen Sie die Definitionen.

1. Der Rhein ist _ein Fluss._____

2. Liechtenstein ist _____

3. Innsbruck ist _____

4. Hamburg ist _____

5. Neuschwanstein ist _____

Stadt
Land
~~Fluss~~
Schloss

2 Geografie. Ergänzen Sie.

1. Wie heißt __die___ Hauptstadt von Österreich?

2. Und wie heißt _____ Land im Norden von Deutschland?

3. _____ Rhein fließt durch die Schweiz, Deutschland und die Niederlande.

4. _____ Meer bei Hamburg heißt „Nordsee".

3 Marias Familie. Ergänzen Sie den indefiniten oder den definiten Artikel.

Marias Familie ist sehr groß. Sie hat Vater und Mutter, __eine___ Großmutter, _____ 1 Großvater und vier

Geschwister: drei Schwestern und _____ 2 Bruder. _____ 3 Schwestern heißen Hannah, Franka und

Laura, _____ 4 Bruder heißt Tobias. _____ 5 Schwester wohnt in Wien, die anderen wohnen noch

zu Hause. _____ 6 Bruder ist erst 10 Jahre alt. Er hat schon _____ 7 Laptop und _____ 8

Smartphone. Franka und Laura haben zusammen _____ 9 Zimmer. _____ 10 Zimmer ist sehr groß

und hat _____ 11 Etagenbett.

4 Indefiniter Artikel, definiter Artikel oder kein Artikel?

1. Hast du __einen___ Augenblick Zeit? Ich möchte noch _____ Tasse Kaffee.

2. Ist _____ Kaffee aus biologischem Anbau?

3. Der „Gare du Nord" ist _____ Bahnhof in Paris, es gibt auch noch andere.

4. ● Wo fährt _____ Zug nach Köln? ● Auf Gleis 4.

5. Ich möchte bitte _____ Landkarte von Europa. Und was kosten _____ Kugelschreiber hier?

6. ● _____ Zeitung bitte! ● _____ Süddeutsche oder _____ Frankfurter Allgemeine Zeitung?

7. Ich stelle vor: Das ist _____ Frau Vox, und das ist _____ Herr Bix.

8. Herr Bix hat _____ Sohn. Er ist 6 Jahre alt.

9. Ich schicke einen Brief nach Griechenland. Ich brauche _____ Briefmarke.

10. Ergänzen Sie bitte _____ Artikel in diesen Sätzen!

5 Was sind die Personen von Beruf?

1. Frau Naumann unterrichtet Französisch in der Schule. Sie ist _____.

2. Omar studiert noch. Er ist _____.

3. Herr Saab lehrt an der Universität. Er ist _____.

4. Eva schreibt viele Briefe am Computer. Sie ist _____.

Und Sie? Und Ihre Mutter? Und Ihr Vater? Und Ihr Partner / Ihre Partnerin?

Der Mann gibt dem Kind den Ball.

Dativ

Der Mann gibt **dem Kind** den Ball.
Er schickt **dem Freund** eine E-Mail.
Sabine schenkt **der Freundin** Blumen.
Matthias zeigt **den Kindern** den Spielplatz.
Hannah bietet **einem Gast** einen Tee an.
Eltern lesen **Kindern** oft Geschichten vor.

Der Dativ bezeichnet meist „die andere Person" im Satz.
Viele Verben im Deutschen haben diese Konstruktion:

> Fragewort: **Wem?**
> Wem schenkt Mariana einen Schal?

Verb

Subjekt		Dativobjekt	Akkusativobjekt
Mariana	schenkt	**dem Großvater**	einen Schal.

> **!**
> In einigen Sprachen sagt man zum Dativobjekt auch „indirektes Objekt".

Ebenso: anbieten, empfehlen, erklären, schicken, vorlesen, vorstellen, zeigen, …

Einige Verben haben diese Konstruktion:

Verb

Subjekt	Dativobjekt
Lena	hilft	**dem Nachbarn**.

> Das Dativobjekt kann auch auf Position 1 stehen:
> **Den Leuten** gefiel der Film gut.

Ebenso: antworten, begegnen, gehören, gratulieren, helfen, schmecken, …

> **Das sagt man oft:**
> Wie geht es **Ihnen / dir**?
> **Mir** ist kalt.
> Es tut **mir** leid.

Deklination

Nominativ und Akkusativ
→ 9, 10
Deklination von Nomen → 14
Genitiv → 15

	Singular						Plural		
	maskulin		neutral		feminin				
Nominativ	der	Mann	das	Kind	die	Frau	die	Männer	Kinder	Frauen
Akkusativ	den	Mann	das	Kind	die	Frau	die	Männer	Kinder	Frauen
Dativ	**dem**	Mann	**dem**	Kind	**der**	Frau	**den**	Männern	Kindern	Frauen
Genitiv	des	Mannes	des	Kindes	der	Frau	der	Männer	Kinder	Frauen

Verben mit Dativ und Akkusativ
→ Anhang

	Singular						Plural		
Nominativ	ein	Mann	ein	Kind	eine	Frau		Männer	Kinder	Frauen
Akkusativ	einen	Mann	ein	Kind	eine	Frau		Männer	Kinder	Frauen
Dativ	**einem**	Mann	**einem**	Kind	**einer**	Frau		Männern	Kindern	Frauen
Genitiv	eines	Mannes	eines	Kindes	einer	Frau		Männer	Kinder	Frauen

(1) **Wo ist der Dativ? Unterstreichen Sie.**

1. Die Frau schreibt <u>dem Freund</u> einen Brief.

2. Der Freundin schreibt sie nie einen Brief.

3. Heute schickt sie der Mutter ein Paket zum Muttertag.

4. Dorothea Schlegel begegnet Goethe zum ersten Mal 1799.

5. Ich habe keinen Mantel. Mir ist kalt.

6. Gern zeigen die Leute den Touristen den Weg.

(2) **Besitz. Ergänzen Sie.**

1. ● Gehört der Schlüssel ___*dem*___ Mann? ● Nein, er gehört ___*der*___ Frau.

2. ● Gehört das Fahrrad _____ Schülerin? ● Nein, es gehört _____ Lehrer.

3. ● Gehört der Teddy _____ Kind? ● Nein, er gehört _____ Vater!

(3) **Was stiehlt der Dieb wem?**

Ein Dieb ist im Hotel „Rosenkavalier". Er stiehlt ___*der*___ Schauspielerin _____ 1 Armband.

_____ 2 Geschäftsmann stiehlt er _____ 3 Kreditkarte. Sogar _____ 4 Kindern

stiehlt er _____ 5 Laptops. Und _____ 6 Direktorin stiehlt er _____ 7 Aktentasche.

(4) **Ferien in einem fernen Land. Ergänzen Sie.**

Familie Nowak aus Stuttgart macht Ferien. Sie finden das Land sehr schön, aber das Sushi schmeckt ___*dem*___

Vater nicht, der Sake schmeckt _____ 1 Mutter nicht, der Reis schmeckt _____ 2 Sohn nicht und

die Hotels gefallen _____ 3 Tochter nicht. Nächstes Jahr bleiben sie zu Hause!

(5) **Was passt hier? Ergänzen Sie das Verb.**

1. Der Koffer ist sehr schwer. ___*Helfen*___ Sie bitte der Dame!

2. Die Wohnung ist groß und hell. _____ sie den Großeltern auch?

3. Das Essen in dem Restaurant ist sehr scharf. Es _____ den Kindern nicht.

4. Typisch Schule: Der Lehrer fragt den Schüler, der Schüler _____ dem Lehrer.

5. Wir _____ den Eltern zum 30. Hochzeitstag.

(6) **Geschenke zu Weihnachten**

Onkel
Großeltern
~~Mutter~~
Vater
Schwester
Bruder

Es ist Weihnachten. Jonas hat viele Geschenke für die Familie. Er ___*schenkt der Mutter einen Rucksack und*___

dem Vater ...

Ah, wie schön! Die Berge, die Täler, die Vögel und die Blumen. Und was ist das?

Aber Papa! Das ist doch klar. Das sind Autos!

Pluralsignale

Lernen Sie Singular und Plural immer zusammen.

Artikel → **9-11**

1. Artikel:	Plural	
der, das, die (Singular)	**die**	**die** Berge, **die** Häuser, die Straßen
ein, ein, eine (Singular)	–	Berge, Häuser, Straßen

2. Pluralendungen:	-e, -n / -en, -er, -s, -	der Film – die Film**e**, die Blume – die Blume**n**, das Bild – die Bild**er**, das Foto – die Fot**os**, der Koffer – die Koffer

3. manchmal Umlaut:		
a, au, o, u (Singular) →	**ä, äu, ö, ü** (Plural)	der Vogel – die V**ö**gel, …

Es gibt einige Regeln und Trends für die Pluralformen:

Endung	Wann?	Beispiele
-e	**sehr oft:** maskuline und neutrale Nomen	der Tag – die Tag**e**, das Jahr – die Jahr**e**, …
˙˙e	**manchmal:** feminine Nomen	der Ball – die B**ä**ll**e**, die Hand – die H**ä**nd**e**, …
-n / -en	**immer:** nach -e, -ie, -ung, -heit / -keit **oft:** feminine Nomen	die Theorie – die Theori**en**, die Übung – die Übung**en**, … die Frau – die Frau**en**, die Zeit – die Zeit**en**, die Regel – die Regel**n**, …
	oft: maskuline Nomen für Personen und Tiere	der Kollege – die Kolleg**en**, der Affe – die Aff**en**, …
-nen	**immer:** feminine Endung -in	die Studentin – die Studentin**nen**, …
-er	**immer:** nach -tum	der Reichtum – die Reicht**ü**m**er**, …
˙˙er	**oft:** neutrale Nomen mit einer Silbe **manchmal:** maskuline Nomen	das Bild – die Bild**er**, das Buch – die B**ü**ch**er**, … der Mann – die M**ä**nn**er**, der Wald – die W**ä**ld**er**,
-s	**oft:** internationale Wörter, vor allem aus dem Englischen; nach -a, -e, -i, -o, -u	das Baby – die Baby**s**, das Hobby – die Hobby**s**, das Hotel – die Hotel**s**, das Foto – die Foto**s**, …
– ˙˙	**immer:** bei -chen, -lein **meistens:** bei -er, -en, -el	das Mädchen – die Mädchen, das Vöglein – die Vöglein, … der Lehrer – die Lehrer, der Besen - die Besen, der Apfel – die **Ä**pfel, …

Fremdwörter mit anderen Pluralformen:
das Museum – die Muse**en**,
das Thema – die Them**en**,
die Firma – die Firm**en**,
das Lexikon – die Lexik**a**

Immer Singular:	das Obst, das Gemüse, die Milch, die Butter, das Fleisch, die Polizei, …
Immer Plural:	die Leute, die Eltern, die Geschwister, die Ferien, die Kosten, die Lebensmittel, die Möbel, …

① Identifizieren Sie die Pluralsignale.

1. die Schwestern   _n_

2. die Brüder   _____

3. die Tanten   _____

4. die Onkel   _____

5. die Söhne   _____

6. die Töchter   _____

7. die Bücher   _____

8. die Freundinnen   _____

9. die Büros   _____

10. die Wohnungen   _____

11. die Wände   _____

12. die Menschen   _____

13. die Züge   _____

14. die Regeln   _____

15. die Bilder   _____

② Beim Einkaufen. Ergänzen Sie die Pluralformen.

Sie: Schau mal, die _Birnen_ sehen gut aus! | Birne

Er: Ja, die nehmen wir. Kaufen wir auch _____ 1 ? | Apfel

Sie: Gute Idee! Siehst du die _____ 2 ? | Pflaume

Er: Ja, klar! Aber die sind sehr teuer. Was brauchen wir noch?

Sie: Moment. Wo ist die Liste? Ah, hier steht noch: _____ 3 , | Taschentuch

_____ 4 , _____ 5 und _____ 6 ! | Ei, Olive, Nudel

Er: Vergiss nicht die _____ 7 ! | Süßigkeit

③ Das Urlaubsparadies. Ergänzen Sie die Pluralformen.

Hier finden Sie alles: _Berge_ , _Täler_ und _Seen_ . | Berg, Tal, See

Es gibt große _____ 1 und weite _____ 2 , | Wald, Ebene

lange _____ 3 und dezente _____ 4 , | Strand, Hotel

bunte _____ 5 und freche _____ 6 . | Fisch, Vogel

Eltern und _____ 7 sind hier glücklich, und auch | Kind

_____ 8 und _____ 9 sind begeistert! Buchen Sie schnell! | Großvater, Großmutter

④ Bilden Sie Reime.

1. der Baum – die Bäume: _____

2. der Gast – die Gäste: _____

3. die Wand – die Wände: _____

4. der Zug – die Züge: _der Flug – die Flüge_

5. das Band – die Bänder: _____

6. die Rose – die Rosen: _____

der Ast
das Land
der Raum
der Flug
der Rest
die Dose
die Hose
der Rand
die Hand

⑤ Was haben Sie mehr als einmal? Notieren Sie.

Stifte, Bücher _____

⑥ Sprachvergleich   **Deutsch**   _____ (Ihre Sprache)

Nomen immer Singular: _das Fleisch_ _____   _____

_____   _____

Nomen immer Plural: _____   _____

_____   _____

Deklination der Nomen

Dativ Plural:
Fremdwörter mit -s:
die Radio**s** – den Radio**s**

Genitiv: -es nach Wörtern mit
einer Silbe und
nach -d, -t, -s, -sch, -tz: des
Wort**es**, des Fluss**es**, des
Witz**es** ...

	Singular					Plural		
	maskulin		neutral		feminin			
Nominativ	der	Maler	das	Bild	die	Kunst	die	Maler	Bilder	Künste
Akkusativ	den	Maler	das	Bild	die	Kunst	die	Maler	Bilder	Künste
Dativ	dem	Maler	dem	Bild	der	Kunst	den	Maler**n**	Bilder**n**	Künste**n**
Genitiv	des	Maler**s**	des	Bild**es**	der	Kunst	der	Maler	Bilder	Künste

Der Artikel zeigt Genus und Kasus des Nomens. Das Nomen selbst hat nur wenige Endungen.

Genitiv → 15

n-Deklination

Nur wenige Nomen haben n-Deklination.

	Typ I				Typ II		
	Singular				Plural		
	maskulin		maskulin				
Nominativ	der	Nachbar	der	Name	die	Nachbarn	Namen
Akkusativ	den	Nachbar**n**	den	Name**n**	die	Nachbarn	Namen
Dativ	dem	Nachbar**n**	dem	Name**n**	den	Nachbarn	Namen
Genitiv	des	Nachbar**n**	des	Name**ns**	der	Nachbarn	Namen

Typ I: immer -n/-en im Akkusativ, Dativ und Genitiv

Maskuline Lebewesen auf -e: der Junge – den Junge**n**, der Kunde – den Kunde**n**, der Hase – den Hase**n**,
der Türke – den Türke**n**, der Franzose – des Franzose**n**, ...

Fremdwörter auf -ant, -ent, -ist, -oge, -at: der Student – den Student**en**, der Biologe – den Biologe**n**, ...

Einige weitere maskuline Nomen: der Herr – den Herr**n**, der Mensch – den Mensch**en**,
der Nachbar – den Nachbar**n**, der Bauer – den Bauer**n**, der Bub – den Bub**en** (österreichisch / süddeutsch), ...

Typ II: wie Typ I, aber -s im Genitiv Singular

Einige maskuline Abstrakta auf -e: der Name – des Name**ns**, der Gedanke – des Gedank**ens**,
der Friede – des Friede**ns**, der Buchstabe – des Buchstabe**ns**, ...

Ebenso: das Herz – des Herz**ens**

1 **Ergänzen Sie die richtige Form des Nomens.**

1. Bitte eintragen: Geburtsdatum des *Antragstellers* und der _____. | der Antragsteller, die Ehefrau

2. Im Sommer besuchen uns wieder unsere _____ aus der Schweiz. | der Freund

3. Ich liebe Palermo! Dort gibt es so viele _____! | der Park

4. Leihst du deinen _____ dein Auto? | das Kind

5. Was schenkst du denn deinem _____ zum Geburtstag? | der Vater

2 **Endung oder nicht?**

1. Buchstabieren Sie bitte Ihren Vor- und Nachname*n*_____!

2. Wir kennen das Mädchen, aber nicht den Junge_____.

3. Wie gefällt denn den Praktikant_____ ihre Arbeit?

4. Der Löwe_____ ist der König der Tiere_____.

5. Der Hund ist der beste Freund des Mensch_____.

6. Kennen Sie schon Herr_____ Oculi, den Augenarzt?

7. Optimist_____ sagen, das Glas ist halb voll, Pessimist_____ sagen, das Glas ist halb leer.

3 **Ergänzen Sie Nomen im Genitiv. Achten Sie auf den Artikel. Manche Wörter passen mehrmals.**

1. der Anfang   *des Films*

2. das Ende   _____

3. das Büro   _____

4. das Gehalt   _____

5. die Abfahrt   _____

6. die Meinung   _____

7. die Stimme   _____

Chef •
Zug • Herz •
Liebe •
Haus • ~~Film~~ •
Kollege • Leute

4 **Nachbarschaft. Ergänzen Sie die Wörter und – wenn nötig – die Endung.**

● Kennst du schon unseren neuen *Nachbarn*, _____ 1 Villon?

● Ja, ich finde ihn sehr nett. Ich glaube, er ist _____ 2 .

● Stell dir vor, er hat einen _____ 3 als Haustier, aus Mexiko.

● Wie aufregend! Ich hoffe, der _____ 4 beißt unsere Katze nicht.

● Ich glaube nicht. Er ist ja zahm und tut den _____ 5 und Haustieren nichts.

Herr
Franzose
Mensch
~~Nachbar~~
Affe (2 x)

5 **Schreiben Sie ähnliche Dialoge mit: Nachbar / Nachbarin, Herr / Frau, Däne, Grieche, ... Löwe, Hase ...**

_____

_____

_____

_____

_____

Possessiver Artikel und Genitiv

Das ist mein Büro.

Das ist das Büro des Chefs.

Das ist Leas Büro.

WESSEN?

Possessiver Artikel und Genitiv drücken Besitz oder Zugehörigkeit aus.
Fragewort: **Wessen?**

Wessen Büro ist das? – Das ist **mein** Büro. / Das ist …

Possessiver Artikel

ich	mein	Darf ich vorstellen, das ist **mein Sohn** Tobias.
du	dein	Wo ist denn **dein Sohn** heute?
er	sein	Dort drüben, das ist David, und daneben, das ist **sein Bruder**.
es	sein	Hier ist auch das Baby und **sein Stoffhund**.
sie	ihr	Ah, da ist Susanne, und das ist **ihr Mann**.
wir	unser	Wie gefällt euch **unser Haus**?
ihr	euer	Wo liegt denn **euer Haus**?
sie	ihr	Darf ich vorstellen: Das sind Herr und Frau Schulz, und das ist **ihr Sohn**.
Sie	Ihr	Frau Wang, wo ist denn **Ihr Mann**?

!

Deklination wie *ein* und *kein*

Indefiniter Artikel *ein* → **9**

Negation mit *kein* → **19**

Deklination des possessiven Artikels

	Singular			Plural
	maskulin	neutral	feminin	
Nominativ	mein Bruder	mein Kind	mein**e** Schwester	mein**e** Eltern
Akkusativ	mein**en** Bruder	mein Kind	mein**e** Schwester	mein**e** Eltern
Dativ	mein**em** Bruder	mein**em** Kind	mein**er** Schwester	mein**en** Eltern
Genitiv	mein**es** Bruder**s**	mein**es** Kind**es**	mein**er** Schwester	mein**er** Eltern

Ebenso: dein, sein, ihr, unser, euer, ihr, Ihr
euer Bruder, aber: eu**r**en Bruder, eu**r**e Schwester, eu**r**e Kinder …; unsere Schwester, mündlich auch: uns**r**e Schwe

Drei Entscheidungen:

1. **Wer** hat etwas?   sie → **ihr** Vater, er → **sein** Vater, ich → **meine** Eltern
2. **Artikel** des Nomens: **seine** Mutter (die Mutter), **sein_** Vater (der Vater)
3. **Kasus** des Nomens: Er besucht **seinen** Vater (Akkusativ).

Genitiv

Deklination von Nomen → **14**

Genitiv	Name mit Genitiv -s	oft: *von* + Dativ statt Genitiv
das Büro **des Chefs**	**Leas** Auto	Nomen ohne Artikel:
das Lachen **des Kindes**	**Berlins** Museen	der Verkauf **von Äpfeln**
die Praxis **der Ärztin**		Umgangssprache:
das Werk **eines Meisters**	**Tobias'** Anzug	das Auto **von Frau Müller**
die Blätter **der Bäume**	Heinrich **Heines** Gedichte	die Freundin **von meinem Bruder**

1 **Wessen Sachen sind das?**

Buch • Tasche • Föhn • Handy • Auto • Zeitschrift • Regenschirm • Laptop • Jeans • Shorts • Rasierapparat • Tablet

ihr Buch, _____

seine Shorts, _____

_____

_____

_____

_____

_____

_____

_____

_____

2 **Was passt zusammen?**

1. der Titel	*1b*	a. der Banken	
2. der Gipfel	_____	b. der Zeitschrift	
3. der Name	_____	c. der Sekretärin	
4. das Geld	_____	d. der Welt	
5. das Ende	_____	e. des Berges	

3 **Kennen Sie diese Filme? Ordnen Sie zu.**

1. Krieg	_____	a. des Todes	
2. Das Leben	_____	b. der Karibik	
3. Im Angesicht	_____	c. der Sterne	
4. Der Herr	*4e*	d. der anderen	
5. Fluch	_____	e. der Ringe	

4 **Ergänzen Sie in der richtigen Form.**

1. Max, lass bitte __*deine*__ Zeitung nicht immer auf dem Tisch liegen!

2. Ich finde _____ Schlüssel nicht. Wo sind sie nur?

3. Wo ist denn Georg? Ist das hier _____ Fahrrad?

4. Maria ist schon weg, aber _____ Tasche ist noch hier!

5. _____ Deutschlehrerin heißt Frau Linde, wir mögen sie sehr gern.

6. ● _____ Mantel ist das hier an der Garderobe? ● Das ist Julians.

7. Frau Kondratzky, bitte buchstabieren Sie _____ Namen!

8. Wie ist bitte der Vorname _____ Tochter, Herr Bode?

9. Jana! Marcel! Kommt rein und macht _____ Hausaufgaben!

> Wessen? •
> • mein •
> dein • sein •
> ihr • unser •
> euer • Ihr • Ihr

5 **Fragen beim Job-Interview. Ergänzen Sie die possessiven Artikel.**

1. Was sind die Gründe __*Ihrer*__ Bewerbung?

2. Was sind _____ Ideen für die Zukunft?

3. Wie können Sie _____ Firma helfen?

4. Wie profitieren wir von _____ IT-Kenntnissen?

6 **Das ist meine Familie. Ergänzen Sie.**

Links vorn, das ist __*mein*__ Vater, daneben _____ 1 Mutter. Gleich rechts daneben, das

ist _____ 2 Tante Anna, die Schwester _____ 3 Mutter. Hinten stehen David, mein Bruder,

und _____ 4 Frau Carla. Die Tochter _____ 5 Bruders ist auch da, gleich vorn rechts. Ganz

vorn liegt _____ 6 Hund Richard, er gehört auch zur Familie.

> Welche Uhr hätten Sie denn gern?

> Ich nehme diese Uhr hier, die sieht schick aus.

Artikelwörter

Diese Artikelwörter werden dekliniert wie *der, das, die*:

Definiter Artikel *der, das, die* → **10**

dieser, dieses, diese	Hast du **dieses** Buch schon gelesen? Es ist sehr gut!	jemand zeigt auf etwas (demonstrativer Artikel)
jener, jenes, jene	Beim Abendessen herrschte eine eisige Atmosphäre. ... Später dachte er immer wieder an **jenen** Abend zurück.	Verweis auf eine andere Aussage
jeder, jedes, jede	Die Tante bringt **jedem** Kind eine Tafel Schokolade mit.	Gesamtheit, jeder einzelne
alle	Man kann nicht immer **allen** Kindern etwas schenken.	Gesamtheit, Plural
mancher, manches, manche	**Manche** Leute sind immer unzufrieden. **Manchen** Leuten kann man nichts recht machen.	einige
welcher, welches, welche	● **Welcher** Mantel gehört Ihnen? ● **Dieser** Mantel hier. ● **Welche** Uhr gefällt Ihnen am besten? ● **Die** Uhr hier.	Fragewort, Auswahl aus konkreter Menge
irgendwelche	Haben Sie noch **irgendwelche** Fragen?	egal, was für Fragen; Plural

Diese Artikelwörter werden dekliniert wie *ein / eine, kein / keine*:

Indefiniter Artikel *ein* → **9**

irgendein, irgendeine	Ich mache das an **irgendeinem** anderen Tag, heute habe ich keine Zeit dafür.	der genaue Tag ist nicht wichtig; Singular
was für ein / eine ... ? Plural: was für welche ... ?	● **Was für eine Uhr** suchen Sie? ● **Eine** wasserdichte Uhr, mit Datumsanzeige.	Frage nach der Art einer Sache; Antwort: ein / eine ...

(1) **Ergänzen Sie die Endungen. Achten Sie auf das Genus.**

1. Ich verstehe mich nicht gut mit mein*er* Mutter (Dat.). Nie hört sie mir zu, egal, was für ein_____

   Problem (Akk.) ich habe. Wenn sie selbst aber irgendein_____ Problem (Akk.) hat, spricht sie dauernd über

   dieses Problem.

2. Wissen Sie, manch_____ Leuten (Dat.) kann man es nie recht machen. Egal, was für ein_____ Lösung (Akk.)

   man findet – sie sind nie zufrieden.

3. Ich hasse Einkaufen. Nie kann ich mich entscheiden: Was für ein_____ Hut (Nom.) passt gut zu dies_____

   Mantel (Dat.)? Was für ein_____ Schal (Akk.) soll ich nehmen? Jed_____ Entscheidung (Nom.) ist schwer für

   mich. Am Schluss kaufe ich meistens irgendwelch_____ Dinge (Akk.) – nur, um endlich aus dies_____ Läden

   (Dat.) rauszukommen.

4. Dies_____ Luxusauto (Nom.) ist der Traum all_____ Manager (Gen.)! Verlassen Sie sich auf unser_____

   Erfahrung (Akk.) und unser_____ Können (Akk.) – wir bauen Autos für Ihr_____ Vergnügen (Akk.)!

(2) **Ergänzen Sie die Artikelwörter *was für ein, welcher, ein, der/das/die*. Achten Sie auf Genus und Kasus.**

1. ● Wenn du einkaufst, bring bitte ein Waschmittel mit.

   ● Ja, gerne, aber ___*was für ein Waschmittel*___ soll ich denn kaufen?

2. An der Universität: ● Ich mache in diesem Semester vier Seminare. ● _____ Seminar gefällt dir denn

   am besten? ● Ich finde _____ Kurs über Karl Marx am interessantesten.

3. Beim Bäcker: ● Guten Tag, was darf es denn sein? ● Ich hätte gerne vier Brötchen. ● Ja, gerne, aber

   _____ Brötchen hätten Sie gern? Wir haben viele Sorten! ● Ich nehme _____

   Mohnbrötchen.

4. An der Bushaltestelle: ● Entschuldigen Sie – _____ Bus fährt denn in die Innenstadt?

   ● _____ Bus Nummer 34, aber er braucht 30 Minuten.

(3) **Psychologische Beratung an der Uni. Setzen Sie die Artikelwörter ein. Achten Sie auf Genus und Kasus.**

● An ___*manchen*___ Tagen fühle ich mich nicht wohl. Da macht das Studium

   einfach _____₁ Spaß mehr

● Können Sie sagen, an _____₂ Tagen Sie _____₃

   Gefühl haben?

| welch- • jed- • |
| ~~manch-~~ • dies- • |
| kein- • irgendwelch- • |
| was für ein |

● Ja, besonders, wenn ich eine Prüfung schreiben muss. Aber _____₄ Mal ist es ein bisschen

   anders.

● Erklären Sie doch einmal, _____₅ Gefühl das genau ist.

● Ja, am Abend vor der Prüfung habe ich Angst und habe dann oft _____₆ Albträume.

Frau Laguardia schickt ihrem Kollegen heute einen Text.

Am Nachmittag liest Herr Weinrich den Text.

Elemente in der Satzmitte

| | | Satzklammer | | | |

①	②	Satzmitte			Satzende
Frau Laguardia	schickt	ihrem Kollegen		einen Text	
Am Nachmittag	liest	Herr Weinrich		den Text.	
Er	leiht	seiner Schwester	diese Woche	sein Fahrrad.	
Am Montag	bringt	sie es ihm			zurück.

Positionen im Satz (1) → **8**

Position 1:	Position 2:	Satzmitte:
Subjekt	konjugiertes	Subjekt meist direkt hinter dem Verb, wenn nicht auf Position 1
oder Adverb	Verb	Dativ vor Akkusativ
		Aber bei Pronomen: Akkusativ vor Dativ

Akkusativ oder Dativ auf Position 1

①	②	Satzmitte			Satzende
Alex	liest	seinen Kindern		eine Geschichte	vor,
den Schluss	erzählt	er	ihnen	aber erst morgen.	
Das	verstehe	ich		gut!	
Samira	schenkt	ihrer Tochter	zu Weihnachten	eine Kamera,	
ihrem Sohn	schenkt	sie		einen neuen Koffer.	

Akkusativ oder Dativ auf Position 1: Verbindung mit Kontext, Kontrast, Betonung

Neue Information				Neue Information	
①	②	Satzmitte			Satzende
Heute	bringe	ich	meinem Freund	ein Fahrrad	mit.
Morgen	leihe	ich	das Fahrrad	einer Freundin.	
Sie	kauft	ihrer Tochter Anna	heute	einen neuen Mantel.	
Anna	zieht	den Mantel	gleich		an.

Indefiniter Artikel *ein* → **9, 11**

Neue Information: rechts in der Satzmitte, oft mit indefinitem Artikel

1 Am Bahnhof. Markieren Sie: <u>Subjekt</u> **Akkusativobjekt **Dativobjekt**

<u>Der Zug</u> kommt in Köln an. Matti steigt aus. Er hat Hunger und sucht ein Restaurant. Da sieht er am Zeitungskiosk eine Kollegin. Schnell geht er hin und begrüßt sie: „Guten Tag, Frau Korte. Was machen Sie denn hier? Darf ich Sie zu einem Kaffee einladen?" Frau Korte nimmt die Einladung an. Beim Bäcker holt er ihr eine Tasse Kaffee und sie bietet ihm Schokolade an. Fast eine Stunde unterhalten sie sich. Dann fährt ihr Zug ab und Matti liest die Zeitung.

2 Wohin gehören Dativ und Akkusativ? Ergänzen Sie die Sätze.

1. Heute bringt der Briefträger Post aus Amerika. (dem Ehepaar)

   Heute bringt der Briefträger dem Ehepaar Post aus Amerika.

2. Nächste Woche besuche ich in London. (dich) _____

3. Er sagt ihr noch nicht. (es) _____

4. Wir schenken einen Gutschein. (unseren Freunden) _____

3 Formulieren Sie anders.

1. Ich fange morgen meine Diät an! → *Morgen fange ich meine Diät an!*

2. Omar sieht <u>jeden Abend</u> die Nachrichten im Fernsehen. → _____

3. Es regnet nun schon <u>zwei Stunden</u>. → _____

4. Leider kommen <u>Herr und Frau Lopez</u> heute nicht mit. → _____

5. Miriam erklärt ihm <u>immer wieder</u> das Problem. → _____

4 Betonen Sie in den Antworten die Information in Klammern.

1. Sag mal, was bringst du deinen Freunden und
   ihrer Tochter aus Kanada mit?

   Meinen Freunden bringe ich Lachs mit, und ihrer
   Tochter Schokolade.
   (Freunden – Lachs; Tochter – Schokolade)

2. Ich fahre nach Bayern, zum Schloss
   Neuschwanstein. Kennst du das?

   _____
   _____
   (Bayern – gut; Schloss Neuschwanstein – nicht)

3. Kennst du den Witz von der Ameise
   und dem Elefanten?

   _____
   _____
   (den Witz – noch nicht)

5 Was macht der Koch / der Lehrer / der Arzt? Schreiben Sie Sätze mit den Elementen.

1. bereitet – der Koch – vor – am Nachmittag – kauft – das Fleisch – die Suppe – er – dann

   Der Koch bereitet am Nachmittag die Suppe vor. Dann kauft er das Fleisch.

2. am Donnerstag – 45 Tests – seinen Schülern – erklärt – er – korrigiert – noch einmal – die Regel – am Mittwoch – der Lehrer

   _____

3. verschreibt – eine Lungenentzündung – sofort – der Arzt – hat – ein Antibiotikum – denn – er – dem Mann

   _____

Negation mit *nicht, nichts, nie*

Nein, Frau Dr. Franke ist leider nicht hier.

Herr Schmidt? Nein, der ist auch nicht da.

Negation im Satz

Ich	gebe	ihm das Bild	**nicht**.		
Ich	rufe	ihn heute	**nicht**	an.	Verb mit Präfix
Tobias	ist	wirklich	**nicht**	mein Bruder.	*sein* + Nomen
Der Film	ist	gar	**nicht**	gut.	*sein* + Adjektiv
Herr Schmidt	ist		**nicht**	da.	*sein* + Adverb
Der Zug	fährt	heute	**nicht**	schnell.	Adverb: wie?
Dieses Flugzeug	kommt	sicher	**nicht**	aus Hamburg.	Objekt mit Präposition

nicht negiert den Satz.

Negation mit *kein* → **19**

Tendenziell steht *nicht* am Ende des Satzes, aber einige Elemente stehen immer nach *nicht*.

Negation als Korrektur

Ich	gebe	**nicht ihm**	das Bild,	sondern ihr.	Korrektur der Aussage
Susie	ruft ihn	**nicht heute**	an,	sondern morgen.	
Heute	kommt	**nicht meine Schwester**,	heute kommt mein Bruder.		

nicht negiert hier nur ein Element des Satzes und steht vor diesem Element.

Kombinationen mit *nicht*:

Eva ist **leider nicht** da, Monika **auch nicht**.

Das Essen schmeckt mir **gar nicht**.

● Ist Fayola schon hier?   ● Nein, **noch nicht**.

● Geht Omar noch in den Kindergarten?   ● Nein, er geht **nicht mehr** in den Kindergarten, er geht jetzt in die Schule.

Frage mit *nicht*:   ● Gehst du heute **nicht** zum Deutschkurs?

● **Doch**, natürlich gehe ich!   ● **Nein**, heute gehe ich nicht.

Andere Negationswörter:

● Siehst du etwas?   ● Nein, ich sehe **nichts**.

● Du hörst mir **nie** zu!   ● Doch, ich höre dir immer zu!

(1) Formulieren Sie negativ.

1. Das Buch gefällt mir gut.   →   *Das Buch gefällt mir nicht gut.*

2. Das ist nett von Ihnen!   →   _____

3. Ich bleibe hier.   →   _____

4. Ich kenne sie.   →   _____

(2) Fragen und Antworten

1. ● Hören Sie nicht gut?   ● *Doch, ich höre gut. / Nein, ich höre nicht gut.*

2. ● Kommen Sie heute nicht?   ● _____

3. ● Fahren Sie nicht gern Auto?   ● _____

4. ● _____ ● Nein, ich komme nicht mit.

(3) Was ist das Gegenteil?

1. Ich sehe etwas.   →   Ich sehe   *nichts*   .

2. Er ist noch nicht da.   →   Er ist _____ da.

3. Der Beamte ist sehr höflich.   →   Der Beamte ist _____ höflich.

4. Der Kursleiter ist schon hier.   →   Der Kursleiter ist _____ hier.

5. Wir sehen abends immer fern.   →   Wir sehen abends _____ fern.

6. Ihr gebt alles zurück.   →   Ihr gebt _____ zurück.

nie
~~nichts~~
noch nicht
nicht mehr
gar nicht

(4) Gespräch in der Arbeitsgruppe. Ergänzen Sie.

● Es ist 12 Uhr! Und Lisa ist   *noch nicht*   hier!

● Schon 12 Uhr? Dann kommt sie sicher _____ 1 !

Um 12.30 Uhr ruft Lisa an: ● Ich kann _____ 2 kommen,

ich habe zu viel Arbeit.

● Das macht _____ 3 ! Pascal ist _____ 4 hier.

Wir sehen uns alle morgen.

leider nicht
nicht mehr
nichts
auch nicht
~~noch nicht~~

(5) Korrektur

1. Heute   *spielen nicht die Rolling Stones*   , sondern die „Bad Boys". | ~~Rolling Stones~~

2. Ali _____, er schenkt ihr die CD. | das Buch

3. Finn _____, er gibt es ihr. | ihm, das Buch

4. Angelika _____, sie fährt erst morgen nach Hause. | heute

(6) Erklären Sie.

1. Die Sonne scheint.   *Es regnet nicht.* | ~~regnen~~

2. Sie hat wenig Geld.   _____ | reich

3. Es ist zu laut hier!   _____ | verstehen

4. Fernando telefoniert viel.   _____ | gern schreiben

Was finden Sie wichtig – ein tolles Auto, eine große Wohnung, eine nette Familie?

Ich brauche kein Auto und keine große Wohnung, aber eine nette Familie ist mir sehr wichtig.

Negation mit *kein*

Ich brauche **kein tolles Auto** und **keine große Wohnung**, aber eine nette Familie ist mir sehr wichtig.

Indefiniter Artikel:	ein Haus	→	kein Haus
Ohne Artikel:	Milch	→	keine Milch
	Glück	→	kein Glück
Plural:	Kinder	→	keine Kinder

Deklination

Die Deklination von *kein* ist wie die Deklination von *ein*.

Indefiniter Artikel → **9**

	Singular				Plural			
	maskulin		neutral	feminin				
Nominativ	kein	Rock	kein Hemd	keine Hose	keine	Röcke	Hemden	Hosen
Akkusativ	kein**en**	Rock	kein Hemd	keine Hose	keine	Röcke	Hemden	Hosen
Dativ	kein**em** Rock		kein**em** Hemd	kein**er** Hose	kein**en**	Röcken	Hemden	Hosen
Genitiv	kein**es**	Rocks	kein**es** Hemds	kein**er** Hose	kein**er**	Röcke	Hemden	Hosen

kein

Sie hat **keinen Mantel**.
Er hat **kein Geld**.
Sie kauft **keine Blumen**.
Er hat **kein Auto**.
Er hat **keinen Hunger**.

kein ist ein Artikel und steht immer vor einem Nomen.

nicht

Er wäscht **den Mantel nicht**.
Sie findet **das Geld nicht**.
Er kauft **die Blumen** heute **nicht**.
Er kann **nicht Auto fahren**.
Sie hat **nicht viel Hunger**.

nicht negiert den ganzen Satz.

1 *kein* **oder** *nicht*?

1. Heute ist es ___*nicht*___ kalt hier.

2. Er hat _____ Glück in der Liebe.

3. Sie hat _____ Kugelschreiber.

4. Wir haben _____ Haus, sondern eine Wohnung.

5. Er versteht _____ gut Deutsch.

6. Der Computer hat zum Glück _____ Virus.

2 **Wie ist das in Ihrem Land? Formulieren Sie wie im Beispiel.**

1. In Deutschland gibt es eine Berufsschule.

In _____ gibt es keine Berufsschule. / In _____

gibt es auch eine Berufsschule.

2. In der Schweiz gibt es im Winter Schnee. _____

3. In Österreich gibt es 3000-Meter-Berge. _____

4. Deutschland hat viele Hafenstädte. _____

5. Deutschland hat zwei Meeresküsten. _____

3 **Bei mir ist alles anders! Sprechen Sie mit einem Partner / einer Partnerin.**

Partner / Partnerin: Sie:

1. Ich gehe sonntags zum Fußball. *Ich gehe nie zum Fußball.*

2. Meine Familie sieht viel fern. _____

3. Wir haben einen Hund. _____

4. Ich sehe gern Sitcoms. _____

5. Wir spielen oft Kartenspiele. _____

4 **Sagen Sie das Gegenteil.**

1. Ich rufe Frau Dr. Franke an. → *Ich rufe Frau Dr. Franke nicht an.*

2. Er schreibt den Brief. → _____

3. Sie hat Zeit. → _____

4. Sie hat viel Zeit. → _____

5. Das Café hat guten Kuchen. → _____

5 **Was ist wahr? Formulieren Sie.**

Undine erzählt ihrer Mutter:

Mein neuer Freund ist ein Kollege vom Büro. Er ist Sportler und sehr schlank. Er hat ein großes Auto und spricht

fließend Englisch. Er ist Vegetarier und trinkt keinen Alkohol. Er ist immer sehr höflich und nett zu mir.

Realität: *Der neue Freund ist kein Kollege vom Büro. Er ist ...* _____

_____

_____

_____

_____

Personalpronomen Akkusativ und Dativ

Personalpronomen im Dativ:
Wie geht es **Ihnen**?
Mir ist kalt.
Es tut **mir** leid.

Nominativ	Akkusativ	Dativ
ich	Mein Freund ruft **mich** an.	Das Buch gehört **mir**.
du	Wir besuchen **dich** morgen.	Die Tasche gehört **dir**.
er	Ich suche den Ball. – Wer hat **ihn**?	Was gefällt Jonas? – Die Kamera gefällt **ihm**.
es	Sie sucht das Geld. – Er hat **es**.	Was gefällt dem Kind? – Der Ball gefällt **ihm**.
sie	Er sucht die Tasche. – Jasmin hat **sie**.	Was gefällt Maria? – Die CD gefällt **ihr**.
wir	Jana und Jonas besuchen **uns** am Sonntag.	Der Computer gehört **uns**.
ihr	Lisa und Tobias besuchen **euch** am Montag,	Die Gläser gehören **euch**.
sie	und ihr besucht **sie** am Dienstag.	Und den Müllers? – Die Bilder gehören **ihnen**.
Sie	Hallo Herr Özguz, ich rufe **Sie** gleich zurück.	Frau Lopez, das Geld gehört jetzt **Ihnen**!

Position von Akkusativ und Dativ im Satz

mit Nomen:
Dativ vor Akkusativ

Ich	gebe	dem Mann	das Buch	heute noch.
Ich	gebe	ihm	das Buch	heute noch.

mit Personalpronomen:
Akkusativ vor Dativ

Ich	gebe	**es**	dem Mann	heute noch.
Ich	gebe	**es**	ihm	heute noch.

es → 79

1 **Was sagen Sie? Ordnen Sie zu.**

1. Die Blumen sind sehr schön!   *1 c*   a. Mir ist kalt.

2. Das Auto fährt zu schnell.   _____   b. Mir ist schlecht.

3. Ich weiß die Antwort nicht.   _____   c. ch danke dir.

4. Mach bitte das Fenster zu!   _____   d. Das ist mir peinlich.

2 **Auf einer Party**

1. Ich kenne Davids Frau nicht. *Kennst du sie?*   3. Ich sehe Finn nicht. _____

2. Ich mag die Musik nicht. _____   4. Ich verstehe die Leute nicht. _____

3 **Besitz. Ergänzen Sie.**

1. David: Sag mal, gehört ___*dir*___ das Fahrrad?   3. David: _____ gehört der Laptop?

2. Matti: Nein, _____ gehört es nicht.   4. Matti: Der gehört _____ Kollegen da drüben.

4 **Wie geht es dir?**

● Hallo, Lea! Hallo, Johann!   ● Hallo, Lisa! Wie geht es ___*dir*___?

● Ganz gut. Und _____ 1 ?   ● Nicht so gut. Wir haben beide eine Erkältung.

● Oh, das tut _____ 2 leid.

5 **Anweisungen in einem Computerspiel. Formulieren Sie die Aufforderungen.**

1. In der Kiste liegt das Gold. *Hol es dir!*   3. Das Monster will dein Gold. *Gib*

2. Da vorne liegt der Schatz. *Nimm*   4. Da vorne gibt es Bonuspunkte. *Hol*

6 **Was passt hier?**

1. Herr Schmitz reist viel. ___*Er*___ ist jetzt in Rom.

2. Der Film ist sehr gut. Ich sehe _____ heute zum 3. Mal.

3. Willi begegnet einer Frau im Park. Woher kommt _____? _____ ist sie?

4. Die Schüler bitten den Lehrer: „Herr Colombo, helfen _____ _____ bitte?"

5. Mein Computer ist kaputt. Können Sie _____ reparieren?

7 **Beim Mittagessen. Bitten Sie höflich um die Sachen auf dem Tisch und antworten Sie.**

●   *Gibst du / Geben Sie mir bitte den Saft?*

●   *Ja, bitte, hier ist er. / Ja bitte, hier hast du ihn.*

Salz • Zucker • Brot •
Milch • Saft • Wasser
• Pfeffer

8 **Was gefällt / schmeckt Ihnen? Und Ihrem Partner / Ihrer Partnerin?**

Bücher von Rafik Schami, Jazz, Technomusik, Comics,

Mangos, Bananen, Frühling, Sommer, Herbst, Winter, …

Beispiel: *Mir gefällt Jazz gut. Und Ihnen?*

gut • sehr gut •
nicht gut

Ich ziehe mich alleine an.

Ich ziehe mir die Jacke an.

Verben mit Reflexivpronomen

> ! Reflexivpronomen haben die gleiche Form wie Personalpronomen, Ausnahme: *sich*

Akkusativ

ich	ziehe	**mich**	an
du	ziehst	**dich**	an
er es sie	zieht	**sich**	an
wir	ziehen	**uns**	an
ihr	zieht	**euch**	an
sie	ziehen	**sich**	an
Sie	ziehen	**sich**	an

Dativ

ich	ziehe	**mir**	den Mantel	an
du	ziehst	**dir**	den Mantel	an
er es sie	zieht	**sich**	den Mantel	an
wir	ziehen	**uns**	den Mantel	an
ihr	zieht	**euch**	den Mantel	an
sie	ziehen	**sich**	den Mantel	an
Sie	ziehen	**sich**	den Mantel	an

Dativ → 12

Das Reflexivpronomen steht meist im Akkusativ.

Ebenso: sich waschen, sich rasieren, sich duschen, …

Wenn es ein Akkusativobjekt gibt, steht das Reflexivpronomen im Dativ.

Ebenso: sich die Zähne / Nase putzen, sich die Hände waschen, sich die Haare kämmen, …

Diese Verben werden im Deutschen ebenso mit einem Reflexivpronomen verwendet: sich freuen (ich freue mich auf die Ferien), sich beeilen, sich sorgen, sich erholen, sich ausruhen, sich bedanken, …

Reziprok ◄─►
Omar und Yuki lieben **sich**.

Ebenso: sich begrüßen, sich kennenlernen, sich ansehen, sich begegnen, sich verstehen, sich küssen, sich umarmen, …

Position der Reflexivpronomen im Satz

①	② Verb		Satzmitte			Satzende
Lisa	ruht		**sich**		im Urlaub	aus.
Jeden Tag	sonnt	sie	**sich**		am Strand.	
Jeden Morgen	putzt		**sich**	Matti	die Zähne.	
	Setzen	Sie	**sich**	bitte	hierher!	

Das Reflexivpronomen steht normalerweise ganz links in der Satzmitte.
Ein Personalpronomen als Subjekt steht noch vor dem Reflexivpronomen.

① Ergänzen Sie das Reflexivpronomen.

1. Es ist 7 Uhr! Steh bitte auf, wasch ___*dich*___ und putz _____ die Zähne!

2. Beeilt _____ bitte!

3. Vorsicht, das Messer ist scharf! Schneiden Sie _____ nicht!

4. Wann sehen wir _____ wieder, mein Liebster?

5. Freust du _____ schon auf die Ferien?

6. Merk _____ die Regel gut!

7. Vorsicht, die Suppe ist heiß! Verbrenn _____ nicht den Mund!

② Wo fehlt etwas? Ergänzen Sie das Reflexivpronomen an der richtigen Stelle.

1. Das Kind spielt mit der Kerze und verbrennt den Finger.

   Das Kind spielt mit der Kerze und verbrennt sich den Finger.

2. Jedes Jahr zu Silvester verletzen viele Menschen beim Feuerwerk. _____

3. Wir erkundigen nach den Preisen für einen Flug nach Kuba. _____

4. Vor der Reise wasche ich die Haare. _____

5. Wir fliegen in die Karibik und erholen nach der schweren Arbeit. _____

③ Felix und Nele. Eine Geschichte. Formulieren Sie die Sätze.

1. Felix und Nele – sich schon seit Langem kennen

   Felix und Nele kennen sich schon seit Langem.

2. sich jeden Tag an der Bushaltestelle sehen _____

3. sich jedes Mal freundlich begrüßen _____

4. sich immer im Bus nebeneinander setzen _____

5. sich während der Fahrt gut unterhalten _____

6. sich am Ende der Busfahrt verabschieden _____

7. sich sehr sympathisch finden _____

8. aber: sich nie am Abend treffen und sich nie zu Hause besuchen _____

   _____

④ Erzählen Sie aus der Perspektive von Felix.

1. Ich kenne Nele schon seit Langem.

2. *Jeden Morgen sehen wir uns an der Bushaltestelle.*

3. Wir begrüßen _____

4. …

⑤ Eine andere Geschichte

Yuki und Omar lernen sich im Italienischkurs kennen. Sie finden sich gleich sympathisch.

Schreiben Sie die Geschichte weiter: sich oft nach dem Unterricht treffen – sich gut verstehen –

sich verlieben – sich streiten – sich wieder vertragen – sich verloben – heiraten – Happy End!?

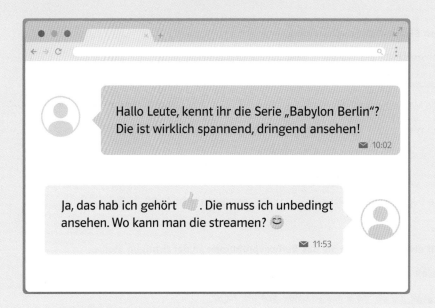

Personalpronomen → 3, 20

- Kennt ihr **die** Serie „Babylon Berlin"?
- **Die** ist wirklich spannend! Schaut **sie** dringend an!

Artikel

Demonstrativ-Pronomen
oft betont

Personalpronomen
meistens unbetont

der, das, die als Demonstrativ-Pronomen

Bei Betonung und auf Position 1 steht immer *das*, nicht *es*.

Schau mal, da vorne, was ist **das**?

Bezug auf etwas, das man sieht

- Wie heißt nur der Mann da vorne?   • **Das** weiß ich auch nicht.

Bezug auf eine ganze Aussage

Kennt ihr schon die Serie „Babylon Berlin"? **Die** ist wirklich spannend.

Dativ Plural: *denen*

Meine Katzen sind so süß – **denen** kann man nie böse sein.
(Unbetont auch möglich: Man kann **ihnen** nie böse sein.)

Bezug auf konkrete Nomen

einer; keiner als Pronomen

- Sind schon alle Freunde da?   • Nein, **einer** kommt noch.

Auswahl aus Menge

- Nehmen Sie noch ein Stück Kuchen?   • Ja, gerne, ich esse gerne noch **eins**.
- Und Sie?   • Nein, vielen Dank, ich nehme **keins** mehr, ich bin satt!
- Ich brauche eine Briefmarke. Hast du eine?   • Nein, ich habe **keine**.
- Ich habe keine Briefmarken mehr. Hast du noch **welche**?

Bezug auf Nomen
mit indefinitem Artikel
Negation
Plural: *welche*

Deklination der Pronomen

Artikelwörter → 15, 16

	maskulin	neutral	feminin	Plural		maskulin	neutral	feminin	Plural
Nom.	de**r**	da**s**	di**e**	di**e**		ein**er**	ein**es**, ein**s**	ein**e**	**welche**
Akk.	de**n**	da**s**	di**e**	di**e**		ein**en**	ein**es**, ein**s**	ein**e**	**welche**
Dat.	de**m**	de**m**	de**r**	**denen**		ein**em**	ein**em**	ein**er**	**welchen**
Gen.	(dessen)	(dessen)	(deren)	(deren)		–	–	–	–

Weitere Pronomen → 23-25

Ebenso: dieser, … jener, …; mancher, …; jeder, …; alle; welcher, …

Ebenso: keiner, …; meiner, …, deiner, …, seiner, … ihrer, …; irgendeiner, …; was für einer, …

1 **Kollegen und Kolleginnen. Verwenden Sie *einer, eine*.**

● Ich habe nur Männer als Kollegen – sie sind sehr verschieden. _____*Einer*_____ ist verheiratet und hat drei

Kinder, _____ 1 ist schon 60, und _____ 2 ist jung und stressig.

● Komisch, und ich habe nur Kolleginnen. _____ 3 ist sehr nett, wir verstehen uns gut,

_____ 4 ist Mitte 30 und hat ganz andere Interessen, und _____ 5 ist Ende 50 –

die ist immer ganz mütterlich zu mir.

● Echt? Ich habe nur drei Kollegen – alles Männer. Die sind an sich ganz nett, nur mit _____ 6

(Dativ) verstehe ich mich nicht so gut. Aber so _____ 7 gibt es in jedem Büro.

2 **Ergänzen Sie *der, das, die* als Pronomen. Achten Sie auf den Kasus.**

1. ● Kommen Demir und Sabrina auch zum Fest?

   ● Nein, ___*die*___ kommen leider nicht. Sie sind in Urlaub.

2. ● Was schenkst du deinen Eltern?

   ● Ich weiß es wirklich nicht, _____ sind wirklich kompliziert, _____ gefällt praktisch gar nichts.

3. ● Schreibst du deiner Mutter eine Textnachricht?

   ● Nein, _____ schreibe ich nicht auf dem Handy, _____ liest das nicht.

4. ● Carlos hat Probleme mit dieser Aufgabe.

   ● Carlos? Kein Problem, _____ helfe ich gerne, _____ ist nett!

3 **Antworten Sie mit *einer, eins / eines, eine, welche* oder *keiner, keines, keine*.**

1. ● Nehmen Sie noch ein Stück Kuchen?   ● Ja, vielen Dank, ___*ich nehme gerne noch eins / eines.*___ /

                                                              ● Nein, vielen Dank, ich bin satt, ich esse lieber _____ mehr.

2. ● Möchten Sie noch eine Tasse Kaffee?   ● Ja, vielen Dank, _____.

                                                              ● Nein, vielen Dank, ich trinke heute _____ mehr.

3. ● Noch ein Stück Schokolade?   ● Ja, vielen Dank, ich esse gerne noch _____.

                                                ● Das ist sehr nett, ich esse lieber _____ mehr.

4. ● Essen Sie vielleicht noch einen Keks?   ● Ja, danke, ich nehme gerne noch _____.

                                                              ● Nein danke, ich kann wirklich _____ mehr essen.

4 **Herr Braun ist Agent. Er ist sehr vorsichtig. Ergänzen Sie.**

Vorsicht! ___*Keiner*___ darf das wissen. Bitte _____ 1 etwas davon sagen! Informieren Sie nur

mich – sonst _____ 2 ! Diese Dokumente sind sehr wichtig, es darf _____ 3 verloren

gehen! Warum erfahre ich das jetzt erst, wieso informiert mich denn so lange _____ 4 ?

5 **Ergänzen Sie die passenden Pronomen.**

1. ● Ich hab eine neue Deutschlehrerin – Maria Saparowa. Kennst du ___*die*___? ● Nein, _____ kenne ich

   nicht. Ist _____ nett?

2. ● Wann ist die Party bei Lucas und Lotti? ● Mensch, _____ weißt du doch, morgen Abend!

3. ● Du musst diesen Film unbedingt sehen – der ist wirklich toll! ● _____ habe ich schon gesehen, schon

   vor einer Woche!

Ein Zug fährt um 12 Uhr und einer um 13 Uhr. Welchen nehmen wir?

Ich finde, wir nehmen den um 13 Uhr und trinken vorher noch einen Kaffee.

welcher ...? – der ... / dieser ...

!
der, das, die und *dieser, dieses, diese* werden mündlich oft verwendet.

- Es gibt <u>zwei Züge</u> ... **Welchen** nehmen wir? • **Den** um 13 Uhr ...
- Hier sind <u>unsere Uhren</u>. **Welche** gefällt Ihnen denn?
- **Diese** hier, die ist schön bunt, das gefällt meinem Sohn.
- Wann kommt eigentlich Elena? • **Das** weiß ich nicht.

Auswahl aus konkreter Menge: A, B oder C? →
Antwort: *der / dieser*
Bei Fragen und Antworten steht meist *das* statt *es*. Auf Position 1 steht immer *das*, nie *es*.

was für einer ...? was für welche? – ein ... / irgendein ...

- Unsere Tochter braucht ein Fahrrad. Können Sie uns helfen?
- Ja, gerne. **Was für eines** will sie denn – ein Sportrad oder ein Stadtrad?
- Kaufst du bitte noch Oliven? Klar, **was für welche** denn? • Grüne Oliven, bitte!
- **Was für eine Postkarte** nehmen wir? • Das ist mir egal, nimm **irgendeine**.

eines / eins → **22**

Frage: Was für eine Art / Was für einen Typ? →
Antwort: *ein / irgendein*
Plural: *welche*

dieser im Text

Deklination der Pronomen → **22**

Soziale Medien erlauben direkte, schnelle Kommunikation. **Dies** ist auch ein Grund für viele Konflikte. **Es** ist aber auch oft ein Vorteil.

bezieht sich auf den Vorsatz

Jetzt kommen wir in <u>den neuen Teil des Museums</u>. **Dieser** ist besonders interessant.

Bezug auf ein Nomen (dieser Teil des Museums)

- Nimmst du den Regenschirm mit? • **Diesen** hier?

es ist nicht klar, welcher → man zeigt auf einen Regenschirm

1 **Was passt?**

1. Ich möchte ein Fahrrad kaufen.

2. Ich komme mit dem Computer einfach nicht zurecht.

3. Hier ist ein blaues Hemd, und hier ist ein weißes.

4. Diese Mode gefällt mir gar nicht.

5. Du kannst mit meinem oder mit Pauls Fahrrad fahren.

6. Mein Freund ist leider ein Fußball-Fan.

a. Was für einen hast du denn?

b. An was für eines denken Sie denn?

c. Mit welchem fährst du lieber?

d. Was für eine gefällt dir denn?

e. Für welchen Verein ist er denn?

f. Welches gefällt Ihnen besser?

____1b____ _____ _____ _____ _____ _____

2 **Unentschlossen. Setzen Sie *welcher* ... oder *was für einer* ... ein.**

1. Ich will in ein Restaurant gehen – aber in ___*was für eines*___? Ein indisches? Ein griechisches? ...

2. Soll ich den roten oder den blauen Mantel kaufen – ich weiß nicht, _____ mir besser steht.

3. Ich brauche eine neue Frisur – aber _____?

4. Wenigstens weiß ich, dass ich im Sommer ans Meer will – nur an _____?

5. Wir haben ganz frische Tomaten. Diese hier sind aus Italien, die hier aus Portugal. _____

   möchten Sie lieber?

3 **Was für einer / Welcher? Ergänzen Sie die Lücken und formulieren Sie Fragen.**

1. Hallo Miriam, bring bitte noch ___*einen*___ Saft mit.   ___*Was für einen denn?*___

2. Heute ist _____ super Konzert in der Philharmonie!   _____

3. Simon streitet immer mit _____ Bruder.   _____

4. Karol und Mathilda haben _____ Auto gekauft.   _____

4 **Dieser hier? Ergänzen Sie in der richtigen Form.**

1. ● Mein Mantel ist weg, ist er vielleicht hier? Hat ihn jemand abgegeben?

   ● Ist es vielleicht ___*dieser*___ hier?   ● Nein, der ist ja viel zu klein!

2. ● So, Herr Kablewski, dann setzen Sie sich mal an einen Computer.

   ● An _____ hier?   ● Das ist ganz egal, wo Sie wollen.

3. Hier sehen Sie also unsere besten Waschmaschinen. _____ hier spart Wasser und Energie, die

   andere hat mehr Funktionen.

5 **Worauf bezieht sich *dieser*? Unterstreichen Sie.**

1. Sie kommen jetzt an eine Kreuzung. Es gibt zwei Wege: Einer führt zur Spree, der andere ins Zentrum.

   Sie nehmen diesen und gehen noch etwa 200 Meter weiter.

2. Die Automatisierung ist eine Chance, aber auch eine Bedrohung. Dies war ein wichtiges Thema der Tagung.

3. Morgen habe ich noch eine Prüfung. Diese ist aber viel länger als die letzte.

Da liegt ein Handy auf dem Tisch – ist das deins?

Oh, ja, danke, das ist meins!

meiner, mein(e)s, meine, …

- Ist das <u>deins</u> / <u>deines</u>? ● Ja, das ist **meins** / **meines**.   Besitz / Zugehörigkeit
- Sind das eure Fahrräder da drüben? ● Ja, genau, das sind **unsre** / **unsere**.

jeder; alle; alles

> **!**
> Wenn man Frauen und Männer meint, verwendet man beide Formen: *jede und jeder* oder *jede/r*.
> Jede/r sollte von ihren / seinen Erfahrungen erzählen.

- Die Kinder sind anstrengend – **jedes** will etwas anderes spielen. Aber **alle** haben Hunger!   *jeder, jedes, jede*: Gesamtheit, jeder einzelne *alle*: Gesamtheit, Plural

- Weiß Frau Simon Bescheid? ● Ja, ich habe gestern **alles** mit ihr besprochen.   alle Dinge
- Haben Sie noch einen Wunsch? ● Nein, vielen Dank, das ist **alles**.

mancher; einiges, einige; vieles, viele; wenige; beide(s)

Es kamen viele Leute zu der Demonstration. **Manche** hatten Transparente dabei.   eine kleine Gruppe

Ich habe vor vielen Jahren Deutsch gelernt – **einiges** habe ich schon wieder vergessen.   ein paar Dinge, allgemein
Mir gefallen alle Lieder von dieser Band, aber **einige** finde ich besonders toll.   ein paar aus der Menge

Vieles versteht man erst, wenn man älter ist.   viele Dinge
Viele reden über die Umwelt, aber **wenige** tun etwas.   eine große Zahl eine kleine Zahl

Kinder und Beruf: Viele Leute wollen **beides**.   sowohl A als auch B
Ich habe zwei Schwestern. **Beide** studieren in Kiel.

Deklination der Pronomen → **22**

derselbe, dasselbe, dieselbe

> **!**
> Deklination wie *der, das, die* + Adjektiv: *derselbe, denselben, demselben …*

- ● Kennst du die Katze dort?
- ● Ja, klar, es ist **dieselbe**, die immer zu uns ans Fenster kommt.   Identität
- ● Ich hab einen sehr lustigen Lehrer.
- ● Was? Du auch? Vielleicht haben wir **denselben**!

1 **Lukas ist drei Jahre alt. Er denkt, dass alle Sachen ihm gehören. Ergänzen Sie.**

1. Gib mir das Buch – das ist _____meins._____

2. Das ist nicht dein Bär – das ist _____

3. Ich will die Tasche haben – das ist _____

4. Ich will jetzt die Nudeln essen – das sind _____

2 **Ist das Ihrer? Ergänzen Sie.**

1. ● Der Hund sieht aber gefährlich aus – ist das etwa _____Ihrer_____ (Sie) ?

    ● Nein, nein, das ist nicht _____ (ich), der gehört meiner Nachbarin. Die ist gerade im Urlaub.

2. Dieses Weihnachten sind wir bei meiner Familie – mit _____ (du) haben wir letztes Jahr gefeiert.

3. Ich arbeite lieber mit meinem Computer – _____ (Sie) kenne ich nicht gut.

4. Unser Vermieter ist eigentlich recht nett – nicht so wie _____ (ihr).

3 **Veränderungen. Ergänzen Sie.**

manch- • all- • viel- • viel- • einig-

_____Vieles_____ auf der Welt ist ungerecht. Man kann leider nicht _____ ¹ ändern,

aber wenn _____ ² sich bemühen, wird sich _____ ³ verbessern.

Leider haben _____ ⁴ kein Interesse daran, etwas zu verbessern.

4 **Geheimnisse. Setzen Sie *jeder* und *alles* ein.**

1. Wenn _____jeder_____ _____ _____ sagt, gibt es keine Geheimnisse mehr.

2. Wenn keiner mehr mit dem anderen redet, dann ist _____ ein Geheimnis, und _____ wäre

    ganz allein.

5 **Formulieren Sie mit *derselbe, dasselbe, dieselbe*. Achten Sie auf den Kasus.**

1. Seitdem die Besitzer gewechselt haben, ist unser Strandhotel nicht mehr _____dasselbe_____ .

2. ● Vera, bist du eigentlich verheiratet? ● Ja, seit zehn Jahren, und immer noch mit _____.

3. Das habe ich schon hundertmal gehört – Jonathan erzählt wirklich immer _____.

4. ● Diese Frau war gestern schon da. – Bist du sicher, dass es _____ ist?

5. ● Immer mache ich einen Fehler beim Dativ! ● Ich auch, ich mache auch immer _____.

6 **An manchen Tagen habe ich einfach Glück. Formulieren Sie mit *jeder*.**

1. _In der U-Bahn lächelt mich jeder an._____ | In der U-Bahn, mich, anlächeln

2. _____ | Im Büro, ich, mich gut verstehen mit

3. _____ | Auf dem Heimweg, ich, umarmen können

4. Und meine Kinder helfen mir – _____ | deshalb, ein Geschenk mitgebracht

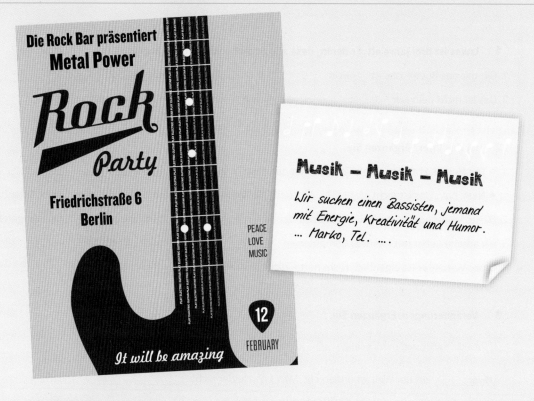

jemand, niemand

Einen Moment – **jemand** ruft mich grade an.	eine Person (ich weiß noch
Wir suchen **jemand(en)** mit Kreativität und Energie.	nicht, wer)
Alle reden – aber **niemand** hört zu.	keine Person

> ❗ Akkusativ und Dativ:
> Die Endungen sind nicht
> obligatorisch.

> Der Genitiv ist sehr selten.

	jemand	**Abkürzung**	**niemand**
Nominativ	jemand	jd.	niemand
Akkusativ	jemand(en)	jdn.	niemand(en)
Dativ	jemand(em)	jdm.	niemand(em)
Genitiv	jemandes	jds.	niemandes

Relativsätze

Ich kenne **jemanden**, **der** Bass spielt. (Bezug auf Männer)

Ich suche **jemanden**, **der / die** Bass spielt. (Bezug auf Männer und Frauen)

Relativsätze → 69

Man liest und hört auch oft: Carla ist **jemand**, **die** gut Bass spielt.

man, einen, einem

> Akkusativ von *man*: *einen*
> Dativ von *man*: *einem*

Zu „Januar" sagt **man** in Österreich „Jänner".	
Kannst du bitte lauter reden? **Man** versteht hier nichts.	
Die Hotelmitarbeiter behandeln **einen** immer freundlich. Auf Reisen kann	die Leute / wir alle
einem viel passieren.	

etwas (was), nichts

> *etwas* (mündlich oft *was*)
> und *nichts* werden nicht
> dekliniert.

Ich gehe einkaufen. Brauchst du noch (irgend) **etwas**? / (irgend) **was**	eine Sache (nicht genau
● Es ist total dunkel hier – siehst du **etwas (was)**?	definiert)
● Nein, leider nicht, ich sehe **nichts**.	keine Sache

1 Das wünsche ich mir. Setzen Sie *jemand* ein. Achten Sie auf den Kasus.

1. _Jemand_, der mir meine Träume erfüllt. 2. Ich habe immer _____ für lange Gespräche.

3. Ich gehe jeden Tag mit _____ spazieren (mit + Dativ). 4. Hier ist endlich _____ mit Kreativität

und Energie! 5. Ich kann _____ wirklich vertrauen. 6. Und ich kann _____ glücklich machen.

2 Großzügigkeit. Ergänzen Sie.

1. _Man_ bietet gerne seine Hilfe an.

2. Es wird _____ etwas geschenkt: _____ freut sich, aber _____

   erwartet es nicht.

3. _____ nimmt sich Zeit, wenn andere _____ brauchen.

| einem |
| einen |
| man |

3 Formulieren Sie mit *jemand* oder *niemand*.

1. ● Hast du Zeit? _Jemand_ will mit dir sprechen. ● Nein, ich habe Stress, _____ soll mich stören.

2. ● Wir suchen eine Musikerin / einen Musiker. Kennst du _____? ● Nein, ich kenne _____ .

3. Clara ist eine sehr gute Malerin – aber ihre Bilder zeigt sie _____.

4. ● Ist es heute hektisch in der Arbeit? ● Nein, es ist _____ da, alle haben frei.

5. Kommt _____ mit? Ich gehe einkaufen.

4 *etwas* und *nichts*. Ergänzen Sie.

1. ● Ich habe Hunger! ● Iss doch noch _etwas_!

2. Ich hab kein Geld dabei – ich kaufe heute _____.

3. Die Musik ist total laut – ich höre _____!

4. Au – _____ tut mir weh. Was ist das?

5. Ich suche _____, aber ich weiß nicht, was.

6. Er ist immer unzufrieden – _____ gefällt ihm.

5 Die moderne Zeit. Formulieren Sie mit *man, einen, einem*.

1. _Man_ hat nie Zeit.

2. _____ findet kaum Ruhe.

3. _____ ist immer in Kontakt – alle schreiben _____, Tag und Nacht.

4. Das ist spannend – aber manchmal stresst es _____ auch.

5. Oft macht es _____ aber auch Spaß.

Hi Teres, das ist das neue Fahrrad. Super, oder? ☺

Deklination der Adjektive (1)

sein + Adjektiv:

Adjektiv + Nomen:

sein + Adjektiv → **5**

Der Pulli ist **alt**. Das Fahrrad ist **neu**. Die Bluse ist **blau**.	Das Adjektiv hat keine Endung.

Der alte Pulli gefällt mir immer noch. **Das neue** Fahrrad fährt super. **Die blaue** Bluse ist ziemlich teuer.	Das Adjektiv hat eine Endung.

Prinzip: Das Artikelwort bestimmt die Endung des Adjektivs.

de**r** alt**e** Pulli das neu**e** Fahrrad de**n** klein**en** Katzen

Regel 2 → **27**

Regel 1: Die Endungen des definiten Artikels nennt man auch **Signalendungen**. Nach der Signalendung hat das Adjektiv **-e** oder **-en**.

Die Adjektive *lila* und *rosa* haben keine Endung: Ich kaufe **ein rosa** Kleid. Er trug **eine lila** Krawatte.

!

Lernen Sie die Adjektiv-endungen visuell.

Adjektivendungen nach dem definiten Artikel

	maskulin	neutral	feminin	Plural
Nominativ				
Akkusativ		-e		-en
Dativ		-en		
Genitiv				

	maskulin	neutral	feminin	Plural
Nominativ	de**r** blau**e** Pulli	da**s** blau**e** Kleid	di**e** blau**e** Bluse	di**e** blau**en** Pullis, Kleider, …
Akkusativ	de**n** blau**en** Pulli	da**s** blau**e** Kleid	di**e** blau**e** Bluse	di**e** blau**en** Pullis, Kleider, …
Dativ	de**m** blau**en** Pulli	de**m** blau**en** Kleid	de**r** blau**en** Bluse	de**n** blau**en** Pullis, Kleidern, …
Genitiv	de**s** blau**en** Pullis	de**s** blau**en** Kleids	de**r** blau**en** Bluse	de**r** blau**en** Pullis, Kleider, …

Artikelwörter → **16**

Auch *dieser, jener, jeder, alle, mancher, welcher* haben die Signalendungen, das Adjektiv hat dann *-e* oder *-en*.

（1）　Die gute, alte Zeit. Was passt zusammen?

gut • jung • freundlich • schlecht • nett • streng • alt • groß • fröhlich • alt •
gut • süß • klein • schön • grau • dynamisch • schwer • blau • …

1. Die _gute, alte_ Zeit

2. Das _____ Kind

3. Der _____ Herr

4. Die _____ Augen

5. Der _____ Chef

6. Die _____ Ärztin

7. Die _____ Nachrichten

8. Das _____ Examen

（2）　Urlaub an der Nordsee. Ergänzen Sie die Adjektive.

1. Da ist er, der _schöne_, _lange_ Strand (schön, lang).

2. Siehst du das _____, _____ Meer (weit, blau)?

3. Ja, und da vorne, schau mal, die _____ Wellen (hoch)!

4. Ziemlich kalt hier, fühlst du den _____, _____ Wind (stark, kühl)?

5. Mir gefällt die _____ Luft am Meer (frisch).

6. Siehst du den _____, _____ Mond (hell, klar)?

（3）　Das Geheimnis der alten Frau. Schreiben Sie interessante Zeitungsüberschriften.

der erfolgreiche Forscher • die alte Frau • das kleine Mädchen •
die junge Familie • die jungen Eltern • der gefährliche Verbrecher

Der Besuch der alten Dame
(Drama von Friedrich Dürrenmatt)

1. Das Geheimnis _der alten Frau_____

2. Die Tränen _____

3. Das tragische Schicksal _____

4. Der Stolz _____

5. Das Pech _____

6. Das Glück _____

Erfinden Sie weitere Überschriften.

_____

（4）　Viele Aufgaben. Ergänzen Sie wie im Beispiel.

1. Geben Sie die Briefe bitte _dem neuen Kollegen_. | der neue Kollege

2. Antworten Sie bitte _____ | die heutige Kundin

3. Vergessen Sie nicht _____ | die wichtige E-Mail

4. Schalten Sie abends bitte immer _____ aus! | der neue Drucker

5. Ah, und da ist _____, | die alte Rechnung

   geben Sie die bitte _____. | der verantwortliche Kollege

Ein neuer Tag ... und endlich schönes Wetter!

Deklination der Adjektive (2)

ein neu**er** Tag, schön**es** Wetter

Regel 1 → **26**

!

Signalendungen = Endungen des definiten Artikels *der, das, die*

Regel 2: Das Adjektiv hat die Signalendung, wenn

→ das Artikelwort keine Endung hat: ein Tag – ein neu**er** Tag (d**er** Tag)

→ kein Artikelwort da ist: Wetter – schön**es** Wetter (da**s** Wetter)

Weitere Beispiele:

	D**er**	Kaffee ist sehr stark.	Stark**er**	Kaffee macht mich nervös.
	Da**s**	Wetter wird besser.	Gut**es**	Wetter schafft gute Laune.
Er hält	da**s**	Buch in der Hand.	Sie zeichnet mit ruhig**er**	Hand.
	Di**e**	alten Leute hatten nicht viel zu tun.	Alt**e**	Leute gehen gerne spazieren.

Adjektive nach den Artikelwörtern *ein, mein, kein, irgendein, was für ein,* ...

	maskulin	neutral	feminin	Plural
Nominativ	mein alt**er** Baum	mein alt**es** Haus	mein**e** neue Frisur	mein**e** alten Bäume
Akkusativ	mein**en** alten Baum	mein alt**es** Haus	mein**e** neue Frisur	mein**e** alten Bäume
Dativ	mein**em** alten Baum	mein**em** alten Haus	mein**er** neuen Frisur	mein**en** alten Bäumen
Genitiv	mein**es** alten Baums	mein**es** alten Hauses	mein**er** neuen Frisur	mein**er** alten Bäume

Artikelwörter → **9, 10, 16**

Hier hat das Adjektiv die Signalendung, in allen anderen Fällen -*en*.

Ohne Artikelwort: Adjektive haben die Signalendungen

	maskulin	neutral	feminin	Plural
Nom.	gut**er** Geschmack	gut**es** Wetter	groß**e** Freude	alt**e** Leute
Akk.	gut**en** Geschmack	gut**es** Wetter	groß**e** Freude	alt**e** Leute
Dat.	(mit) gut**em** Geschmack	(bei) gut**em** Wetter	(mit) groß**er** Freude	(mit) alt**en** Leuten
Gen.	(ein Zeichen) gut**en** Geschmack**s**	(trotz) gut**en** Wetter**s**	(Zeichen) groß**er** Freude	(Interessen) alt**er** Leute

Im Genitiv (maskulin und neutral) ist das Signal am Nomen. Das Adjektiv hat -*en*.
Diese Formen kommen selten vor.

1   **Unterstreichen Sie die Signalendungen.**

Ein grau<u>er</u> Tag, leichter Regen, ein kalter Wind. Was soll man da machen? Die Arbeit ist auch stressig: Er muss

einen schwierigen Brief schreiben, ein neues Projekt starten, seiner Chefin helfen. Aber langsam, ganz langsam:

Erstmal ein freundliches Gesicht machen, allen Leuten „guten Tag" sagen, starken Kaffee kochen und alte Mails

beantworten. Dann kann der Tag richtig beginnen.

2   **Schreiben Sie Ihre Assoziationen auf. Suchen Sie noch mehr Assoziationen.**

1. Paris: _hektischer Verkehr, interessante Leute, ..._____

2. London: _____

3. Berlin: _____

4. München: _____

5. Rom: _____

6. Moskau: _____

lustig	Gebäude
bekannt	Essen
hektisch	Klima • Leben
alt	Geschäfte
modern	Leute
spannend	Nachtleben
kalt • nett	Verkehr
stressig	Fußballverein
...	Folklore • ...

3   **Ergänzen Sie.**

1. ● Fahren wir morgen an die See?

   ● Nur bei _gutem Wetter_____ , | gutes ~~Wetter~~ (Dativ)

     bei _____ gehen wir lieber ins Museum. | schlechtes Wetter (Dativ)

2. ● Tut mir leid, der Kaffee ist ziemlich stark geworden!

   ● Das macht gar nichts, ich mag _____ sehr gerne. | starker Kaffee

3. Seine Arbeit ist nach _____ nun endlich fertig geworden. | lange Mühe (Dativ)

4   **Entwicklungen. Ergänzen Sie.**

1. _Der faule Schüler_____ ist jetzt _ein reicher Rechtsanwalt._____ | Schüler, faul → Rechtsanwalt, reich

2. _____ hat Glück im Lotto und ist jetzt | Rentner, einsam

   _____ | → Millionär, glücklich

3. _____ ist jetzt renoviert und ist heute _____ | Gebäude, alt → Hotel, gut

4. _____ ist heute _____ . | Dorf, klein → Stadt, groß

5   **Kompetente Mitarbeiter! Ergänzen Sie im Dativ.**

Wir suchen kompetente Mitarbeiter _mit langer Berufserfahrung,_____ | Berufserfahrung, lang

_____₁ , _____₂ und | Qualifikation, gut; Fleiß, groß

_____₃ . Bitte melden bei Herrn Weber! | Einstellung, positiv

6   **Sie machen eine Reise. Was nehmen Sie mit? Spielen Sie mit Ihrem Partner / Ihrer Partnerin. Wiederholen**

    Sie alle Dinge, die schon genannt wurden.

● _Ich packe ein grünes Hemd ein._____   rot, blau, grün, ... dick, dünn, elegant, ...

● _Ich packe ein grünes Hemd und eine blaue Hose ein._____   lang, kurz, hell, dunkel, ...

● _Ich ..._____   Hemd, Hose, Schuhe, ...

Lisa hat ein spannendes Buch – sie liest den ganzen Tag.

Partizipien als Adjektive

Toll! Ein **spannendes** Buch!	Morgen ist endlich der **geplante** Ausflug!	Partizipien kann man wie
Die Arbeit ist sehr **anstrengend**.	Der Laden ist heute leider **geschlossen**.	Adjektive verwenden.
Partizip I	Partizip II	

Partizip I (= Partizip Präsens)

Form: spielen-**d**-e Kinder; blühen-**d**-e Wiesen: **Infinitiv** + **-d** (+ Endung)
Bedeutung: etwas passiert gleichzeitig mit einer anderen Sache

Auf der Straße sind **spielende** Kinder.	die Kinder spielen gerade
Das ist ein sehr **beunruhigender** Bericht.	dieser Bericht beunruhigt (mich / uns)
Das ist eine **überzeugende** Leistung!	diese Leistung überzeugt (uns / alle)

Partizipien I stehen meistens **vor** dem Nomen und haben Adjektivendungen.
Manchmal kommen Partizipien I auch mit *sein* oder anderen Verben vor. Dann haben sie keine Endung.

Das ist **überzeugend**.	das Argument überzeugt
Sie sieht ihn **strahlend** an.	ihre Augen strahlen, sie ist glücklich

Partizip II (= Partizip Perfekt)

Passiv → 83
Form des Partizips II → 52, 54

Auch das Partizip II kann vor einem Nomen stehen. Es hat dann Adjektivendungen und meist eine Passivbedeutung.

Adjektivendungen → 26, 27

In der **zerstörten** Stadt gibt es kaum Lebensmittel.	die Stadt ist zerstört (man hat sie zerstört)
Ich kann sie sogar durch die **geschlossene** Tür hören.	die Tür ist geschlossen / die Tür ist zu
Der auf Gleis 3 **eingefahrene** Zug fährt nach Rostock.	der Zug ist auf Gleis 3 eingefahren

Manche Partizipien II können auch mit *sein* oder anderen Verben verwendet werden. Dann haben sie keine Endung.

Du **bist** aber **schick angezogen**!	deine Kleidung ist schick
Es **ist** alles **vorbereitet**.	alles ist fertig
Das Publikum klatscht **begeistert**.	das Publikum klatscht sehr stark / mit Begeisterur

1 **Aber das ist doch schon gemacht! Schreiben Sie die Antworten.**

1. Schließen Sie bitte die Tür! → *Aber die Tür ist doch schon geschlossen!*

2. Räumt bitte die Küche auf. → _____

3. Erledigen Sie bitte die Korrespondenz! → _____

4. Ich muss jetzt das Auto waschen. → _____

2 **Ergänzen Sie die Partizipien. Achten Sie auf die Endungen.**

~~geöffnet~~ • geputzt • geschlossen • gedeckt • gewaschen • überrascht

Der Vogel fliegt durch das ___*geöffnete*___ Fenster herein. Er setzt sich direkt auf den _____ 1

Tisch und schaut _____ 2 um sich. Das _____ 3 Besteck glänzt,

die frisch _____ 4 Tischdecke duftet. Da hört der Vogel menschliche Stimmen durch

die _____ 5 Tür – und fliegt schnell wieder hinaus ins Freie.

3 **Schreckensvisionen. Was passt? Achten Sie auf die Endungen.**

~~Kinder~~ • Wasserhähne • ein Chef • Milch • Regen • ein Hund

schreiende Kinder, _____

_____

_____

überkochend • ~~schreiend~~ • strömend • bellend • nervend • tropfend

4 **Idylle. Formulieren Sie um wie im Beispiel.**

~~Kind – lacht~~, Kühe – grasen *ein lachendes Kind,* _____

Sonne – strahlt, Vögel – singen _____

Bach – plätschert, Wiesen – blühen, … _____

5 **Momentaufnahme. Setzen Sie die Partizipien an die passende Stelle.**

Sie sitzen <u>schweigend</u> am Tisch. Die Geräusche der Straße füllen den Raum: | ~~schweigend~~

Ein Motorrad fährt vorbei, eine Frau ruft aus einem Fenster im Nachbarhaus. | knatternd, aufgeregt

Ein Flugzeug fliegt über sie hinweg. Ein Hund läuft hinter einem anderen Hund | donnernd, bellend

her. Sie blicken sich an: Es gibt nichts mehr zu sagen! | erschöpft

6 **Wie heißen die Sprichwörter? Finden Sie die richtigen Paraphrasen zu den Sprichwörtern.**

1. Schlafende Hunde   ist halb gewonnen.   *1d*

2. Aufgeschoben   verlassen das sinkende Schiff.   _____

3. Frisch gewagt   ist nicht aufgehoben.   _____

4. Die Ratten   soll man nicht wecken.   _____

a. Wir können es jetzt nicht machen, aber wir machen es auf jeden Fall.

b. Wer mutig anfängt, hat schon einen wichtigen Teil geschafft.

c. Jetzt ist nichts mehr zu retten.

d. Man sollte sich keine zusätzlichen Probleme machen.

Wir nehmen diesen Weg. Das ist sicher das Beste!

Adjektive und Partizipien als Nomen

Adjektivendungen → **26, 27**
Deklination der Nomen → **13, 14**

der Beste, die Beste (Personen) das Beste (Sache) der / die Angestellte, der / die Studierende	Man kann Adjektive und Partizipien als Nomen verwenden. Sie bezeichnen Personen oder Sachen.

Adjektive und Partizipien behalten auch als Nomen ihre Adjektivendungen:

de**r** Angestellte   ein Angestellte**r**   da**s** Beste   mein Beste**s**   di**e** Bekannt**e**   ein**e** Bekannt**e**

maskulin   neutral   feminin

Adjektiv als Nomen

Superlativ → **30**

Personen	Adjektive
der / die Deutsch**e** (ein Deutsche**r**, ein**e** Deutsch**e**) der / die Jugendlich**e** (ein Jugendliche**r**, ein**e** Jugendlich**e**)	deutsch jugendlich

Ebenso: der / die Verwandte, der / die Bekannte, der / die Kranke, der / die Schlaue, der / die Arbeitslose, …

Abstrakte Konzepte (immer neutral)	Adjektive
das Gute, das Schlechte, das Schöne, das Alte das Neueste, das Schönste, das Beste (Superlativ)	gut, schlecht, schön, alt neu, schön, gut

Partizip I als Nomen

> ❗ Heute sagt man oft: *die Studierenden, die Lehrenden* …. Das ist genderneutral (Männer und Frauen sind gemeint).

Partizip I	
der / die Studierend**e** (ein Studierende**r**, ein**e** Studierend**e**) der / die Reisend**e** (ein Reisende**r**, ein**e** Reisend**e**)	studierend reisend

Ebenso: der / die Vorsitzende, der / die Alleinerziehende (*jemand, der / die ein Kind allein aufzieht*)

Partizip II als Nomen

Partizip II	
der / die Angestellt**e** (ein Angestellte**r**, ein**e** Angestellt**e**) der / die Vorgesetzt**e** (ein Vorgesetzte**r**, ein**e** Vorgesetzt**e**)	angestellt vorgesetzt

Ebenso: der / die Verheiratete, der / die Verletzte,
Aber: der Beamte, ein Beamter; die Beamt**in**, eine Beamt**in**

1 **Finden Sie die Verben und Adjektive zu den unterstrichenen Nomen.**

1. <u>Reisende</u> nach Berlin gehen bitte zum Ausgang fünf.　　　　　*reisen*

2. ● Wie war denn die Prüfung?　● Ich weiß noch nichts <u>Neues</u>.　　　_____

3. Ab morgen hab ich Urlaub, und das <u>Beste</u> ist: Meine Schwester kommt zu Besuch!　_____

4. ● Liebe <u>Studierende</u>, bitte bringen Sie morgen Ihren Laptop ins Seminar mit!　_____

5. ● Habt Ihr Weihnachten Besuch?　● Ja, erst kommt ein <u>Bekannter</u> aus　_____

　　Frankfurt, und dann kommen ganz viele <u>Verwandte</u>!　_____

2 **Setzen Sie die Adjektive und Partizipien als Nomen in den Text ein.**

1. Der ___*Faule*___ kommt nicht weit – dem _____ öffnen sich die Türen.　| faul, fleißig

2. Der Abstand zwischen den _____ und den _____ wächst　| arm, reich

　　in Deutschland weiter.

3. Jeder ist fast überall auf der Welt ein _____.　| fremd

4. Manchmal will man nur _____ und schafft doch nur _____.　| gut, schlecht

5. _____ soll man nicht aufhalten.　| reisend

3 **Nur Superlative. Ergänzen Sie die Nomen.**

1. ● Du bist so verständnisvoll!　● Das ist das ___*Schönste*___, was ich seit Langem gehört habe.　| schön

2. Du musst in der Prüfung die Nerven behalten. Das ist das _____.　| wichtig

3. ● Was sind Ihre _____ und Ihre _____ Erinnerungen?　| schlimm, gut

　　● Das _____ sind die Erinnerungen an den Krieg, das _____　| schlimm, gut

　　ist die Geburt meiner Kinder.

4 **Ergänzen Sie die Nomen. Wandeln Sie die Verben in Partizipien I oder Partizipien II um.**

Sehr geehrter ___*Vorsitzender*___, liebe Anwesende,　| vorsitzen (Partizip I: *vorsitzend*)

unser Staat ist unsozial! Den Unternehmern, den _____ 1 und　| anstellen (Partizip II: _____)

den Beamten geht es gut – aber was sagt dazu ein _____ 2　| arbeitslos

oder ein einfacher Arbeiter? Die _____ 3 und _____ 4　| krank, alt

in unserer Gesellschaft leben heute schlechter als vor zehn Jahren. Unsere Steuern

sind ungerecht: Die _____ 5 können mehr Steuern sparen　| verheiraten (Partizip II: _____)

als die _____ 6.　| allein erziehen (Partizip I: _____)

Wo bleibt da die Gerechtigkeit? Unsere _____ 7 verlieren die　| jugendlich

Hoffnung, weil es keine Stellen für sie gibt – das kann so nicht weitergehen!

5 **Sie sind Politiker. Wer ist Ihre Zielgruppe? Warum ist diese Gruppe wichtig?**

Wir müssen ___*die Studierenden*___ von unserem Programm überzeugen, denn die werden mal sehr einflussreich.

Wir müssen die _____ überzeugen, denn das ist eine große Gruppe in der Gesellschaft.

Wir müssen die _____ überzeugen, denn …

studieren • anstellen • alt • geflüchtet • jugendlich • begabt • krank • reich • arm • verheiratet • …

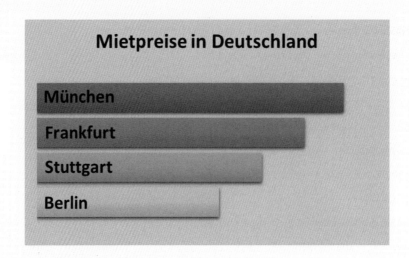

Die Mieten in Frankfurt werden immer teurer. Aber in München sind sie momentan am teuersten.

Komparativ und Superlativ

Grundform	Komparativ	Superlativ
dick	dick**er**	**am** dick**sten**
dünn	dünn**er**	**am** dünn**sten**
schlecht	schlecht**er**	**am** schlecht**esten**
teuer	teur**er**	**am** teur**sten**
lang	l**ä**ng**er**	**am** l**ä**ng**sten**
kurz	k**ü**rz**er**	**am** k**ü**rz**esten**
groß	gr**ö**ß**er**	**am** gr**ö**ß**ten**
nah	n**ä**h**er**	**am** n**ä**ch**sten**
hoch	h**ö**h**er**	**am** h**ö**ch**sten**
gut	besser	am besten
gern	lieber	am liebsten
viel	mehr	am meisten
sehr	mehr	am meisten

Besondere Formen:
-esten nach *-d, -t, -s, -ß, -sch, -x, -z*
teuer – teu<u>r</u>er, sauer – sau<u>r</u>er, …

a, o, u → ä, ö, ü
Ebenso: alt, arg, arm, hart, kalt, krank, scharf, schwach, schwarz, stark, warm, grob, dumm, gesund, jung, klug

Unregelmäßig:
A arbeitet **viel**, B arbeitet **mehr**, aber C arbeitet **am meisten**
Ich interessiere mich **sehr** für Biologie, aber noch **mehr** für Chemie.

Vergleiche

Grundform + *wie*
Komparativ + *als*

Max ist (genau) **so groß wie** Lea.
David ist **nicht so groß wie** Max.
Lea und Max sind **größer als** David.

Adverb + Komparativ:
Malik malt sehr gut, aber Zeinab malt **noch besser**.
In den Ferien habe ich **viel mehr** Zeit für den Sport.

Adjektivendungen → 26, 27

Adjektive im Komparativ und Superlativ verwendet man auch vor Nomen. Sie haben dann die Adjektivendungen:
Machen Sie öfter mal kürzer**e** Pausen beim Autofahren!
Die teuerst**en** Mieten gibt es zur Zeit in München.

Satzklammer → 17

Positionen im Satz

als … und *wie* … meistens nach der Satzklammer

①	②			
Er	kommt	später	zurück	als sie.
Max	ist	genauso	groß	wie Lea.

① Schreiben Sie den Komparativ und den Superlativ.

1. alt   *älter*   *am ältesten*   5. viel   *mehr*   *am meisten*

2. jung   _____   _____   6. teuer   _____ _____

3. groß   _____   _____   7. gut   _____ _____

4. hoch   _____   _____   8. gern   _____ _____

② Etwas Geografie. Ergänzen Sie.

1. Hamburg ist etwa so groß ____*wie*____ Vancouver.

2. Ist die Donau wirklich länger _____ der Rhein?

3. Der Eiffelturm ist nicht so hoch _____ das Empire State Building.

4. Was glauben Sie: Ist die Zugspitze höher _____ das Matterhorn oder umgekehrt?

   (Die Zugspitze ist der höchste Berg Deutschlands, das Matterhorn der höchste Berg der Schweiz.)

③ Vergleichen Sie.

1. Heute ist es viel ____*wärmer als*____ gestern, 28 Grad!

2. Elias ist nicht so _____ er glaubt!

3. Das blaue Sofa sieht _____ aus _____ das rote Sofa.

4. Thomas arbeitet viel _____ sein Nachbar.

5. Ich interessiere mich sehr für Malerei, aber noch _____ für Theater.

6. Sind die Menschen heute _____ früher?

warm
klug
höflich
sehr
viel
bequem

④ Meine Freundin und ich. Ergänzen Sie.

1. Meine Freundin Teres ist zwei Jahre ____*jünger als*____ ich.

2. Sie geht gern Skilaufen, aber ich schwimme _____.

3. Sie ist 5 cm _____, aber sie wiegt genauso _____ ich.

4. Ihre Haare sind schwarz und etwas _____ meine.

Schreiben Sie noch drei Sätze: viele Leute kennen, schon 2 Jahre hier leben, viel fernsehen

⑤ Viele Wünsche im Hotel. Ergänzen Sie die Komparative und Superlative.

1. Das Zimmer ist sehr klein – haben Sie eventuell ein ____*größeres*____ Zimmer? | groß

2. Ich finde es auch sehr laut – haben Sie vielleicht ein _____ Zimmer? | ruhig

3. Welches ist denn das Zimmer mit der _____ Aussicht? | gut (mit + Dativ)

4. Und das Bett ist sehr hart – gibt es Zimmer mit _____ Betten? | weich (mit + Dativ)

5. Ah, prima, herzlichen Dank, das ist ein _____ und | schön

   _____ Zimmer, das nehme ich! | freundlich

⑥ Eine Super-Familie. Sprechen Sie mit Ihrer Partnerin / Ihrem Partner.

Großmutter / Großvater
Mutter / Vater
Onkel / Tante
Schwester / Bruder
Nichte / Neffe • …

1. Wer in Ihrer Familie ist

   ____*am geduldigsten*____, wer am …?

2. Meine … ist am geduldigsten, …

jung •
alt • schlank •
fleißig •
musikalisch •
humorvoll • geduldig

> Der Film ist wirklich sehr gut – den müssen wir dringend sehen!

Verstärkung und Fokussierung

Der Film ist wirklich **sehr** gut.	*sehr* verstärkt die Bedeutung von Adjektiven, *nur* fokussiert die Aufmerksamkeit auf ein Nomen, Pronomen oder Adverb.
Nur das Ende gefällt mir nicht.	

Verstärkung von Adjektiven

sehr (betont)	Vielen Dank für diesen Tipp – das ist ein **sehr** interessanter Roman!
besonders	Ich mag Beethoven, aber Bach gefällt mir **besonders** gut.
ganz (betont)	Du hast wirklich eine **ganz** nette Freundin – sehr sympathisch!
ziemlich	Ich bin **ziemlich müde**. Das ist eine **ziemlich gute** Arbeit. (relativ gut)
recht	Die Fahrt nach Berlin ist **recht kurz** – sie dauert nur eine Stunde! (relativ kurz)

Das sagt man oft: Ich möchte Ihnen **recht herzlich** danken. = Ich möchte Ihnen **ganz herzlich** danken.
Mündlich sagt man auch oft: **total** nett, **super** schön, …

Abschwächung von Adjektiven

ganz (unbetont)	Ich finde diesen Film **ganz nett**. (Betonung auf *nett*: ich bin nicht so begeistert)
etwas	Lange bleibe ich nicht mehr wach, ich bin schon **etwas müde**. (ein bisschen müde)

Negation → 18

Mit der Negation *nicht*, *gar nicht* kann man diese Adjektive verneinen: Ich bin gar nicht müde.

Fokussierung von Nomen, Pronomen und Adverbien

nur	Hallo Katrin, der Urlaub ist super, **nur das Wetter** ist schlecht! (das Wetter allein) Ich gehe jeden Tag in die Bibliothek – **nur dort** kann ich mich konzentrieren. Das Buch kostet **nur 5 Euro** – das ist wirklich billig! (weniger als erwartet)
auch	Immer kaufen **wir** ein, ich finde, **auch du** kannst das jetzt mal machen! (wir und du sind betont)
sogar	Dieses Computerprogramm ist wirklich nicht schwer – **sogar Max** hat es ganz schnell gelernt. (Max ist betont: von dem erwartet man das normalerweise nicht) (Vorsicht: *sogar* kann in dieser Bedeutung beleidigend wirken!)

1 **Ein toller Urlaub! Verstärken Sie die Aussagen mit _besonders, ganz, recht, sehr_ oder _ziemlich_.**

Hallo Marta, jetzt sind wir am Strand! Das Hotel ist _sehr_____ schön, _____ 1 modern

und _____ 2 angenehm. Die Leute hier sind _____ 3 nett, das Wetter ist

_____ 4 gut. Leider ist das Meer _____ 5 kalt, ich gehe immer nur

_____ 6 kurz schwimmen. Wir sind _____ 7 aktiv hier – darum bin ich abends

immer _____ 8 müde.

2 **Was passt wohin? Manchmal gibt es mehr als eine Lösung.**

ziemlich • ~~ganz~~ • etwas • ganz • nur • sehr • auch

1. Der Film ist ja <u>ganz</u> interessant – aber ich habe schon bessere gesehen.

2. Das Museum ist interessant, aber das Interesse ist schwach.

3. Der neue Kollege ist nett – manchmal aber stressig.

4. ● Ich möchte nach Hause gehen – es ist spät.   ● Okay, ich bin müde.

3 **Formulieren Sie die Sätze mit _nur, auch, sogar_.**

1. Kommen Sie auf die Trauminsel,   _nur hier kann man sich richtig entspannen._

                                        (hier, sich richtig entspannen können)

2. Hier haben Sie keinen Stress und keine Sorgen   (Pessimisten, sich wohl fühlen)

3. Die Inselbewohner freuen sich auf Sie   (bei uns, solche Gastfreundschaft finden können)

4. Strände gibt es an vielen Orten   (auf unserer Insel, die Strände so weiß und sauber sein)

4 **Sie berichten einem Freund / einer Freundin über einen schrecklichen Restaurant-Besuch.**

Beschreiben Sie das Restaurant mit den folgenden Adjektiven und verstärken Sie die Aussagen

mit einem passenden Wort.

Geh bloß nicht in das Restaurant „Alte Eiche":

Der Service ist _ganz schrecklich,_____

die Bedienung ist _____ 1

das Essen schmeckt _____ 2

der Raum ist _____ 3 , und trotzdem sind

die Preise _____ 4

~~schrecklich~~
hoch
scheußlich
arrogant
ungemütlich

Jetzt berichten Sie einem Freund / einer Freundin über ein ganz tolles Restaurant. Benutzen Sie diese

Adjektive und verstärken Sie die Aussagen: gemütlich, freundlich, hervorragend, niedrig, gut.

5 **Fragen Sie Ihren Partner / Ihre Partnerin.**

Film • Musik • Kunstausstellung • Bilder • Deutschunterricht • Urlaub • …

● Wie gefällt Ihnen der letzte Film von …? / Wie gefällt dir …?

● Der gefällt mir sehr gut / ziemlich gut / nicht sehr gut / gar nicht gut.

● Wie finden Sie die Musik von …?

● Die finde ich … / Der ist …

Liebe Susanne, herzlich willkommen!
Im Kühlschrank sind Milch und
Käse. Das Obst steht auf dem Tisch.
Bitte bedien dich! Ich komme bald,
Florian

P. S. Teller und Tassen sind im
Regal an der Wand.

> Lokale Objekte – Präposition
> mit Dativ: Etwas passiert
> oder ist **an einem Ort** →
> Er liegt / steht / sitzt **im**
> **Wohnzimmer**. Sie spielen /
> laufen / klettern **im Wald**.

 WO?

Das Obst steht **auf dem Tisch**. **Im Kühlschrank** sind Milch und Käse.
Die Teller sind **im Regal an der Wand**.

Wo ist etwas?
Wo passiert etwas?   Präposition + Dativ (= lokales Objekt)

Subjekt	Verb	lokales Objekt
Das Obst	steht	**auf dem Tisch**.

Lokale Präpositionen (2) → **33**

Lokale Präpositionen

		Das Obst liegt **in der Schüssel**. Der Ball ist **in der Kiste**. Das Buch steht **im Regal**. Florian und Martin liegen schon **im Bett**. Eva wandert **in den Bergen**.
in	in der Schüssel in der Kiste im Regal	
auf	auf dem Tisch auf dem Berg	Das Obst steht **auf dem Tisch**. Die Kirche steht **auf dem Berg**. Das Kind spielt **auf der Straße**.
unter	unter dem Regal	Der Ball liegt **unter dem Regal**. Die Katzen spielen **unter dem Tisch**.
über	über dem Tisch	Die Lampe hängt **über dem Tisch**. Der Vogel sitzt **über dir**.
an	an der Wand am Fenster	Die Lampe hängt **an der Wand**. Sie steht oft **am Fenster** und schaut hinaus. Ich sitze **am Schreibtisch**.

dieser → **23**

am: an + dem → **am** Fenster; **im**: in + dem → **im** Regal
Bei Betonung: an **dem** Fenster, in **dem** Haus (= an diesem Fenster, in diesem Haus)
Mündlich auch: auf'm (= auf dem), über'm (= über dem), unter'm (= unter dem)

1 Was passt hier zusammen? Schreiben Sie Sätze.

1. Das Buch steht ~~~~
2. Das Foto liegt
3. Der Schreibtisch steht

4. Das Bild hängt
5. Die Katze liegt
6. Der Koffer liegt

a. im Korb.
b. über dem Kamin.
c. unter der Zeitung.

d. auf dem Schrank.
e. am Fenster.
f. im Regal.

1. *Das Buch steht im Regal.*
2. _____
3. _____

4. _____
5. _____
6. _____

2 Was für ein Chaos! Ergänzen Sie die lokalen Objekte. Achten Sie auf das Genus!

Liebe Kim, ich halte das nicht mehr aus. Diese Kinder! Schrecklich!

Die Wohnung ist ein einziges Chaos: In der Küche stehen Tassen und

Teller *auf dem Boden*, das Obst liegt _____ 1,

Käse und Wurst sind _____ 2, und die Zeitung liegt

_____ 3. Das Wohnzimmer sieht nicht besser aus:

Die Spielsachen liegen _____ 4 und _____ 5.

Nur das Bild hängt am richtigen Platz: _____ 6, _____ 7.

Wann wird das endlich besser?

Melde dich mal!

Liebe Grüße, Fayola

| auf – ~~Boden~~; in – Regal
| auf – Stuhl
| unter – Tisch
| auf – Sofa; unter – Stühle
| an – Wand; über – Kamin

3 Was passt? Ergänzen Sie die Präpositionen und Artikel.

1. Seid ihr immer noch *im* Bett?
2. Der Hut hängt _____ Garderobe.
3. Such doch mal _____ Schublade!
4. Ich sitze gerne _____ Schatten _____ Baum.

5. Bitte, Kinder, spielt _____ Garten, nicht _____ Straße!
6. Die Katze versteckt sich gern _____ Bett.
7. Haben Sie auch eine Satellitenschüssel _____ Dach?
8. _____ Wolken scheint immer die Sonne.

4 Lieber Florian,

vielen Dank für alles! Leider muss ich jetzt schnell los.

Das Buch von Eva Menasse *liegt auf dem Wohnzimmertisch*. Ich finde es

sehr gut! Die Fotos _____ 1. Wir haben keine Getränke mehr,

die Flaschen _____ 2. Es gibt noch etwas Milch,

die _____ 3. Deine Jacke _____ wieder

_____ 4, vielen Dank für's Leihen! _____ 5

eine Fahrkarte für die U-Bahn, ich brauche sie nicht!

Alles Liebe, Susanne

P.S. Ach mein Gott, der Fahrradschlüssel – wo ist der nur? Ich glaube, er liegt _____ 6, vielleicht

_____ 7 er aber auch _____ 8.

hängen • liegen
sein • stecken
stehen
Fahrradschloss
Kiste •
Kühlschrank
Regal • Schrank
Schublade
Wohnzimmertisch

Lieber Nico,
hier ein Foto von meiner
Familie. Links neben mir steht
meine kleine Schwester Clara.
Hinter uns sind meine Eltern
und zwischen ihnen steht
mein Opa. Ganz links siehst
du meine Oma Sylvia.
Alles Liebe, Micha

Weitere Lokaladverbien → **37**

Neben mir steht meine kleine Schwester Clara.
Hinter uns sind meine Eltern und
zwischen ihnen steht mein Opa.

Links ist meine Oma Sylvia.
Hinten stehen meine Eltern.

Lokale Präposition + Dativ   Lokaladverb

Lokale Präpositionen + Dativ

neben		Das Bad ist **neben der Küche**. Die Post ist **neben dem Supermarkt**.
zwischen		Paul sitzt **zwischen Karin und Sven**. ● Wo ist nur das Foto? ● Es liegt **zwischen den Briefen**.
vor		**Vor dem Haus** steht ein alter Baum. Ich warte **vor der Post** auf dich.
hinter		Er steht **hinter ihr**. Das Kind versteckt sich **hinter der Tür**.

Lokaladverbien

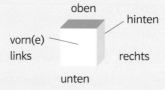

oben
hinten
vorn(e)
links
rechts
unten

Was steht – sitzt – liegt – ist ...?

> Im Deutschen benutzt man
> oft die spezifischen Verben,
> nicht so oft *sein*.

sein — Der Ball **ist unter dem Tisch**. Das Buch **ist in der Küche**. Karl **ist im Wohnzimmer**.

stehen — Das Buch **steht im Regal**. Der Teller **steht auf dem Tisch**. Was **steht in dem Brief**?

liegen — Das Buch **liegt auf dem Boden**. **Neben dem Teller liegen** Messer und Gabel.

sitzen — **Hinter dem Vorhang sitzt** eine Katze.
Die Schraube **sitzt** nicht fest. Die Brille **sitzt auf der Nase**.

hängen — Der Schlüssel **hängt am Haken**. Der Mantel **hängt an der Garderobe**.
Das Bild **hängt an der Wand**.

stecken — Der USB-Stick **steckt im Computer**. Der Schlüssel **steckt im Schloss**.
Wo **steckst** (= bist) du denn?

bleiben — Wie lange **bleibt** er **in der Stadt**?

1 **Familienskizze. Zeichnen Sie ein Bild von der Familie.**

Da, schau mal: Das ist mein Vater – da, zwischen meiner Mutter und meinem großen Bruder. Rechts neben meinem Bruder steht Großvater. Hier vorne sitze ich. Rechts neben mir liegt Prinz, unser Kater. Links von mir sitzt meine Tante Herta, die finde ich sehr nett.   *Skizzieren Sie:* ⟶

2 **Wer wohnt wo? Ergänzen Sie.**

~~ganz links~~ • ganz rechts • links • neben • oben • rechts • neben • vorne • zwischen

1. Familie Winkler wohnt ___*ganz links.*___

2. Das Ehepaar Atalay wohnt _____

3. Frau Schröder und ihr Freund wohnen _____

4. Familie Curic wohnt _____

Winkler Curic Schröder Atalay

3 **Das neue Haus. Ergänzen Sie Präposition und Artikel oder Adverb.**

~~neben~~ • neben • oben • unten • unter • vor • zwischen

Liebe Carmen,

das ist also unser neues Haus! ___*Neben*___ ___*dem*___ Haus gibt es einen kleinen Garten. Das Haus

hat zwei Stockwerke: _____ 1 sind die Küche, eine Toilette und das Wohnzimmer,

_____ 2 sind die Schlafzimmer. Das Bad ist _____ _____ 3

(unser) Schlafzimmer und _____ 4 Kinderzimmer, das ist sehr praktisch. _____

_____ 5 Erdgeschoss ist noch ein großer Keller. Leider ist _____

_____ 6 Haus eine Baustelle, darum ist es oft sehr laut. Aber das hört sicher bald auf!

4 **Sitten. Formulieren Sie mit Präpositionen.**

auf • hinter • in • neben • ~~vor~~

1. Vorhänge, die Fenster (Pl.)   In Deutschland haben viele Leute ___*Vorhänge vor den Fenstern.*___

2. viele Satellitenschüsseln, die Dächer   _____ gibt es _____

3. Radwege, Straße   In vielen Städten gibt es _____

5 **hängen, liegen, sitzen, stehen ...?**

1. Das Foto   *liegt im Regal*

2. Das Foto   _____

3. Das Foto   _____

6 **Ein Traum**

Samstagmorgen. Ich schlafe lange. Dann stehe ich auf. Alles ist schon fertig: Eine weiße Tischdecke

___*liegt*___ 1 Tisch. Der Kaffee duftet; ein Korb mit Brötchen _____ 2 Kaffeekanne, und

auch die Zeitung _____ 3 Tisch. Die Katze _____ 4 Fensterbrett und schnurrt mich

freundlich an. Das Wochenende kann beginnen!

Die Frau geht in einen Laden.

Die Frau ist im Laden und kauft ein.

WOHIN?

Wohin geht die Frau?
Die Frau geht **in den Laden**.

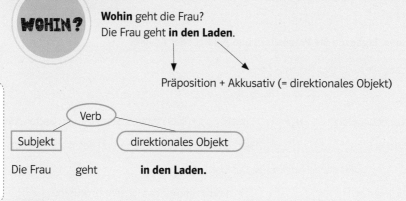

Präposition + Akkusativ (= direktionales Objekt)

Verb

Subjekt | direktionales Objekt

Die Frau   geht   **in den Laden.**

> Direktionale Objekte: Etwas bewegt sich von einem Ort zu einem anderen Ort:
> Der Junge geht **in den** Laden / **auf die** Straße / **in das** Haus. Ich stelle das Buch **in das** Regal. Ich lege den Zettel **auf den** Tisch.

Vergleich

Wohin? Ⓐ ⟶ Ⓑ   an • auf • in • neben • zwischen • vor • hinter • über • unter   **Artikel + Nomen oder Pronomen im Akkusativ**

Wo? ⊙   **Artikel + Nomen oder Pronomen im Dativ**

Diese „Wechselpräpositionen" haben Akkusativ **oder** Dativ, je nach Kontext (wohin? **oder** wo?).

> **!**
> Das sagt man oft:
> Wohin kommen denn die Teller? – Hier in den Schrank!

Wohin?	**Wo?**
Ich fahre gleich **in die Stadt**.	**In der Stadt** muss man langsam fahren.
Ich lege die Schlüssel **unter den Blumentopf**.	Anna, die Schlüssel liegen **unter dem Blumentopf**!
Stell das Auto doch **in die Garage**!	Das Auto steht den ganzen Winter **in der Garage**.
Hängen Sie den Mantel hier **an die Garderobe**.	Alle Mäntel hängen **an der Garderobe**.
Steck bitte den Pass **in die Handtasche**.	Der Pass steckt (ist) nicht **in der Handtasche**!
Setzen Sie sich doch **aufs Sofa**, das ist bequemer!	Ich sitze gern **auf dem Sofa**.

dieser → 23

ans: an + das → **ans** Fenster; **ins:** in + das → **ins** Regal
Bei Betonung: an **das** (= an dieses) Fenster; in **das** (= in dieses) Regal.
Mündlich auch: aufs, hinters, übers, vors Regal (= auf das, hinter das, …)

Weitere typische Verwendungsweisen der lokalen Präpositionen

Wir fahren **in die Schweiz / in die USA**. (Länder mit Artikel)	Er wohnt schon seit Langem **in der Schweiz / in den USA**.
Ich gehe **in die Schule / ins Haus**. (Gebäude)	Er war gestern **in der Schule / im Haus**.
Lauf nicht **auf die Straße**! (Oberfläche)	Paul spielt gern **auf der Straße**.
Wir fahren am Wochenende **aufs Land / ans Meer / an den Strand / an den See / in die Berge**.	Meine Mutter lebt **auf dem Land / am Meer / am Strand / am Ufer**. (Rand von etwas)

1 **Was passt hier zusammen? Schreiben Sie Sätze.**

1. Ich lege die Zeitungen	a. dort an den Haken!	1. ___*b*___
2. Hängen Sie Ihren Mantel	b. ins Regal.	2. _____
3. Setz dich bitte	c. über den Kamin?	3. _____
4. Ich stelle das Buch	d. ans Fenster.	4. _____
5. Stell bitte den Tisch	e. zwischen die Lexika.	5. _____
6. Hängen wir das Bild	f. hinter deine Mutter!	6. _____

2 **Fototermin. Ergänzen Sie die passenden Präpositionen und Artikel.**

Florian, setzt dich bitte mal ____*neben*____ deine Schwester. Enzo, du bist so groß, stell dich

mal _____ 1 Geschwister! Und leg die Zeitung _____ 2 Tisch.

Was machen wir mit Lucky, dem Hund? Am besten legt er sich _____ 3 ganze

Familie, sonst sieht man ihn nicht. Nein, Lucky, setz dich bitte nicht _____ 4

Tisch! So ist es gut! Bitte alle lächeln!

> an
> auf
> hinter
> ~~neben~~
> unter
> vor

3 **Wo ...? Wohin ...? Ergänzen Sie die Präpositionen und Artikel.**

● Herrlich, so ein Sonntag! Was machen wir? Fahren wir _____ 1 See oder _____ 2 Berge ?

● Fahren wir _____ 3 Ammersee! Ich liege so gern _____ 4 Strand und lese ein gutes Buch.

● Gut! Aber ich finde meinen Fahrradschlüssel nicht, er hängt nicht_____ 5 Schlüsselbrett und er

steckt nicht_____ 6 Fahrradschloss!

● Du steckst ihn doch oft _____ 7 Rucksack, vielleicht ist er da? Oder such mal

_____ 8 Hosentaschen. Am besten hängst du ihn in Zukunft immer _____ 9

Schlüsselbrett, dann finden wir ihn immer.

● Ah, jetzt sehe ich ihn, er liegt _____ 10 Wohnzimmertisch. Ich stecke ihn gleich

_____ 11 Fahrradschloss. Dann können wir jetzt los!

4 **Jetzt räumen wir auf! Ergänzen Sie die passenden Verben und Nomen aus dem Kasten.**

Jetzt räumen wir auf! Die Kinder helfen mit! Aber man muss ihnen alles sagen:

Stellt bitte die Tassen und Teller ___*in den Schrank*___ ! Hebt das Obst auf und

_____ 1 es _____ 2 ! Räumt bitte im Wohnzimmer

auf: _____ 3 die Spielsachen _____ 4 !

_____ 5 die Bücher _____ 6 ! _____ 7

eure Jacken _____ 8 ! _____ 9 bitte das Fahrrad

_____ 10 und nicht _____ 11 !

> hängen
> legen
> stellen
> Garage
> Garderobe
> Garten
> Kiste
> Regal
> Schrank
> Tisch

5 **Wohin mit den Möbeln? Ergänzen Sie.**

Lisa: Stellen wir den Tisch ___*an die*___ Wand?

Lea: Nein, ich finde, der Tisch _____ 1 sehr gut in der Mitte des Raumes.

Lisa: _____ 2 wir das Bild von Klee _____ 3 Kamin?

Lea: Nein, mir gefällt der Spiegel _____ 4 Kamin.

> hängen
> stehen
> an
> über
> unter

Ich fahre zu meinem Bruder nach Köln.

Sie nimmt das Buch aus dem Regal.

Sie steht mir gegenüber.

zu, nach + Dativ (Frage: Wohin?)
Im Sommer fahre ich immer **zu meinem Bruder nach Köln.**

aus, von + Dativ (Frage: Woher?)
Sie nimmt das Buch **aus dem Regal.**
Maria kommt gerade **von ihrer Mutter.**

bei, gegenüber + Dativ (Frage: Wo?)
David arbeitet **bei Siemens.**
Er lebt noch **bei seinen Eltern.**
Gegenüber dem Kaufhaus ist der U-Bahn-Eingang.

Einige Präpositionen haben immer den Dativ, auch wenn
sie eine Bewegung von A→B (Wohin? Woher?) beschreiben.

Typische Verwendungen

A → B Wohin?		
zu	Gehen wir **zu dir**! Im Urlaub fahren wir **zu Freunden** nach Polen. Ich gehe jetzt **zur Post**. Er geht **zum Marktplatz.**	Personen, Institutionen, Läden, Plätze
	Kommt bitte **zum Essen**!	Aktivitäten
nach	Ich fahre **nach Österreich / nach Zürich**. Die Straße führt **nach Norden.** Schau mal **nach links**!	Länder und Orte ohne Artikel, Lokaladverbien

> Ich gehe / fahre **nach Hause**.
> (in meine Wohnung)
> Ich bin **zu Hause**. (in meiner Wohnung)

A ← B Woher?		
aus	Juan kommt **aus Mexiko.** Ich trinke **aus dem Glas / aus der Tasse**. Ich komme **aus dem Urlaub.**	Herkunft Gegenteil von *in*
von	Sie kommt gerade **von der Arbeit**. Ich esse die Nudeln **vom Teller.**	Bewegung weg von …

● Wo?		
bei	Bitte bleib **bei mir**! Die Bank ist **bei der Kirche / beim Dom.** Ich habe einen Termin **beim Zahnarzt.**	Personen, Arbeitsplatz, Nähe
gegenüber	Der Laden ist **gegenüber dem Parkhaus. (Dem Parkhaus gegenüber** ist ein Laden.) Sie wohnt **ihm gegenüber.**	auf der entgegen-gesetzten Seite

Lokale Präpositionen → **32, 33**

Wechselpräpositionen → **34**

> ❗ *gegenüber* steht vor oder nach dem Nomen; immer nach dem Pronomen.

dieser → **23**

zum: zu + dem → **zum** Strand; **zur:** zu + der → **zur Schule**; **beim:** bei + dem → **beim** Zahnarzt
Bei Betonung: zu **dem** Haus (= zu diesem Haus, zu **der** Schule, zu **dem** Zahnarzt)

(1) zu, nach oder bei?

● Was machen wir heute Abend? Gehen wir ___zu___ meinem Bruder? Der macht heute ein Fest.

● Super, klar, die Partys _____ 1 deinem Bruder sind immer toll. Ich muss aber früh wieder

_____ 2 Hause gehen, wir schreiben morgen eine Klausur.

● Kein Problem! Um 11 bist du wieder _____ 3 Hause. Ich möchte auch früh _____ 4

Hause gehen. Ich fahre morgen früh _____ 5 Köln _____ 6 meiner Mutter.

● Alles klar. Holst du mich dann heute Abend so um halb zehn _____ 7 mir in der Wohnung ab?

(2) Ein perfekter Ausflug. Ergänzen Sie die Präpositionen und die Artikel.

bei • gegenüber • nach • von • zu • in

Am Morgen holt unser Reisebus Sie ___von zu___ Hause in München ab. Dann fahren wir direkt

_____ 1 München _____ 2 Österreich. Wir frühstücken in einem Café unterwegs.

Danach geht es weiter _____ 3 Salzburg. Dort gehen wir zuerst _____ 4

Mozarthaus. Der Nachmittag ist frei.

Um 18 Uhr treffen wir uns an der Touristeninformation _____ 5 dem Dom und gehen

gemeinsam _____ 6 Essen. Nach dem Essen fahren wir gemütlich wieder zurück

_____ 7 München. Um 21 Uhr sind Sie wieder _____ 8 Ihrer Familie!

(3) Reisepläne. Fragen Sie Ihre Partnerin / Ihren Partner.

● Fährst du im Sommer ___nach___ Krakau?

● Ja, wir fahren jedes Jahr _____ Polen. /

Nein, dieses Jahr fahren wir ___in die___ Schweiz.

> Genf • Graz • Istanbul • Jena • Kiew •
> Krakau • Mailand • Malmö • Prag • Rom •
> Seattle • Deutschland • Italien •
> Österreich • Polen • Schweden •
> die Schweiz • Tschechien • die Türkei •
> die Ukraine • die USA

(4) Woher? Ergänzen Sie aus oder von und den Artikel.

1. Was – Sie sind auch ___aus___ ___der___ Schweiz?

2. Komm endlich _____ _____ Haus, es ist so schönes Wetter!

3. Geh doch bitte _____ Ufer weg, das ist gefährlich!

4. Auf dem Weg _____ Flughafen in die Stadt gibt es immer einen schrecklichen Stau.

5. Warum kommst du denn schon wieder so spät _____ _____ Arbeit?

(5) Hobbys und Interessen. Ergänzen Sie die passende Präposition aus den Kapiteln 34 und 35 (und den Artikel wo nötig).

1. Ich arbeite ___bei der___ Post. Am Wochenende fahre ich immer _____ 1 meinen Eltern.

Sie wohnen in einem kleinen Dorf, direkt _____ 2 der Kirche.

2. Wir fahren am Wochenende oft _____ 3 unseren Freunden. _____ 4 Freunden ist

es gemütlich und persönlich, nicht so anonym wie im Hotel. Wir haben auch oft Gäste. Die bleiben manchmal

ziemlich lang _____ 5 uns, wir gehen mit ihnen _____ 6 Museum oder

_____ 7 Oper. Freunde sind das Wichtigste!

3. Also, ich wandere gern. Egal, wo. Manchmal steige ich _____ 8 einen Berg, manchmal wandere

ich _____ 9 Wald, oft gehe ich zu Fuß _____ 10 Stadt.

Er joggt jeden Morgen durch den Park.

Weitere lokale Präpositionen mit Akkusativ

durch	Er joggt jeden Morgen **durch den Park**. Hast du Lust – bummeln wir **durch die Altstadt**? Schau mal **durch das Fernrohr**, da sieht man alles ganz deutlich.	in etwas hinein und auf der anderen Seite wieder heraus
gegen	Der Vogel fliegt **gegen die Scheibe**. Das Auto fährt **gegen den Baum**.	in Richtung auf etwas + Kontakt
um (herum)	Am Abend sitzt die ganze Familie **um den Tisch** (herum). Fahren wir durch die Stadt oder **um die Stadt** (herum)?	Lage oder Bewegung in Bezug auf eine Mitte
entlang	Er geht **die Straße entlang**. Sie laufen **den Fluss entlang**. **Entlang der Straße** stehen viele alte Bäume.	Parallelität der Richtung
bis	Ich fahre **bis Düsseldorf**. Der Weg führt **bis an das Ufer**. Ich fahre **bis zum Markt**. Die Baustelle ist sehr laut – man hört den Lärm **bis zu uns**.	Endpunkt, geografische Namen ohne Artikel Bei Nomen mit Artikel und bei Pronomen ist eine zweite Präposition nötig.

> **!** *entlang* steht nach dem Nomen (oder: vor dem Nomen mit Genitiv: *entlang der Straße / des Flusses*)

(1)   Was passt? Ergänzen Sie ein passendes Nomen in der korrekten Form. Manchmal passen mehrere Nomen.

das Fenster • der Fluss • das Feuer • die Friedrichstraße • das Haus • das Kaufhaus • die Stadt • Berlin • der Wald

1. Sie läuft schnell durch _____ .

2. Geh um _____ herum, in den Garten!

3. Zum Dom? Gehen Sie immer _____ entlang.

4. Entschuldigung, fährt dieser Zug bis _____ ?

5. Der Regen trommelt gegen _____ .

6. Ich wandere gern durch _____ .

7. Der Fluss zieht sich durch _____ und teilt sie in zwei Teile.

8. Nach der Wanderung sitzen wir gern um _____ und braten Würste.

(2)   Wegbeschreibung. Ergänzen Sie die Präpositionen und Nomen.

● Entschuldigung, wie komme ich zur Uni?

● Das ist einfach. Gehen Sie immer   *die Herzogstraße entlang / entlang der Herzogstraße* . | entlang – Herzogstraße

Gehen Sie _____ 1 , _____ 2 | bis zu – Park; durch – Park

dann kommen Sie an eine Baustelle. Sie müssen _____ | um (herum) – Baustelle

_____ 3 gehen, _____ 4 . | bis zu – Königstraße

Gehen sie etwa 100 m _____ 5 . Dann sehen Sie schon | entlang – Königstraße

den Haupteingang der Uni.

(3)   Wegbeschreibung von Passau nach München. Ergänzen Sie *bis (zu), durch, entlang, um* und den Artikel (wo nötig).

Ihr könnt über Mühldorf fahren, aber da kommt man _____ 1 viele kleine Orte, das kann

lange dauern. Besser ihr nehmt die Autobahn. Die Autobahn geht _____ 2 München-

Schwabing. Fahrt in Schwabing von der Autobahn ab und dann in Richtung „Deutsches Museum", immer den

Fluss _____ 3 . Fahrt auf keinen Fall _____ 4 Zentrum, das ist mit dem

Auto problematisch. Beim Deutschen Museum ist eine Brücke und ein Turm. Fahrt _____ 5

Turm herum, dann ist es nicht mehr weit _____ 6 uns. Wir wohnen in der Milchstraße.

Ihr müsst die Milchstraße noch ein paar hundert Meter _____ 7 fahren, mitten

_____ 8 Wohngebiet, _____ 9 Nummer 78. Gute Fahrt!

> *Oh, super, danke, ich sehe sie!*

> *Du suchst eine Haltestelle? Da vorne ist eine.*

Lokaladverbien

> ❗ Lokaladverbien drücken aus, **wo** etwas ist oder passiert. Adverbien haben keine Endung.

hier		Der Ball ist **hier**.	ganz nah beim Sprecher / bei der Sprecherin
da		Ah, **da** ist der Ball! Tut mir leid, Max ist nicht **da**!	allgemein: Präsenz
dort		Siehst du den Ball **dort**?	entfernt

drinnen / drin – draußen	Hier **drinnen** ist es schön warm – **draußen** ist es sehr kalt! (*drinnen / drin*: innerhalb eines Raumes, *draußen*: außerhalb eines Raumes)
	● In welchem Schrank sind nur die Tassen? ● Schau mal **da drin**!
drüben	● Wo ist die Post? ● Die ist da **drüben**. (auf der anderen Seite)
überall	● Hast du meine Brille gesehen? Ich suche sie **überall**, aber ich kann sie
irgendwo / nirgendwo	**nirgendwo** (**nirgends**) finden. ● Ich glaube, die liegt **irgendwo** im Bad.
innen – außen	**Innen** ist das Haus modern, **außen** ist es traditionell. (Innenseite / Außenseite)
woanders	Hier ist das Buch nicht! Such lieber **woanders**, vielleicht im Wohnzimmer!

Lokaladverbien (1) → 33

Kombinationen: **Hier drinnen** ist es sehr warm! Der Laden ist **da vorne**, hinter der Post.
Links hinten sitzt meine Tante. Oder: **Hinten links** sitzt meine Tante.

Lokaladverbien im Satz

	①	②	Satzmitte		Satzende
	Dort drinnen	ist	es warm,		
aber	ich	muss	leider	**hier draußen**	warten.

Lokaladverbien stehen auf Position 1 oder in der Satzmitte.

Lokaladverbien bei Nomen
Siehst du das rote Haus **dort**? Den Mann **da vorne** kenne ich.

Hier bestimmt das Adverb das Nomen. Es steht direkt nach dem Nomen.

1 **Gegensätze. Ergänzen Sie.**

1. Ah, das ist also euer Haus. Wohnt ihr oben oder ___unten___?

2. ● Hallo, Ayse, ist Moritz _____? ● Nein, tut mir leid, der ist schon weg.

3. Es gibt hier überall teure Läden, aber _____ akzeptiert man Kreditkarten.

4. Seht ihr den Fluss dort? Auf dieser Seite ist Deutschland, _____ beginnt schon Polen.

5. ● Ah! Endlich! Hier drinnen ist es schön warm! ● Ist es _____ so kalt?

2 **Drehbuch für einen Krimi. Ergänzen Sie.**

da drin • weg • überall • nirgends • da • dort oben

Szene 1.

Erik kommt in den Raum. Er sucht ___überall___ den Tresorschlüssel, aber er findet ihn _____ 1.

Erik (nervös): „Wo versteckt Martha nur den Tresorschlüssel? Moment, vielleicht ist er _____ 2, auf

dem Schrank? Ah, da ist Marthas Tasche, vielleicht ist er _____ 3? Nein, auch nicht. So ein Mist!

Das gibt es doch nicht, er ist einfach _____ 4. Was mache ich nur?" – Plötzlich geht das Licht aus.

Erik: „Wer ist _____ 5? Martha, bist du das?" …

3 **Setzen Sie die Adverbien an die richtige Stelle.**

1. Mami, gibst du mir bitte das Buch? (dort oben) _Mami, gibst du mir bitte das Buch dort oben?_

2. Bringst du mir auch den Stift? Ich will malen. (von da hinten)

3. Holst du mir auch den Teddy? Er liegt im Garten. (da draußen)

4. Machst du bitte das Fenster auf? Es ist sehr heiß. (hier drinnen)

4 **Finden Sie passende Lokaladverbien, auch in Kombinationen.**

dort oben • überall • hier • irgendwo • nirgends • hier unten • überall • draußen • nirgendwo

Liebe Karla,

seit drei Tagen bin ich in Tirol. Es ist wunderschön: ___Oben___ auf den Bergen ist es kalt, aber man

hat eine prima Sicht. _____ 1 liegt auch noch Schnee! Wir wohnen aber zum Glück im Tal,

_____ 2 ist es schön warm. Der Sommer _____ 3 ist herrlich: _____ 4

blühen die Bäume, die Menschen sind freundlich und genießen die Sonne. Am Abend sitzt man hier oft

_____ 5, im Garten, und isst Brot mit dem berühmten Speck. Es gibt nur einen Nachteil: In den

Bergen gibt es _____ 6 Wanderer, _____ 7 ist man ganz allein.

5 **Ein Mietshaus. Beschreiben Sie, wo die Familien wohnen. Kombinieren Sie.**

oben, unten, vorne, hinten, links, rechts, in der Mitte, unter …

Beispiel: _Links hinten wohnt die Familie Vargas._

Direktionaladverbien

> Adverbien haben keine Endungen.

> hin-, her-, hinauf-, rauf- sind trennbare Präfixe: Sollen wir runterkommen? Willst du hingehen?

WOHER?

Komm doch herunter!

WOHIN?

Gehen wir hinauf?

	Kurzform
herauf-	rauf-
herüber-	rüber-
herunter-	runter-
heraus-	raus-
herein-	rein-
hinauf-	rauf-
hinüber-	rüber-
hinunter-	runter-
hinaus-	raus-
hinein-	rein-

Weitere Direktionaladverbien

rüber – nach drüben	Da drüben ist ein Freund von mir, ich geh' mal schnell **rüber / nach drüben**.
hierher – dorthin	Komm mal **hierher**, ich möchte dir was sagen! Schau mal **dorthin**, siehst du das Schiff
aufwärts – abwärts	Ich hasse Achterbahnen – erst geht es langsam **aufwärts**, und dann steil **abwärts**.
vorwärts – rückwärts	In manchen Karussels fährt man mal **vorwärts**, mal **rückwärts** – das ist schlimm.
geradeaus	Gehen Sie immer **geradeaus**, bis Sie an eine große Kreuzung kommen.

Trennbare Verben → 7

Weitere Direktionaladverbien: *von rechts, von oben …; nach außen, nach innen …; irgendwohin, von dort / dorther*

Direktionaladverbien im Satz

> Direktionaladverbien stehen meistens am Ende der Satzmitte, <u>nach</u> der Negation.

①	②		Satzmitte		
Ich	geh		mal	schnell	**nach drüben!**
Erstmal	fahren	Sie	einen Kilometer		**geradeaus.**

	①		Satzmitte	
	Schauen	Sie	bitte jetzt nicht	**nach rechts!**

Negation → 18

(1) **Ergänzen Sie Adverbien mit *her-* und *hin-*.**

1. Schau mal, draußen scheint die Sonne, gehen wir ___*hinaus*___ auf die Terrasse?

2. Kommt schnell _____ 1 , draußen ist es ja unheimlich kalt!

3. ● Hast du Lust, steigen wir morgen auf den Berg?

   ● Nein, tut mir leid, der ist mir zu hoch, da steige ich nicht _____ 2 .

   ● Aber oben hat man eine tolle Sicht ins Tal _____ 3 .

   ● Dann steig du _____ 4 und schau zu mir _____ 5 !

(2) **Eine Bergtour. Ergänzen Sie Lokal- und Direktionaladverbien.**

Der erste Tag. Ich schaue vorsichtig durch das Fenster ___*hinaus*___ . Die

Sonne scheint. So ein schöner Tag! Ich öffne das Fenster, aber sofort

mache ich es wieder zu: Es kommt ein kalter Wind _____ 1 !

Wir packen die Rucksäcke und marschieren los. Ein kurzer Blick

_____ 2 : Der Berg ist sehr hoch! _____ 3 liegt Schnee!

Es geht immer steiler _____ 4 . Wir schauen nicht _____ 5 ,

und nicht _____ 6 , nur _____ 7 .

Die Luft wird immer dünner. David bleibt stehen und schaut ins Tal

_____ 8 . Das ist ein Fehler! Man soll immer nur _____ 9 schauen.

Wir treffen andere Bergsteiger, sie kommen _____ 10 . Ist es noch weit? Nicht mehr sehr weit,

sagen sie. Endlich sind wir ganz _____ 11 . Die Sonne scheint warm auf uns _____ 12 ,

die Sicht ist wunderbar!

> geradeaus
> herunter
> hinauf
> aufwärts
> von oben
> oben
> nach links
> oben
> nach oben
> nach rechts
> ~~hinaus~~
> herein
> hinunter

(3) **In der Geisterbahn. Ordnen Sie die Wörter zu Sätzen.**

1. Der Zug fährt los. Wir – nach rechts – fahren. _*Wir fahren nach rechts.*_ _____

2. Da! Von links – eine kalte Hand – mich – fasst – an. _____

3. Ein Skelett – zu uns – herunter – lacht. _____

4. Jetzt – vorwärts – wir – nicht mehr – fahren. _____

5. Unter uns ist ein riesiger Affe. Er – herauf – klettert – zu uns! _____

6. Wann – wir – fahren – wieder – hinaus – aus der Geisterbahn? _____

(4) **Antworten Sie mit einem Lokal- oder Direktionaladverb.**

1. ● Schau mal, Mami, da drüben ist Malik! ● Ja, aber _*geh nicht rüber, das ist zu gefährlich.*_ _____

   (nicht … gehen, zu gefährlich)

2. ● Hey, Karla, schau mal, da vorne ist ein nettes Café! ● Ja, aber wir _____

   (nicht … gehen, keine Zeit)

3. ● Setzen wir uns nach drinnen oder nach draußen? ● Ich _____

   (lieber … sitzen, … zu voll sein)

4. ● Paul, kletter bitte nicht auf den Baum, das ist gefährlich! ● Aber Mami, _____

   (… so eine schöne Sicht haben)

Wegen Renovierung geschlossen.

Das ist für Sie!

Mit kausalen und finalen Präpositionen gibt man zusätzliche Information: **Warum** passiert etwas?

Kausale Präpositionen

wegen + Genitiv / Dativ	**Wegen des schlechten Wetters** muss das Spiel leider ausfallen. (mündlich auch mit Dativ:) Wegen dem schlechten Wetter … Ich verschiebe das Fest nur **wegen dir**! (Personalpronomen: Dativ)	Grund; Warum?
trotz + Genitiv / Dativ	Ich gehe **trotz des schlechten Wetters** spazieren. **Trotz der Kritik** ändert die Regierung das Gesetz nicht. (mündlich auch mit Dativ:) Trotz seinem Rat mache ich jetzt keine Pause.	Gegengrund; gegen die Erwartung
aus + Dativ	Sie heiraten **aus Liebe**. Der Tisch ist **aus Glas**. (ohne Artikel)	Motiv Material
vor + Dativ	Sie weint **vor Freude**. Ich kann mich **vor Müdigkeit** gar nicht mehr konzentrieren. (ohne Artikel)	(oft psychischer) Grund für eine Handlung Grund für momentanen Zustand
durch + Akkusativ	Wir haben **durch Frau Hasan** von dem Unfall gehört. **Durch den Streik** gibt es einen Verkehrsstau. (Oder: **Wegen des Streiks** …)	Übermittler, Verursacher Umstand

Finale Präpositionen

Mit Dativ: *aus, vor, zu*
Mit Akkusativ: *durch, für*
Mit Genitiv: *wegen, trotz*

für + Akkusativ	Dieses Buch ist **für Sie**. Alles Gute **für Ihre Zukunft**! Können Sie das bitte **für mich** erledigen? ● Wie viel schulde ich Ihnen **für die Eintrittskarte**? ● 20 Euro	Ziel, Zweck; Wofür? an meiner Stelle; Für wen? Tausch, Gegenwert
zu + Dativ	Ich wünsche Ihnen alles Gute **zum Geburtstag**! Dieses Geschirr schenkt uns meine Mutter **zur Hochzeit / zu unserer Hochzeit**.	Ziel, Anlass

Lokale Präpositionen → 32-36
Modale Präpositionen → 40
Temporale Präpositionen → 63-64

Feste Wendungen:
Ich mache das doch nicht **zum Spaß**! (ich mache das nicht, weil es mir Spaß macht)
Ich finde das **zum Lachen / zum Weinen**. (ich muss lachen / weinen, wenn ich das höre)
Er ist wie gelähmt **vor Angst**. (er hat große Angst)

1 Gründe. Schreiben Sie Sätze wie im Beispiel.

1. Ich kann heute nicht ins Konzert gehen.

2. Meine Schwester umarmt mich.

3. Die Durchfahrt ist gesperrt.

4. Alles verzögert sich.

5. Sie hilft ihm.

a. wegen Bauarbeiten

b. wegen meiner starken Erkältung

c. aus Mitleid

d. vor Freude

e. durch den langen Streik

1b: Ich kann heute wegen meiner starken Erkältung nicht ins Konzert gehen.

Oder: *Wegen meiner starken Erkältung kann ich ...*

2 Schlechte Aussichten? Schreiben Sie Sätze.

1. Die Zahl der Arbeitslosen steigt.

2. Das Klima erwärmt sich.

3. Der Verkehr in den Städten nimmt zu.

4. Die Rohstoffe werden knapp.

5. Die Regenwälder sterben.

a. wegen unseres Energiekonsums

b. trotz der guten Konjunktur

c. trotz der Umweltkonferenzen

d. wegen der Abgase

e. trotz der vielen Staus

1b: Die Zahl der Arbeitslosen steigt trotz der guten Konjunktur.

Oder: *Trotz der guten Konjunktur steigt ...*

3 *für* oder *zu*? Ergänzen Sie die Präposition und das Nomen / Pronomen.

1. ● Für wen arbeiten Sie zur Zeit?

   ● *Für die Firma Schneider* _____ (die Firma Schneider).

2. Frau Seebold, können Sie bitte diesen Brief _____ (ich) beantworten?

3. ● Die Blumen sind ja wunderschön! _____ (wer) sind sie denn?

   ● Die sind _____ (mein Freund), ich schenke sie ihm

   _____ (der Geburtstag).

4. Lieber Herr Kovacs, _____ (Ihr Abschied) von unserer Firma haben wir

   ein besonderes Geschenk _____ (Sie). Das soll eine kleine Anerkennung

   _____ (Ihre Arbeit) bei uns sein! _____

   (Ihre Zukunft) wünschen wir Ihnen alles Gute!

5. Was wünscht ihr euch denn _____ (Weihnachten)?

   Ich muss bald die Geschenke _____ (ihr) kaufen.

4 Eine Reise mit Hindernissen. Ergänzen Sie die Präpositionen. Manchmal gibt es mehrere Möglichkeiten.

Liebe Simone, nun bin ich wieder zurück. Die Reise hat mir

trotz der Komplikationen _____ sehr gut gefallen. Es ging schon beim Abflug los: | die Komplikationen

_____ 1 konnten wir erst zwei Stunden später starten. | ein Sturm

_____ 2 habe ich meinen Anschlussflug in New York verpasst. | die Verzögerung

Zum Glück gab es noch einen späteren Flug. Martin war _____ 3 | meine Verspätung

am Flughafen. _____ 4 habe ich geweint, als ich ihn dort sah. | Freude

Er wollte noch essen gehen, aber ich konnte _____ 5 kaum noch | Müdigkeit

aus den Augen sehen.

Mit dem Fahrrad um den Tegernsee.

Mit modalen Präpositionen gibt man zusätzliche Information:
Wie / Womit / Mit wem passiert etwas?

Modale Präpositionen

mit + Dativ	Dieses Jahr fahre ich **mit der Bahn** durch ganz Europa. Das kann ich nur **mit der Brille** lesen. Ich bin **mit Anna** in Italien. **Mit 18 (Jahren)** ist man in Deutschland erwachsen.	Mittel; Womit? Mit wem? Instrument; Begleitung Alter
ohne + Akkusativ	Ich kann **ohne Computer** gar nicht arbeiten! Bald fahre ich **ohne meine Eltern** in Urlaub!	Mittel, Instrument: nicht anwesend Begleitung: nicht anwesend
in + Dativ	Warum gehst du so schnell? Bist du **in Eile**? Das sage ich nur **im Spaß**.	Art und Weise; Wie?
auf	Wie heißt das **auf Deutsch**? Das Buch ist **auf Französisch**! *Aber*: Ich spreche Deutsch. Ich kann Polnisch.	Sprache: konkretes Wort, konkreter Text Fähigkeit, eine Sprache zu sprechen
nach + Dativ	**Nach meiner Meinung** ist das ganz falsch. Oder: **Meiner Meinung nach** … Arbeiten Sie bitte genau **nach Vorschrift**!	das ist meine Meinung so, wie die Vorschrift sagt
statt + Genitiv (Dativ)	Kauf doch einen Strauß Blumen **statt** (der) **Süßigkeiten**! (mündlich auch mit Dativ) **Statt dem Mantel** nehme ich die Jacke.	an Stelle von *statt* + andere Präposition
außer + Dativ	● Wart ihr alle im Museum? ● Ja, alle **außer Nico**. Ich bin jetzt **außer Dienst**. Der Aufzug ist **außer Betrieb**.	nur Nico nicht nicht im Dienst; nicht in Betrieb

Mit Dativ: *außer, in, mit, nach*
Mit Akkusativ: *ohne*
Mit Genitiv: *statt* (mündlich auch mit Dativ)

Lokale Präpositionen → 32-36

Kausale und finale Präpositionen → 39

Temporale Präpositionen → 63, 64

Das sagt man oft:
● Trinken Sie den Kaffee **mit Milch oder Zucker**?   ● **Mit Milch**, aber **ohne Zucker**, bitte!
Meinst du das **im Ernst**? (Meinst du das wirklich?)
Spätzle **nach Art des Hauses** (nach Rezept des Restaurants)
Schnitzel **auf Wiener Art / nach Wiener Art** (so wie man es in Wien zubereitet)

1 *mit* **oder** *ohne*?

Viele Leute können ___*ohne ihr Auto*___ (ihr Auto) nicht leben. Sie wiederholen jeden Morgen dasselbe Ritual:

_____ 1 (ihr Auto) stehen sie oft schon nach der zweiten Ampel im Stau. Sie wissen: Wer

_____ 2 (der Bus und die Bahn) fährt, ist viel schneller am Ziel. Die meisten Leute sind

sogar _____ 3 (das Fahrrad) schneller bei der Arbeit als _____ 4

(das Auto). Es gibt nur eine Erklärung für das seltsame Verhalten vieler Autofahrer: Sie sind autosüchtig.

_____ 5 (Abgase) und _____ 6 (der Kampf) um jeden Zentimeter

sind sie nicht glücklich.

2 **Ergänzen Sie die Ausdrücke im Kasten. Ein Ausdruck passt nicht.**

außer • Ihrer Meinung nach • in Ruhe • nach Anleitung • ~~ohne Brille~~ • statt eines Geschenks

1. Ich kann das ___*ohne Brille*___ leider nicht lesen.

2. Du kannst das Projekt _____ fertig machen, du hast dafür ja eine Woche Zeit.

3. So kann das ja gar nicht funktionieren – du musst das genau _____ machen!

4. Ich habe eine Idee: _____ lade ich dich lieber zum Essen ein!

5. Herr Maier, ist das Projekt _____ noch möglich – oder sehen Sie da Probleme?

3 **Sprachprobleme:** *Spanisch* **oder** *auf Spanisch*?

● Entschuldigen Sie, sprechen Sie ___*Spanisch*___ (Spanisch)?

● Ja, ein bisschen. Warum?

● Dieser Text ist _____ 1 (Spanisch) – und ich kann leider nicht _____ 2 (Spanisch)

sprechen.

Können Sie mir sagen, was das _____ 3 (Deutsch) bedeutet?

● Ja, Moment, ich will es versuchen: „Billige Flugangebote nach Madrid. Ab 250 Euro für den Hin- und Rückflug.

Buchen Sie sofort!"

● Vielen Dank. Ich rufe gleich mal an. Bei der Fluggesellschaft werden sie bestimmt auch _____ 4

(Deutsch) oder _____ 5 (Englisch) verstehen.

4 **Sagen Sie das anders. Formulieren Sie mit Präpositionen und Nomen.**

außer • außer • ~~in~~ • nach • ohne

1. Ich muss mich beeilen. (Eile, sein) ___*Ich bin in Eile.*___

2. Ich glaube, Sie haben vollkommen Recht! (meine Meinung) _____

3. Dieser Lift funktioniert zurzeit nicht. (Betrieb) _____

4. Er war immer pünktlich, nur am Montag nicht. _____

5. Du hast keinen Führerschein? Dann darfst du nicht fahren. _____

5 **Altersunterschiede. Fragen Sie Ihren Partner / Ihre Partnerin.**

● ___*Wann darf man in Ihrem Land den Führerschein machen? / Wann macht man in Ihrem Land den Führerschein?*___

● ___*Bei uns darf man mit 18 (Jahren) den Führerschein machen. / Bei uns macht man mit 18 (Jahren) den Führerschein.*___

(mit der Schule fertig sein, wählen, normalerweise heiraten, in die Schule kommen, in Rente gehen)

*Nein, ich muss zum Zentrum.
Ich warte auf die Nummer 12.*

Wartest du auch auf den Bus Nummer 5?

Verben mit festen Präpositionen

Lernen Sie die Verben mit Präpositionen und Kasus, zum Beispiel so: *warten auf den Bus, erzählen von der Reise*

Ich **freue** mich schon **auf das Wochenende**!
Er **leidet** sehr **unter der Hitze**.

Viele Verben haben ein Präpositionalobjekt.
Die Präposition gehört fest zum Verb und bestimmt den Kasus.

Verben mit festen Präpositionen
→ **Anhang**

	Verb	
Subjekt		Präpositionalobjekt
		auf + Akkusativ
Ich	warte	**auf das Wochenende**!

	Verb	
Subjekt		Präpositionalobjekt
		von + Dativ
Sie	erzählt	**von ihrer Reise**.

Manche Verben haben mehrere Möglichkeiten:

Verb mit Präpositionalobjekt	Verb ohne Präpositionalobjekt
Ich **ärgere** mich **über ihn**. **Unterhaltet** ihr euch schon wieder **über Politik**? **Vergiss** nicht **auf die Schlüssel**! (österreich. Standard)	Ich **ärgere** mich. Lukas und Sonja **unterhalten** sich. **Vergiss** die Schlüssel nicht! (deutscher Standard)

Das Verb hat verschiedene Präpositionen und die Bedeutung ändert sich	
Ich **freue** mich **auf das Wochenende**. (in der Zukunft) Ich **denke** immer **an das Wochenende**. (Gedanken)	Ich freue mich **über das Geschenk**. (ich habe es schon) Was denken Sie **über die neue Regierung**? (Meinung)

Mit Akkusativ: *auf, durch, für, gegen, ohne, über, um*
Mit Dativ: *aus, bei, mit, nach, seit, von, vor, unter, zu*
Mit Akkusativ oder Dativ: *an*

Manche Verben können zwei Präpositionalobjekte in einem Satz haben

Er **bedankt** sich **bei ihr für die Geschenke**.
Mit dir diskutiere ich nicht mehr **über Erziehung**!

Oft werden Präpositionen mit dem Artikel zu einem Wort kombiniert:
an das → **ans** (Ich denke oft ans Essen.)   zu dem → **zum** (Ich lade dich zum Geburtstag ein.)
bei dem → **beim** (Er beschwert sich beim Chef.)   von dem → **vom** (Sie erholt sich vom Stress.)

Positionen im Satz

①	②	Satzmitte			Satzende	
Sie	dankt	ihm	sehr	**für seine Hilfe**.		Präpositionalobjekte stehen rechts in der Satzmitte (nach der Negation) oder auf Position 1.
Wann	fängst	du	endlich	**mit der Arbeit**	an?	
Über Politik	unterhalte	ich mich mit meinem Vater nie.				

1 **Was passt? Was passt nicht?**

1. Ich warte schon lange   4. Ich spreche nicht gerne   a. auf Montag.   d. auf den Bus.

2. Ich freue mich nicht   5. Sie interessiert sich gar nicht   b. an ihn.   e. unter der Hitze.

3. Seit Tagen leide ich   6. Ich denke immer nur   c. für Fußball.   f. über Politik.

1. *Ich warte schon lange auf den Bus.*_____   4. _____

2. _____   5. _____

3. _____   6. _____

2 **Lebensberatung. Ergänzen Sie die Präpositionen. Benutzen Sie die Liste im Anhang.**

Sie wollen das Leben positiver sehen? Hier sind ein paar Tipps: Viele Menschen hoffen nur ___*auf*___ die

Zukunft, sie freuen sich immer nur _____ 1 den nächsten Monat, das nächste Jahr. Das ist

gefährlich! Leben Sie in der Gegenwart! Freuen Sie sich auch _____ 2 kleine Dinge in Ihrer

Umgebung: bunte Schmetterlinge, freundliche Menschen, kleine Komplimente. Interessieren Sie sich

_____ 3 Ihre Mitmenschen, denken Sie nicht immer nur _____ 4 sich selbst!

Manchmal klappt nicht alles optimal – ärgern Sie sich nicht _____ 5 kleine Probleme! Und:

Fangen Sie heute _____ 6 Ihrem neuen Leben an!

3 **Gedanken an den nächsten Urlaub. Ergänzen Sie die Präpositionen und Artikel (wenn nötig).**

1. Ich freue mich schon _____ _____ Spaziergänge am Strand.

2. Schon jetzt denke ich _____ _____ gute Essen in dem Restaurant.

3. Ich erinnere mich oft _____ _____ freundlichen Hotelbesitzer.

4. Allerdings ärgere ich mich auch _____ _____ hohen Preise beim Wassersport.

5. Egal – ich fange bald _____ _____ Vorbereitung der Reise an.

6. Aber ich muss vorher _____ Jonas _____ _____ Ziel sprechen.

4 **Sei vorsichtig! Geben Sie Ratschläge.**

1. Herr Grasberger – Politik – diskutieren *Diskutier nicht mit Herrn Grasberger über Politik!*_____

2. Noah – der Unfall – erzählen _____

3. Frau Wagner – die Scheidung – erinnern _____

4. In der Schule – das Wochenende – träumen _____

5. Mutter – der Geburtstag – vergessen _____

5 **Persönliche Vorlieben. Fragen Sie Ihren Partner / Ihre Partnerin.**

sich (sehr) interessieren
sich ärgern / sich freuen
oft denken
hoffen
leiden
sich (nicht) gerne unterhalten
sich (gern) treffen
protestieren

an
auf
für
gegen
mit
über
unter

Arbeit • Freunde •
Freundlichkeit • Frieden •
Glück • Kochen • Kollegen •
Mode • Politik • Reichtum •
Sport • Unhöflichkeit •
Unpünktlichkeit • Urlaub •
die Vergangenheit •
das Wetter • die Zukunft

● *Interessieren Sie sich für ...?*_____   ● *Nein, ich interessiere mich für ...*_____

##

Also, der Wagen macht ein komisches Geräusch!

Machen Sie sich keine Sorgen, ich kümmere mich darum!

Bezug auf Aussagen und Sachen

- Der Wagen macht ein komisches Geräusch.
- Ich kümmere mich **darum**.
  (Ich kümmere mich um den Wagen mit dem Geräusch.)

Präpositionaladverbien beziehen sich auf eine **ganz Aussage** oder auf **eine Sache**.

- Am 4. Juli habe ich Geburtstag.
- **Dazu** lade ich meine Freunde ein.
  (Ich lade meine Freunde zum Geburtstag ein.)

Form: da + bei → dabei Ebenso: dafür, dagegen, damit, dazu, …
Vor Vokal: da + auf → darauf Ebenso: darum, darin, darunter, darüber, …

Bezug auf Personen

- Hier ist der Verletzte!
- Gut, ich kümmere mich **um ihn**.
- Samira kommt morgen!
- Prima, ich freue mich schon **auf sie**!
  (Ich freue mich schon auf Samira.)

Bei Personen:
Präposition + Personalpronomen
(nicht: darum, darauf)

Fragewörter

- **Worüber** beschwert er sich denn?
  (über was?)
- Über die laute Musik!
- **Über wen** redet ihr?
- Über deinen Chef.

Bei Sachen: wo + Präposition: wobei, womit, wozu …
Vor Vokal: wor-: worauf, worüber, …
Bei Personen: Präposition + Fragewort

Verben mit festen Präpositionen
→ **41** **Anhang**

Das sagt man oft:
- Komm, räum mal auf! • Nein, ich habe keine Lust **dazu**!
Hier ist alles sehr bürokratisch – **daran** gewöhne ich mich nie!
Was macht die Masterarbeit – bist du schon **damit** fertig?
Worauf wartest du noch? Fang endlich an!
Womit soll ich das bezahlen?

Nein, ich bin dageg

Sind Sie für eine CO_2-Steuer?

1 **Ratschläge. Was passt?**

1. Die Arbeit macht mir keinen Spaß.   a. Dann erzähl ihm doch davon!   _1d_

2. Die Mitarbeiterin ist sehr unfreundlich zu mir.   b. Dann bereite dich gut darauf vor!   _____

3. Morgen ist eine schwere Prüfung!   c. Dann bedank dich doch bei ihm!   _____

4. Er weiß nichts von meinen Sorgen.   d. Dann hör doch damit auf!   _____

5. Ich freue mich sehr über Julians Geschenk!   e. Dann beschwer dich doch über sie!   _____

2 **Stellen Sie Fragen.**

1. (sich besonders freuen)   ● _Worauf freust du dich besonders?_   ● Auf das Wochenende.

2. (gerade telefonieren)   _____   ● Mit meiner Freundin.

3. (sich gerne erinnern)   _____   ● An meinen 21. Geburtstag.

4. (oft träumen)   _____   ● Von Sonne und Meer.

3 **Ergänzen Sie.**

1. ● (im Restaurant) Entschuldigen Sie, das Essen ist zu salzig.   ● Oh, das tut mir leid! Ich kümmere mich sofort

   _____darum_____ .

2. ● Ein tolles Geschenk! _____ freue ich mich sehr! Ich danke Ihnen ganz herzlich _____.

3. ● Wann schreibt mir denn Lea endlich wieder!   ● Denk doch nicht immer _____, es gibt noch andere

   Menschen!

4. ● Herr Minister, was sagen Sie zu den Vorwürfen?   ● _____ sage ich momentan gar nichts!

5. Ihre Arbeit ist hervorragend – ich gratuliere Ihnen ganz herzlich _____.

6. ● Wie lösen wir nur dieses Problem?   ● Sei mal still, ich denke gerade _____ nach!

7. Das Fahrrad ist kaputt. _____ fahre ich nicht mehr.

8. ● Schrecklich heiß ist es hier!   ● Ja, aber Sie gewöhnen sich sicher bald _____.

9. Herr Gretscher ist ein hervorragender Mitarbeiter. Ich kann mich immer vollkommen _____ verlassen.

4 **Eine Freundschaft. Ergänzen Sie die fehlenden Wörter.**

Meine Freundin Jasmin kenne ich nun schon seit 10 Jahren. Wir können über alles miteinander sprechen,

nur nicht _____ ₁ Politik. Aber _____ ₂ habe ich mich schon gewöhnt. Wir

können mittlerweile sogar _____ ₃ lachen. Aber Musik, Theater, Kunst – _____ ₄

interessieren wir uns beide, und wir unternehmen oft etwas zusammen. Wenn Jasmin mal in Urlaub ist, denke

ich oft _____ ₅. Wenn sie mir eine E-Mail schreibt, antworte ich sofort _____ ₆, auch

wenn sie mich gar nicht _____ ₇ bittet. Dieses Wochenende macht sie ein Geburtstagsfest. Ich bin

sicher, dass sie mich _____ ₈ einlädt. Ich rechne fest _____ ₉ !

5 **Fragen Sie Ihren Partner / Ihre Partnerin.**

● _Worauf freust du dich? / Worauf freuen Sie sich?_

● _Ich freue mich auf die Ferien._

(Angst haben, sich ärgern, träumen, lachen, oft sprechen, immer diskutieren, oft denken, glauben, sich

interessieren, …)

> mein Chef • die Arbeit • Fußball •
> meine Freundin • mein Freund • Geld •
> Liebe • Gott • Politik • die Ferien

Ich kann schwimmen!

Schon wieder dieser Lärm! Ich will endlich in Ruhe schlafen.

Heute haben wir eine Sitzung. Da muss ich pünktlich sein!

Modalverben im Satz

	①	② Modalverb konjugiert	Satzmitte		Satzende: Infinitiv	
Aussage:	Er	**kann**		schon gut	**schwimmen.**	Fähigkeit
	Hier	**können**	Sie	sich	**erholen.**	Möglichkeit
	Ich	**muss**	heute	pünktlich	**sein.**	Notwendigkeit
W-Frage:	Was	**willst**	du	denn	**lesen?**	Plan, Absicht, starker Wille

Andere Verben mit zwei Teilen:
Trennbare Verben → **7**

	① Modalverb konjugiert	Satzmitte	Satzende: Infinitiv
Ja / Nein-Frage:	**Muss**	ich das wirklich	**machen?**

Manchmal ist der Infinitiv implizit: Komm, wir gehen jetzt spazieren! – Ich will aber nicht! Ich will aber nicht spazieren gehen. Er kann gut Deutsch. Er kann gut Deutsch sprechen.

Präsens

	können	**wollen**	**müssen**
ich	kann	will	muss
du	kann**st**	will**st**	muss**t**
er / es / sie	kann	will	muss
wir	könn**en**	woll**en**	müss**en**
ihr	könn**t**	woll**t**	müss**t**
sie	könn**en**	woll**en**	müss**en**
Sie	könn**en**	woll**en**	müss**en**

Vokalwechsel: ich k**a**nn – wir können; ich w**i**ll – wir wollen; ich m**u**ss – wir müssen

Keine Endung:
ich kann   er kann
ich will   er will

Besondere Verwendung von *können*

Höfliche Bitte
Kannst du bitte den Tisch decken?

Erlaubnis
Herr Schmidt, Sie können jetzt hereinkommen.

1 *müssen* oder *können*?

1. Ich habe es eilig. Ich ___*muss*___ um 10 Uhr in der Uni sein.

2. Er ist schon hier? Das ist unmöglich, das _____ nicht sein.

3. Heute komme ich nicht mit. Ich _____ heute das Haus putzen.

4. Fremdsprachen? Ich _____ gut Französisch und ein bisschen Chinesisch.

2 Was passt?

1. Können Sie mir bitte mal helfen?   ___*1d*___   a. Ja, natürlich. Ist dir kalt?

2. Kannst du bitte das Fenster zumachen?   _____   b. Ja, klar. Also pass auf: …

3. Kannst du das noch einmal wiederholen?   _____   c. Aber natürlich. Verstehen Sie mich jetzt?

4. Können Sie bitte etwas langsamer sprechen?   _____   d. Ja, natürlich, gern. Was kann ich machen?

3 Eine Nachricht auf der Mailbox. Ergänzen Sie *wollen – können – müssen*.

Hallo, Elisabeth! Hier spricht Leon. Juki und ich ___*wollen*___ am Wochenende einen Ausflug machen.

_____ 1 du mitkommen? Das Wetter ist gut, da _____ 2 wir endlich mal in die Berge gehen.

Am Samstag _____ 3 ich noch ein paar Sachen erledigen, aber am Sonntag _____ 4 wir früh

losfahren. Ich _____ 5 zum Mittagessen oben auf dem Berg sein. Ruf bitte schnell zurück!

4 Was fehlt hier? Markieren Sie in den Sätzen mit ||, wo ein Verb oder ein Modalverb fehlt,

und notieren Sie es.

1. Herr Schmidt liegt im Krankenhaus. Er muss jeden Morgen um fünf Uhr eine Tablette ||. 2. Er nicht allein

aufstehen. 3. Am Sonntag kommt seine Freundin zu Besuch, aber sie schon bald gehen. 4. Sie will noch ihre

Großeltern. 5. Herr Schmidt liest ein Buch, es ist sehr spannend; er es gar nicht mehr aus der Hand legen. 6. Um

acht Uhr er fernsehen, aber es gibt keinen guten Film.

1. || ___*nehmen*___   2. _____   3. _____   4. _____   5. _____   6. _____

5 Was muss man da machen?

1. Sie haben Ihre Kreditkarte verloren. (Bank anrufen – sofort) ___*Ich muss sofort die Bank anrufen.*___

2. Lisa meldet sich zum Sprachkurs an. (Formular ausfüllen – zuerst)

3. Juan will Auto fahren. (Führerschein machen – zuerst)

6 Fragen Sie bitte höflich!

1. ● ___*Können Sie mir bitte das Salz geben?*___   ● Ja, hier bitte.

2. ● _____   ● S – C – H – M – I – T – Z.

3. ● _____   ● Nein, ich habe leider kein Kleingeld.

7 Was sagen Sie in dieser Situation?

1. Sie sind Abteilungsleiter / Abteilungsleiterin in einer Firma. Sie interviewen einen Kandidaten / eine Kandidatin

für den Job als Sekretär / Sekretärin. Das wollen Sie wissen: MS-Office benutzen? Berichte schreiben? Events

organisieren? Englisch? … 2. Sie sitzen im Bus. Sie wollen zum Hauptbahnhof. Was fragen Sie den Busfahrer?

Endlich habe ich den Führerschein – ich darf Auto fahren!

Der Arzt sagt, ich soll mehr Sport treiben.

Ich möchte gern zahlen.

Modalverben im Satz

	①	② Modalverb konjugiert	Satzmitte	Satzende: Infinitiv	
Aussage:	Sie	**darf**		nun endlich	**Auto fahren.**	Erlaubnis
W-Frage:	Wann	**soll**	ich	morgen	**kommen?**	Aufforderung durch jemand anderen
	Ich	**möchte**	gern		**zahlen.**	Wunsch, höflich formuliert

	① Modalverb konjugiert	Satzmitte	Satzende: Infinitiv
Ja / Nein-Frage:	**Möchten**	Sie einen Kaffee	**trinken?**

Manchmal ist der Infinitiv implizit: Ich möchte gerne einen Kaffee. Ich möchte gerne einen Kaffee bestellen / trinken.

Modalverben (1) → **43**

Präsens

	dürfen	**sollen**	**möchten**
ich	darf	soll	möchte
du	darf**st**	soll**st**	möchte**st**
er / es / sie	darf	soll	möchte
wir	dürf**en**	soll**en**	möcht**en**
ihr	dürf**t**	soll**t**	möchte**t**
sie	dürf**en**	soll**en**	möcht**en**
Sie	dürf**en**	soll**en**	möcht**en**

> Keine Endung:
> ich darf   er darf
> ich soll   er soll

Vergleich

ich muss	↔ **ich soll**
Ich brauche Geld: Ich **muss** arbeiten.	Deine Schwester ist krank, du **sollst** sie anrufen.
starke Notwendigkeit	**Soll** ich den Brief einwerfen? (= Möchtest du, dass ich den Brief einwerfe?)
	Aufforderung durch jemand anderen
	Man **soll** während des Konzerts nicht sprechen.
	allgemeines Gebot

> ich möchte ist historisch der Konjunktiv von mögen (mögen bedeutet: etwas gern haben – Ich mag Erdbeereis).

ich will	↔ **ich möchte**
Kim **will** Deutsch lernen, denn sie **will** in München arbeiten.	Ich **möchte** einmal eine Reise nach Afrika machen.
starker Wille, Plan	Beim Einkaufen: Ich **möchte** bitte 100 g Salami.
	Wunsch, höflich formuliert

1 **Verkehrs-Quiz. Erklären Sie die Schilder wie im Beispiel.**

1 ⬭(50) 2 🚦 3 🚦 4 (STOP) 5 (P)

_____	a. Hier	_____	man nur 50 fahren.
_____	b. Autos	_____	hier halten.
_____	c. Hier	_____	man parken.
_____	d. Autos	_____	immer anhalten.
__3__	e. Jetzt	_____*darf*_____	man weiterfahren.

2 **Erziehung. Formulieren Sie das höflicher.**

Kind:

● Ich will jetzt nach Hause gehen!

● Ich will heute schwimmen gehen!

● Ich will ein Eis!

Mutter:

● Wie bitte?

● Wie bitte?

● Wie bitte?

Kind:

● _Ich möchte jetzt nach Hause gehen._

● _____

● _____

3 **Muss ich? Darf ich? Kann ich? Soll ich?**

1. Ich kann zwar Klavier spielen, aber ich ___*darf / soll*___ nicht. (Das stört die Nachbarn.)

2. Ich darf zwar Klavier spielen, aber ich _____ nicht. (Das Klavier ist kaputt.)

3. Ich will nicht kommen, aber ich _____. (Es ist nötig.)

4 **Was schreibt Florian?**

Florian macht eine Weltreise. Er schickt seiner Freundin Nele eine Postkarte.

Nele erzählt ihrer Mutter am Telefon:

„Florian hat geschrieben. Es geht ihm gut.

Ich soll mir keine Sorgen machen . Stell dir vor,

er kommt in zwei Monaten nach Hause. Er sagt, ich

_____¹ . Natürlich vergesse ich ihn nicht!

Ach ja, und ich _____² von ihm sagen."

> Liebe Nele,
> mir geht es gut, mach dir
> keine Sorgen.
> Nur noch zwei Monate, dann
> komme ich nach Hause.
> Vergiss mich nicht! Schöne
> Grüße an deine Familie! Dein
> Florian
>
> Nele Wagner
> Hauptstr. 3
> 765300 Königsdorf

5 ***sollen* oder *müssen*?**

1. Sie __*müssen*__ hier unterschreiben, bitte.

2. Was meinst du, Arthur, _____ ich mit Scheck bezahlen oder bar?

3. Leider _____ wir morgen wieder nach Hause fahren. Die Ferien sind zu Ende.

4. Herr Schmidt, Ihre Frau hat angerufen. Sie _____ bitte gleich zurückrufen.

Max, du sollst nicht so viel Salz essen.

100m

Hier darf man nicht schwimmen.

Heute ist Sonntag.
Er braucht nicht zu arbeiten.
(Er muss nicht arbeiten.)

Negation bei Modalverben

①	②	Satzmitte		Satzende	
Maria	**kann**	noch	**nicht**	**Auto fahren.**	Sie hat noch nicht die Fähigkeit.
Das	**kann**		**nicht**	**sein!**	Das ist nicht möglich.
Susanne	**will**	am Sonntag	**nicht**	**kochen.**	Sie hat keine Lust.
Matti	**möchte**	am Samstag	**nicht**	**kochen.**	Er hat keine große Lust.
Ich	**brauche**	heute	**nicht**	**zu arbeiten.**	Es ist nicht notwendig.
Ich	**muss**	heute	**nicht**	**arbeiten.**	Es ist nicht notwendig.
Man	**darf**	hier	**nicht**	**schwimmen.**	Es ist verboten.
Man	**soll**	beim Essen	**nicht**	**telefonieren.**	Das ist nicht akzeptabel.
Ich	**möchte**	**kein** Eis		**(essen).**	Ich habe keinen Appetit auf Eis.
Ich	**darf / soll**	**keinen** Kaffee		**trinken.**	Der Arzt hat es mir verboten.

Ich brauche nicht **zu** arbeiten. Mündlich auch ohne *zu*: Ich brauche nicht arbeiten.

Negation mit *nicht* → **18**
Negation mit *kein* → **19**

brauchen konjugiert man wie ein normales Verb: ich brauche, du brauchst, er braucht, …
brauchen + Infinitiv kann man nur mit *nicht* benutzen. Man kann nicht sagen: ~~Er braucht (zu) arbeiten.~~

Vergleich

ich brauche nicht	=	**ich muss nicht**
Du **brauchst nicht** zu kommen.		Du **musst nicht** kommen. (so kann man das auch sagen)
es besteht keine Notwendigkeit		es besteht keine Notwendigkeit
ich darf nicht	↔	**ich soll nicht**
Ich **darf nicht** Auto fahren.		Der Chef sagt, wir **sollen nicht** mit dem Auto fahren,
Verbot:		sondern mit der Bahn.
ich habe keinen Führerschein		moralische Norm oder negative Empfehlung

1 **Was passt? Suchen Sie die passende Antwort. Eine Antwort passt nicht.**

1. Hier dürfen Sie nicht parken!   _1c_

2. Nach dem Essen soll man nicht schwimmen.   _____

3. Hier können Sie nicht telefonieren.   _____

4. Ich muss heute ins Kino gehen!   _____

a. Ja, ich weiß. Das ist schlecht für den Kreislauf.

b. Nein, du musst nicht, du willst!

c. Ist es dort drüben erlaubt?

d. Nein, ich habe noch nicht geschrieben.

e. Ich muss aber dringend mal anrufen!

2 **Das Leben eines kleinen Jungen. Bitte ergänzen Sie *wollen – müssen – dürfen*.**

Es ist Montag Nachmittag. Thomas (6 Jahre) kommt aus der Schule.

Er ___*will*___ sofort Fußball spielen. Aber er _____ 1 nicht. Die Mutter sagt:

● Zuerst _____ 2 du deine Hausaufgaben machen!

● Aber ich _____ 3 nicht!

● Dann _____ 4 du auch nicht Fußball spielen.

Das Telefon klingelt. Sein Freund Leonardo fragt:

● Thomas, _____ 5 du rauskommen und spielen?

● Nein, ich _____ 6 nicht, ich _____ 7 zuerst meine Hausaufgaben machen.

3 **Nichts ist ihr recht! Spielen Sie den Dialog mit Ihrem Partner / Ihrer Partnerin.**

Mutter und Tochter sitzen zu Hause. Es regnet. Die Mutter macht Vorschläge, aber die Tochter ist nie

einverstanden.

Mutter: Wir können ein Spiel spielen.

Tochter: _Nein, ich möchte kein Spiel spielen._

Mutter: Dann vielleicht fernsehen? Oder einen Kuchen backen? Oder …

4 **Hausordnung. Was darf man (nicht)? Was muss man / soll man?**

> Fahrräder im Hausflur abstellen • nach 22 Uhr laute Musik machen • auf dem Balkon grillen •
> den Garten benutzen • die Miete pünktlich zahlen • einmal in der Woche die Treppe putzen

                                                 — □ X

Hi Jana,

ich bin endlich in meiner neuen Wohnung. Aber die Hausordnung ist sehr streng. Stell dir vor, hier

im Haus _darf man Fahrräder nicht im Hausflur abstellen._   Man _____

_____ 1 . Außerdem _____

_____ 2 . Ich _____

_____ 3 . Aber ich _____ 4

und _____ 5 .

Modalverben: subjektiver Gebrauch

Man drückt eine Vermutung, eine Meinung oder eine Einschätzung aus.

müssen	Ich habe ihn seit Tagen nicht gesehen. Er **muss** schon in Urlaub sein.	starke Annahme
können	Gestern war er bei seinen Eltern in Salzburg. Er **kann** also gar nicht hier gewesen sein. Sicher hast du dich getäuscht.	Überzeugung, dass etwas (nicht) möglich ist
mögen	Sie **mögen** das witzig finden – ich nicht. Er **mag** ja Recht haben, aber gut ist das nicht.	das kann vielleicht so sein, aber der Sprecher ist anderer Meinung
wollen	Der Minister streitet alle Fehler ab – er **will** von dem Skandal erst heute erfahren haben.	er behauptet das, ich glaube es nicht
sollen	● Haben Sie Frau Rolfs in letzter Zeit gesehen? ● Nein, sie ist nicht da. Sie **soll** verreist sein.	ich habe es gehört, andere Leute behaupten es
werden	● Alle Spuren deuten darauf hin, dass die Diebe durch die Tür gekommen sind. ● Ja, so **wird** es wohl gewesen sein.	Vermutung, Schlussfolgerung; so erkläre ich mir das

Modalverben (1) → 43
Modalverben (2) → 44

werden → 59

werden als Modalverb hat immer eine subjektive Bedeutung.
Modaladverbien (*wohl, vielleicht, wahrscheinlich, …*) verstärken diese Bedeutung.

1 **Haben Sie das auch gehört? Was glauben Sie?**

1. Baldrian   _1b_   a. soll Vampire fern halten.

2. Ein Mittagsschlaf   _____   b. soll gut für die Nerven sein.

3. Ein Glas Rotwein am Tag   _____   c. soll blonde Haare glänzend machen.

4. Kamillentee   _____   d. soll die Leistungsfähigkeit fördern.

5. Knoblauch   _____   e. soll gut für die Augen sein

                                                   _____   f. soll gut für den Kreislauf sein.

2 **Modalverben: „objektiv" oder „subjektiv"?**

1. Er mag das ja gesagt haben, aber gemeint hat er das bestimmt nicht.   objektiv (subjektiv)

2. Der Arzt hat meinem Mann gesagt, er soll mehr zu Fuß gehen.   objektiv   subjektiv

3. Jens kann schon gut schwimmen.   objektiv   subjektiv

4. Die Försters sollen eine riesige Erbschaft gemacht haben.   objektiv   subjektiv

5. Frau Neuhaus will früher eine bekannte Tänzerin gewesen sein.   objektiv   subjektiv

6. Will deine Tochter eigentlich auch Tänzerin werden?   objektiv   subjektiv

7. Es ist halb vier. Da muss Mirko längst vom Sport zurück sein.   objektiv   subjektiv

3 ***können, müssen, sollen, werden, wollen, mögen?***

1. Michael hat nie Zeit. Er ____*wird*____ wohl nicht lange auf dem Fest bleiben.

2. Das _____ Goethe gesagt haben? Das glaube ich nicht!

3. Du _____ schon wissen, was du tust! Ich finde das aber zu riskant.

4. Wo ist denn nur mein Führerschein? Ich _____ ihn irgendwo liegen gelassen haben.

5. Ich habe Dirk schon gefragt, ob er die Möbel umgeräumt hat. Aber er _____ das nicht gemacht haben.

6. Wir haben heute früh erst entschieden, zur Bibliothek zu fahren. Das _____ er also gar nicht gewusst

   haben.

7. Der Finanzminister behauptet, es gebe dieses Jahr keine Steuererhöhungen mehr. Das _____ ja

   stimmen, aber was passiert nächstes Jahr?

8. In der S-Bahn in München _____ man auch Fahrräder mitnehmen dürfen.

4 **Drücken Sie die Aussagen mit Modalverben aus.**

1. Es ist unmöglich, dass er mich gesehen hat. _Er kann mich gar nicht gesehen haben._

2. In meinem Reiseführer steht, dass die beste Reisezeit für Mexiko der Frühling ist.

3. Das ist mal wieder typisch! Er behauptet, dass er meine Warnung nicht gehört hat.

4. Der Gast hat vielleicht Recht, aber das ist kein Grund für unhöfliches Benehmen.

5 **Nichts als Vermutungen. Formulieren Sie den zweiten Satz mit subjektiven Modalverben.**

1. Leon reibt sich die Augen. Er ist sicher müde. _Er wird müde sein._

2. Hast du gehört, Hanna ist über den ganzen See geschwommen! Sie ist ganz bestimmt sehr fit.

3. Noah und Mia sehen wieder ganz glücklich aus. Sie haben sich sicher wieder vertragen.

4. Die Wolken ziehen sich über dem Meer zusammen. Es regnet wohl bald.

5. Er hat mir den Weg zu seinem Haus sehr genau beschrieben. Es ist sicher hier in der Nähe.

Diese Verben haben spezielle Bedeutungen:

> ! *etwas / jemanden lieben* klingt im Deutschen sehr emotional, stattdessen oft: *(gern) mögen* und *gern haben*.

mögen / gern haben

Ich **mag** Erdbeereis. Früher **mochte** ich es nicht.
Katharina **mag** München nicht. Sie findet München langweilig.
Ich **habe** Kinder **gern**. (= Ich **mag** Kinder gern.)

Geschmack, Vorliebe
positive / negative Einstellung

Präsens von *mögen*: ich mag, du magst, er mag, wir mögen, ihr mögt, sie mögen; Sie mögen
Präteritum: ich mochte, du mochtest, er mochte, …; Perfekt: ich habe gemocht

möchten

Ich **möchte** gerne noch einen Kaffee (trinken).
(Im Laden) Ich **möchte** gerne fünf Semmeln.
Über dieses Problem **möchte** ich im Moment lieber nicht **reden**.

momentaner Wunsch

Modalverben → 43, 44, 45

möchten ist ein Modalverb. Man verwendet es meistens mit einem anderen Verb im Infinitiv.
Historisch ist *möchten* die Konjunktiv-Form von *mögen*.

kennen ↔ wissen

Fragst du bitte Herrn Scharf, du **kennst** ihn besser!
Ich **kenne** den Sänger / den Schriftsteller.
Er ist aus Ungarn. Ich **weiß** das ganz genau!
Weißt du, wie spät es ist?

kennen: man kennt jemanden persönlich
man kennt die Lieder / Werke
wissen: man hat etwas gelernt / Fakten gehört

kennenlernen: „Hast du unseren Nachbarn schon ~~getroffen~~ **kennengelernt**?"

lassen

Herr Koller **lässt** seine Wohnung **streichen**.
Bitte **liegen lassen**!
Heute **lasse** ich die Kinder mal **fernsehen**.
Das Fahrrad **lässt** sich leicht **reparieren**!

einen Auftrag geben / etwas nicht selbst tun
nicht wegnehmen / so lassen, wie es ist
etwas erlauben, zulassen
es kann gemacht werden

lassen + Infinitiv → 82
Unpersönliche Ausdrücke → 86

(1) Vorlieben. Ergänzen Sie mögen.

1. Als ich klein war, _____mochte_____ ich kein Gemüse und keinen Käse. Jetzt _____ ich beides sehr gern!

2. ● _____ Sie klassische Musik?

   ● Ja, sehr gerne sogar. Besonders gern _____ ich Strawinsky und Schönberg.

3. ● Ich koche heute Abend. _____ ihr eigentlich Fleisch?

   ● Nein, Fleisch essen wir nicht, aber wir _____ gern Fisch.

(2) mögen oder möchten?

1. Wir _____möchten_____ ein Zimmer für den 28. 10. reservieren – haben Sie noch etwas frei?

2. Wir _____ dieses Hotel – es liegt ruhig und zentral, und der Service ist sehr gut.

3. Sie sind sicher müde von der Reise – _____ Sie sich erst etwas ausruhen?

4. Die Landschaft hier _____ ich sehr gern, sie ist so wild und romantisch.

5. _____ du morgen einen Ausflug machen?

(3) Ergänzen Sie kennen (lernen).

● _____Kennst_____ du schon die neuen Songs von den „Ärzten"?

● Nein, die _____ 1 ich noch nicht – sind sie gut?

● Ja, mir gefallen sie gut. Aber du _____ 2 doch die alten Stücke von „Kraftwerk"?

● Nur ein paar – aber mein Freund ist ein richtiger Experte, der _____ 3 praktisch alles.

   Durch ihn habe ich die Gruppe erst _____ 4 .

(4) Wissen Sie, …?

1. _Wissen Sie, wie ich zum Bahnhof komme?_ _____ | zum Bahnhof kommen, wie

2. _____ | Fahrkarten kaufen können, wo

3. _____ | ein Anruf nach Japan kosten, wie viel

4. _____ | hier verantwortlich sein, wer

(5) kennen oder wissen?

Liebe Jana, jetzt _____kenne_____ ich hier schon einige Leute, aber ich _____weiß_____ trotzdem noch nicht so

recht, ob es mir hier gut gefällt. Die Leute sind ziemlich direkt – nicht so vorsichtig wie bei uns. Auch wenn man

das _____ 1 , muss man sich erst daran gewöhnen. Man lernt leicht jemanden _____ 2 , aber das

heißt nicht, dass man auch eingeladen wird. Einige Leute kümmern sich aber besonders nett um mich, weil sie

_____ 3 , dass ich hier neu bin.

(6) Formulieren Sie mit lassen.

1. _Lass dich nicht von der Werbung täuschen!_ _____ Akzeptiere nicht, dass die Werbung dich täuscht!

2. _____ Erlauben Sie dem Kind doch, Schokolade zu essen!

3. _____ Ich nehme den Schlüssel nicht mit.

4. _____ Ich räume hier nicht auf – das machen die Kinder.

5. _____ Diese Frage kann man schnell klären.

Gehen wir noch schnell schwimmen?

 Mit adverbialen Adjektiven drückt man aus: **Wie** passiert etwas? **Wie** macht man etwas?

Adverbien der Art und Weise: Verwendung

Adverbiale Adjektive haben keine Endungen: *gut essen, schnell fahren*.

Adverbiale Adjektive können den Komparativ und Superlativ bilden: *schöner singen, am besten singen*.

Komparativ, Superlativ → 30

gut besser am besten	Tatjana spricht **gut** Französisch, aber Englisch spricht sie **besser**. **Am besten** spricht sie Russisch.
schlecht	Marko kann **schlecht** sehen, er braucht eine Brille.
vorsichtig	Bitte nehmen Sie den Deckel **vorsichtig** ab.
schnell langsam	● Fahr bitte nicht so **schnell**! ● Aber ich fahre doch schon ganz **langsam**!

gern lieber am liebsten	● Ich fahre **gern** ans Meer, aber **lieber** fahre ich in die Berge! Und du? ● Also, ehrlich gesagt, ich bleibe **am liebsten** zu Hause!
so	Hier ist es sehr laut – kannst du denn **so** arbeiten?
anders	Kann man das auch **anders** machen?

Adverbiale Adjektive im Satz

①	②			Satzmitte			Satzende
Julia	fährt			noch	**kurz**	in die Arbeit.	
Schnell	zieht	sie	ihren Mantel				an.
Das Team	spielt		heute	gar nicht	**gut**.		
Sie	nimmt		den Deckel	ganz	**vorsichtig**		ab.

Lokal- und Direktionalobjekte → 33, 34

Negation → 18, 19

Adverbien und adverbiale Adjektive der Art und Weise stehen auf Position 1 oder in der Satzmitte, nach der Negation und vor dem Lokal- und Direktionalobjekt.

①	Satzmitte	Satzende
Fahr	bitte nicht so **schnell**!	
Hat	das Team heute **gut**	gespielt?

① **Bestimmen Sie die Berufe von Roza, Anton und Emilia.**

1. Roza spielt sehr gut Klavier, sie gibt oft Konzerte. *Sie ist* _____

2. Anton kann sehr geduldig zuhören und versteht die Probleme von vielen Leuten. _____

3. Emilia spielt gut Theater und tanzt und singt hervorragend. _____

② **Welches Wort passt wo?**

neugierig • fantastisch • wunderbar • stolz • begeistert • vorsichtig • langsam • laut

1. Der Sänger singt, die Zuschauer hören zu.

Der Sänger singt wunderbar, die Zuschauer hören begeistert zu.

2. Der Vater schlägt einen Nagel in die Wand, der Sohn sieht zu.

3. Der Sohn spielt Theater, der Vater schaut zu.

③ **Harry hat es eilig. Ordnen Sie die Wörter zu Sätzen.**

1. Harry hat es eilig: Er – ordentlich – nicht – schreibt – ins Heft – die Sätze

Er schreibt die Sätze nicht ordentlich ins Heft.

2. Er – sorgfältig – nicht – wäscht sich – die Hände

3. Er – vorsichtig – nicht – stellt – in den Schrank – die Teller

④ **Das neue Projekt. Ergänzen Sie.**

genau • gern • langsam • pünktlich • schnell

Hi Sabine,

du wirst es nicht glauben: Das neue Projekt startet heute! Wir müssen jetzt ganz ___*schnell*___

einen Arbeitsplan machen und dabei die Zeit sehr _____ 1 planen, denn das Projekt muss

_____ 2 fertig werden. Leider arbeitet die Verwaltung in der Uni super _____ 3 .

Zum Glück arbeite ich _____ 4 mit dem Team zusammen, die sind echt nett. Bin gespannt,

wie das alles funktioniert!

Alles Liebe, Carla

⑤ **Was machen Sie lieber? Schreiben Sie ganze Sätze.**

1. Schwimmbad – morgens: nicht so voll

Ins Schwimmbad gehe ich lieber morgens, da ist es nicht so voll.

2. Kino – am Nachmittag: nicht so teuer

3. Im Urlaub – in den Süden: scheint die Sonne

4. In der Klasse – hinten sitzen: da …

⑥ **Was machen Sie gern in Ihrer Freizeit? Was nicht?**

Ich arbeite gern im Garten, aber ich mähe nicht gern den Rasen. / … und ich mähe besonders gern den Rasen.

Sport treiben – Fußball spielen; Musik hören – Jazz; Karten spielen – Poker; ins Kino gehen – Horrorfilme; …

Oh oh, Kai, da ist eine dunkle Wolke. Hoffentlich regnet es erst später, ich hab' kein Regenzeug dabei!

   Satzadverbien drücken die Meinung oder Bewertung des Sprechers aus: Stimmt das? Ist das positiv oder negativ?

Satzadverbien

bestimmt sicher(lich) wahrscheinlich vielleicht eventuell	Nächstes Jahr besuche ich dich **bestimmt** mal – **vielleicht** machen wir dann zusammen Urlaub? Ich gehe morgen **sicher** einkaufen, **wahrscheinlich** so um 9 Uhr, **eventuell** etwas später.	Wahrscheinlichkeit
zum Glück glücklicherweise hoffentlich leider unglücklicherweise dummerweise	So ein Mist, der Akku von meinem Handy ist leer. Aber **zum Glück (glücklicherweise)** habe ich ein Ladegerät dabei! **Hoffentlich** regnet es erst später! **Leider** ist das Hotel schon ausgebucht. Er kann sich **unglücklicherweise** an nichts erinnern. **Dummerweise** habe ich heute mein Geld nicht mit!	Bewertung
anscheinend wirklich natürlich	• Meinst du, ihm gefällt das das neue Buch von Daniel Kehlmann? • **Anscheinend** schon, er liest in jeder freien Minute. • Dieser Job gefällt mir nicht – ich suche mir jetzt eine neue Arbeit. • Willst du das **wirklich** machen? • Ich glaube, ich kann das nicht. • Aber Julio, **natürlich** kannst du das!	Annahmen es sieht so aus, ich glaube es bist du sicher? / ist das dein Ernst? ich bin sicher und will den anderen überzeugen

eventuell: schriftlich oft *evtl.*

! *wirklich* steht immer in der Satzmitte.

Adverbiale Adjektive → **48**

Satzadverbien im Satz

①	②		Satzmitte		Satzende
Leider	hat	der Wetterbericht		nicht immer	Recht.
Er	kommt		heute **sicher**	nicht mehr nach Hause.	
Nach dem Urlaub	hat	Hans	**natürlich**	kein Geld mehr.	

Satzadverbien stehen auf Position 1 oder in der Satzmitte.
In der Satzmitte stehen sie vor der Negation.

Modalverben: subjektiver Gebrauch → **46**

Wunschsätze, Vermutungen → **90**

1 **Was passt zusammen? Es gibt mehrere Möglichkeiten.**

1. Bestimmt   _1a, f_   a. hat er heute schlechte Laune. Er sieht sehr ärgerlich aus.

2. Zum Glück   _____   b. haben Millionäre auch Probleme. Das beruhigt mich.

3. Vielleicht   _____   c. weiß er es auch nicht. Wer kann mir helfen?

4. Eventuell   _____   d. ist Katharina schon zu Hause. Ich weiß es nicht.

5. Leider   _____   e. komme ich heute zum Mittagessen, Mama. Ich komme doch jeden Sonntag!

6. Natürlich   _____   f. will er dir nicht wehtun. Er meint es nicht so.

7. Anscheinend   _____   g. können wir heute schwimmen gehen. Das kommt auf das Wetter an.

2 *Leider, zum Glück* **oder ...? Ergänzen Sie passende Satzadverbien.**

1. Ich möchte gern einen Apfelsaft, aber hier gibt es ___leider___ nur Orangensaft.

2. Du meinst, er möchte gar nicht mitkommen? Du hast _____ Recht.

3. Rieke ist noch nicht aus der Schule zurück. _____ ist nichts passiert!

4. Meine Tasche ist weg! _____ ist nicht viel Geld drin.

5. Frag doch an der Hotelrezeption! _____ wissen sie dort, wo das Theater ist.

3 **Hoffnungen. Formulieren Sie Sätze.**

1. Mariam hofft: Viele Gäste kommen zu meinem Fest.

   Hoffentlich kommen viele Gäste zu meinem Fest!

2. Ihre Freundin Renan hofft: Es gibt gutes Essen.

   _____

3. Ihr Freund Elias hofft: Ich lerne Mariams Freundin Renan besser kennen.

   _____

4. Mariams Mann hofft: Es gibt nicht wieder so viel schmutziges Geschirr wie letztes Mal.

   _____

5. Sohn Jonathan hofft: Das Wetter wird schön, da können wir draußen grillen.

   _____

4 **Vermutungen. Ergänzen Sie, was die Personen vermuten.**

1. Mariam: Warum sind erst fünf Leute da? Es ist doch schon 8 Uhr!

   Wahrscheinlich _ist wieder viel Verkehr._ _____

2. Renan: Warum gibt es noch kein Essen?

   Wahrscheinlich _____

3. Elias: Warum ist es hier noch so langweilig?

   Wahrscheinlich _____

4. Mariams Mann: Warum probiert niemand meinen super Nachtisch?

   Wahrscheinlich _____

5. Jonathan: Warum sitzen die Leute so steif herum?

   Wahrscheinlich _____

Modalpartikeln

Modalpartikeln drücken bestimmte Emotionen und Einschätzungen aus,
zum Beispiel Überraschung, Widerspruch, gemeinsames Wissen.

aber	• Schau mal, mein neuer Pullover! • Wow, der ist **aber** schön!	Erstaunen, Überraschung; oft *aber* + Adjektiv
ja	• Hallo Magda, du bist **ja** schon da! • Ja, heute ist kein Unterricht! • Max macht morgen ein Fest. • Ich weiß, er hat **ja** morgen Geburtstag. • Komm bitte jetzt, Stefan, wir müssen los! • Ich komm **ja** schon!	Überraschung; man hätte das nicht erwartet das wissen wir schon, das ist nicht neu du musst mich nicht erinnern
doch	• Gehen wir einkaufen? • Nein! Heute ist **doch** Sonntag! Nehmen Sie **doch** ein Taxi! Jetzt komm **doch** endlich! Du kommst **doch** heute zum Abendessen?	Erinnerung und Widerspruch: Sonntags sind die Läden zu – hast du das vergessen? Ratschlag, Ermunterung manchmal Ungeduld: das habe ich schon gesagt Unsicherheit, man erwartet eine Bestätigung
mal	Komm **mal** bitte her! Schau **mal**! Mach **mal** bitte die Tür zu!	*mal* macht die Aufforderung freundlicher

Modalpartikeln (2) → 51

> Oft gibt es Kombinationen:
> Das ist **aber doch mal** etwas anderes!

Modalpartikeln im Satz

①	②		Satzmitte		Satzende
Max	hat		**ja**	morgen Geburtstag.	
Heute	kann	man	**doch**	nicht	einkaufen!

①			Satzmitte		Satzende
Komm		**doch**	bitte	**mal**	her!
Nehmen	Sie	**doch**			ein Taxi!

Modalpartikeln stehen nie auf Position 1, sondern immer in der **Satzmitte**.
Die Modalpartikeln stehen meist **vor** den Adverbien. Sie sind immer unbetont.

1 **Überrascht Sie das? Schreiben Sie Sätze.**

Sushi	schnell	1. *Das Sushi ist aber gut!*
Essen	nett	2. _____
Der neue Lehrer	höflich	3. _____
Kellner	~~gut~~	4. _____
Radfahrer	lecker	5. _____

2 **Noch mehr Überraschungen**

1. Er spricht schon gut Deutsch. → *Er spricht aber schon gut Deutsch!* _____

2. Er redet schnell! → _____

3. Ihr Name ist kompliziert. → _____

4. Das ist noch weit. → _____

3 **Unterstreichen Sie die Modalpartikeln und ordnen Sie die Bedeutung zu.**

1. Er ist ja schon weg! 　*1b* 　a. (ich erinnere dich nochmal)

2. Arbeite doch nicht so lange! 　_____ 　b. (ich bin überrascht)

3. Der Stoff ist aber fein! 　_____ 　c. (siehst du das nicht?)

4. Ich komme ja schon! 　_____ 　d. (ich bin überrascht über die Qualität)

4 **Welche Partikel passt? Ergänzen Sie. Eine Partikel passt nicht.** 　ja • mal • doch • aber

1. Da bist du __*ja*__ ! Ich freue mich sehr.

2. Hab _____ keine Angst, da kann gar nichts passieren!

3. Rate _____ , wie alt ich bin!

4. ● Haben Sie Schokoladeneis? ● Ich schau _____ nach, einen Moment!

5. Das ist mir zu teuer. Du weißt _____ , ich habe wenig Geld.

6. Der Hamburger ist _____ gar nicht so schlecht! Normalerweise schmecken die mir nicht.

5 **Mach doch mal!**

Kai erzählt seinem Freund Malik: Den ganzen Tag muss ich was im Haus machen, ich hab' gar keine Zeit zu

spielen. Dauernd sagt meine Mutter: *"Kai, putz dir doch mal die Zähne!"* _____ (sich die Zähne putzen) …

Was sagt Kais Mutter noch? (sein Zimmer aufräumen, die Post aus dem Briefkasten holen, den Tisch abräumen,

einen Brief an Tante Ulla schreiben)

6 **Das weiß ich ja schon! Sie wollen einen Ausflug machen. Spielen Sie mit Ihrem Partner / Ihrer Partnerin.**
Nutzen Sie *ja* und *doch*.

● Zieh dich warm an, es ist kalt! (warme Sachen anhaben)

● *Ich habe ja schon warme Sachen an. / Ich habe doch schon warme Sachen an!*

● Bitte nimm genügend Geld mit! (genug Geld dabeihaben) ● _____

● Vergiss die Schlüssel nicht! (Schlüssel in der Tasche sein) ● _____

● Bitte mach schnell, wir haben wenig Zeit! (ich schnell machen) ● _____

Modalpartikeln

Modalpartikeln drücken bestimmte Emotionen und Einschätzungen aus, zum Beispiel Interesse, Vermutungen, Unsicherheit.

> Mündlich auch: Was ist'n hier los? (Was ist **denn** hier los?)

denn	● Ich bin ständig unterwegs. ● Was sind Sie **denn** von Beruf? ● Dolmetscherin.	Interesse, Freundlichkeit
	● Hallo, Moritz! ● Hallo Roman! Wie geht es dir **denn** heute?	genauere Nachfrage
	● Hallo, ich bin leider zu spät. ● Hast du **denn** keine Uhr?	negative Frage: implizierter Vorwurf
wohl	● Ist Marcel schon da? ● Nein, er ist **wohl** noch unterwegs.	Vermutung
	Oft frage ich mich: Bin ich **wohl** zu streng mit meinen Kindern?	in Fragen auch: Unsicherheit
eigentlich	● Wir müssen jetzt los! ● Wie spät ist es **eigentlich**?	genauere Frage / Themenwechsel
	● Möchten Sie eine Tasse Kaffee? ● **Eigentlich** trinke ich keinen Kaffee, aber heute nehme ich mal einen.	normalerweise (in dieser Bedeutung auch auf Position 1 möglich)
eben / halt	● Der Bus ist schon weg! ● Dann nehmen wir **halt** den nächsten.	da kann man nichts machen
	● Guck dir mal das Kinderzimmer an – ein totales Chaos! ● Beruhige dich. Kinder sind **eben** so.	da kann man nichts machen / das weiß man ja
	● Es ist super laut hier! ● Dann mach **halt** das Fenster zu!	Ratschlag

Modalpartikeln im Satz

Modalpartikeln (1) → 50

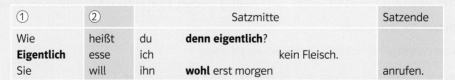

①	②		Satzmitte	Satzende
Wie	heißt	du	**denn eigentlich**?	
Eigentlich	esse	ich		kein Fleisch.
Sie	will	ihn	**wohl** erst morgen	anrufen.

Modalpartikeln stehen immer in der **Satzmitte**.
Ausnahme: *eigentlich* in der Bedeutung *normalerweise*.
Die Modalpartikeln stehen meist **vor** den Adverbien. Sie sind unbetont.

① Sprechen Sie mit einem Kursteilnehmer / einer Kursteilnehmerin. Fragen Sie interessiert mit *denn*.

1. Wie heißen Sie?   →   *Wie heißen Sie denn?*

2. Woher kommen Sie?   →   _____

3. Wo wohnen Sie?   →   _____

4. Warum lernen Sie Deutsch? →   _____

② Kommst du mit in die Kneipe?   *Eigentlich muss ich noch einen Vortrag vorbereiten.*

(noch einen Vortrag vorbereiten)

● Kommst du morgen mit schwimmen?   _____

(schon etwas anderes vorhaben)

● Spielst du am Samstag mit Fußball?   _____

(nicht gern Ballspiele spielen)

③ Was passt hier? Ergänzen Sie. Nicht alle Modalpartikeln passen.

denn • eben / halt • eigentlich • wohl • aber

1. Er sieht müde aus, er arbeitet ___*wohl*___ zu viel.

2. Na, wie geht es _____ so?

3. Timo gewinnt immer, er ist _____ der Beste, da kann man nichts machen.

4. Jetzt arbeiten wir schon seit einem Monat in derselben Firma und ich kenne Sie gar nicht.

   Wie heißen Sie _____?

④ Dann nehme ich eben einen Kaffee! Formulieren Sie mit *eben* oder *halt*.

● Leider haben wir keinen Tee.   ● *Dann nehme ich eben einen Kaffee.* | einen ~~Kaffee~~ nehmen

● Im Moment ist leider kein Tisch mehr frei.   ● _____ | warten

● Das Schwimmbad ist heute geschlossen.   ● _____ | in die Bücherei gehen

● Die Straßenbahn kommt erst in 40 Minuten.   ● _____ | zu Fuß gehen

⑤ Am Telefon. Ergänzen Sie passende Modalpartikeln.

1. Robin: Sag ___*mal*___, Sofia , hast du heute schon was vor?

2. Sofia: Nein, warum fragst du _____?

3. Robin: Na ja, ich möchte gern einen Ausflug machen. Hast du Lust?

4. Sofia: Lust habe ich schon, aber _____ muss ich noch den Unterricht vorbereiten.

5. Robin: Das kannst du _____ heute Abend machen. Um sieben Uhr sind wir wieder zurück.

6. Sofia: Na gut! Das Wetter ist so schön. Da sollte man _____ nicht zu Hause bleiben, du hast Recht.

7. Robin: Toll! Dann pack _____ schnell deine Sachen zusammen, ich hole dich um 11 Uhr ab.

⑥ Gespräche am Frühstückstisch. Fragen Sie genauer mit *eigentlich*.

1. ● Sag mal, wann kommst du eigentlich heute nach Hause?   ● So um 7 Uhr heute Abend.

2. ● _____?   ● Heute habe ich einen Termin beim Arzt.

3. ● _____?   ● Der heißt Müller.

4. ● _____?   ● Ja, sehr nett.

> Hast du schon gehört? Hanna und Jens haben vorige Woche geheiratet!

> Was?! Warum haben sie uns denn nichts davon gesagt?

Perfekt mit *haben*

Mit dem Perfekt berichtet man über Ereignisse in der Vergangenheit, vor allem im Dialog.
Die meisten Verben bilden das Perfekt mit dem Hilfsverb *haben*.

①	② Verb	Satzmitte	Satzende
	Präsens von *haben*		Partizip II
Sie	**haben**	vorige Woche	**geheiratet.**
Warum	**haben**	sie uns denn nichts davon	**gesagt?**
Ich	**habe**	ihn erst gestern Abend in der Stadt	**gesehen.**

Perfekt mit *sein* → **53**

Bildung des Partizip II

Regelmäßige Verben	sagen	**ge**-sag-**t**	**ge**- + Stamm + **-t**
	heiraten	**ge**-heirat-**e-t**	Bei -*d* oder -*t* am Ende des Stamms: **-e-t**
Unregelmäßige Verben	sehen	**ge**-seh-**en**	**ge**- + Stamm + **-en**
	trinken	**ge**-trunk-**en**	oft: Änderung des
	helfen	**ge**-holf-**en**	Stammvokals (z. B. e > o)
	schneiden	**ge**-schni**tt**-**en**	manchmal: Änderung von
	essen	**ge**-ge**ss**-**en**	Konsonanten (z. B. d > t)
Mischformen	denken	**ge**-dach-**t**	**ge**- + Stamm + **-t**
	kennen	**ge**-kann-**t**	und Änderung
	wissen	**ge**-wu**ss**-**t**	des Stammvokals
	bringen	**ge**-brach-**t**	und manchmal der
	nennen	**ge**-nann-**t**	Konsonanten

Unregelmäßige Verben
→ **56** Anhang

Perfekt bei trennbaren Verben
→ **54**

(1) Wie heißt der Infinitiv?

1. geholfen   –   *helfen*   4. gewusst   –   _____

2. geschnitten   –   _____   5 gedacht   –   _____

3. gelesen   –   _____   6. gebracht   –   _____

(2) Wie heißt das Partizip II? Siehe dazu den Anhang der unregelmäßigen Verben.

1. nehmen   –   *genommen*   4. nennen   –   _____

2. liegen   –   _____   5. sprechen   –   _____

3. brechen   –   _____   6. bitten   –   _____

(3) Wie hast du das Omelett gemacht?

1. Zuerst habe ich die Eier schaumig ___*geschlagen*___ (schlagen). 2. Dann habe ich Salz und Kräuter, Mehl

und Milch in die Schüssel _____ (geben). 3. Das habe ich alles gut _____ (mischen).

4. Dann habe ich den Teig in die Pfanne mit heißem Fett _____ (schütten). 5. Jedes Omelett

habe ich fünf Minuten auf jeder Seite _____ (braten).

(4) Welches Verb passt? Ergänzen Sie das Partizip II. Nicht alle Verben passen.

schließen • sagen • ~~hören~~ • schreiben • finden • antworten • sehen • denken • wissen

1. Hast du heute schon die Nachrichten ___*gehört?*___

2. Thomas hat mir gerade auf meine Nachricht _____

3. Warum haben sie uns denn nichts davon _____

4. Herr Malak hat das Geschäft wie jeden Abend um 20 Uhr _____

5. Tobias hat einen Ring auf der Straße _____

(5) Konsequenzen. Ergänzen Sie die Sätze mit einem passenden Verb.

1. Ich bin hundemüde. Ich habe letzte Nacht schlecht ___*geschlafen*___ .

2. Er möchte nicht ins Kino gehen. Er hat den Film schon _____ .

3. Mir ist ein wenig schlecht. Ich habe zu viel _____ .

4. Die Kartoffeln sind jetzt gar, sie hat sie 25 Minuten lang _____ .

5. Ich habe mein Handy _____ ! Es war im Rucksack.

6. Sie können auf keinen Fall Auto fahren! Sie haben zu viel Alkohol _____ .

7. Jetzt ist das Fahrrad wieder sauber. David hat es gründlich _____ .

(6) Hast du schon deine Hausaufgaben gemacht? Ergänzen Sie ein passendes Verb.

1. Ja, klar. Ich habe den Text laut ___*gelesen*___ .

2. Dann habe ich die englischen Vokabeln _____ .

3. Die Mathematik-Aufgaben habe ich auch schon alle _____ .

4. Und schau mal: Ich habe ein Bild von unserem Haus _____ .

Perfekt mit *sein*

Einige Verben bilden das Perfekt mit *sein*.

①	② Verb	Satzmitte	Satzende	
	Präsens von *sein*		Partizip II	
Ich	**bin**	gestern noch ins Kino	**gegangen.**	Veränderung
Am Montag	**ist**	er nach Hamburg	**gefahren.**	des Orts: A → B
Der Junge	**ist**	im letzten Jahr sehr	**gewachsen.**	Veränderung
Goethe	**ist**	im Jahr 1832	**gestorben.**	eines Zustands
Was	**ist**		**passiert?**	Verben
Zum Glück	**ist**	dem Kind nichts	**geschehen.**	des „Geschehens"
Wo	**ist**	er denn die ganze Zeit	**gewesen?**	*sein*
Ihr	**seid**	aber nicht lange auf dem Fest	**geblieben!**	*bleiben*
Juan	**ist**	nach dem Studium Lehrer	**geworden**	*werden*

Andere Verben, die das Perfekt mit *sein* bilden: entstehen, erscheinen, fallen, fliegen, fließen, kommen, laufen, steigen, …

Ich **habe** gelegen, gesessen, gestanden, … (norddeutsch)
Ich **bin** gelegen, gesessen, gestanden, … (süddeutsch, österreichisch)

Unregelmäßige Verben
→ Anhang

Perfekt mit *haben* → 52

Manchmal gibt es verschiedene Bedeutungen:

Sie **hat** die Kinder zum Sport **gefahren.**	Er **ist** nach Dresden **gefahren.**
Das Rote Kreuz **hat** medizinische Geräte in die Krisenregion **geflogen.**	Die Kanzlerin **ist** gestern nach Ottawa **geflogen.**
Hier gibt es ein Akkusativobjekt.	Hier ist die Ortsveränderung wichtig.

1 **Welches Verb passt? Ergänzen Sie das Partizip II. Nicht alle Verben passen.**

1. Sind Sie schon einmal in Bulgarien __*gewesen*__ ?

2. Wann ist er gestern Abend nach Hause _____ ?

3. In welchem Jahr ist Goethe _____ ?

4. Heute früh hat es geregnet, aber am Nachmittag ist es wieder schön _____ .

| bleiben • fahren • |
| kommen • ~~sein~~ • |
| sterben • wachsen • |
| werden |

2 *haben* **oder** *sein*?

1. A: Wie __*sind*__ Sie heute zum Institut gekommen?

   B: Ich _____ die Straßenbahn genommen.

2. A: Was _____ du am Samstag gemacht?

   B: Ich _____ ins Kino gegangen.

3. A: Wo _____ ihr euch eigentlich zum ersten Mal gesehen?

   B: Wir _____ beide mit einer Gruppe nach Ibiza gefahren.

4. A: _____ ihr gestern noch lange bei Richard geblieben?

   B: Nein, wir _____ dann auch so um 10 Uhr nach Hause gegangen.

5. A: _____ ihr letztes Wochenende wirklich auf die Zugspitze gestiegen?

   B: Ja, und stell dir vor: Oben _____ wir unseren Deutschlehrer getroffen!

6. A: Entschuldigung, das ist mein Platz.

   B: Nein, hier _____ ich immer gesessen.

3 **Eine Ansichtskarte aus Italien. Ergänzen Sie ein passendes Verb im Perfekt.**

bleiben • fahren • finden • geben • gehen • gießen • liegen

Liebe Helga!

Viele Grüße aus Palermo! Wir __*sind*__ gleich mit dem Zug nach Süditalien __*gefahren*__ und

nicht so lange in Rom _____₁ . Zum Glück _____ wir hier sofort ein Hotel

_____₂ . Es liegt herrlich, direkt am See. Da _____ wir gestern Vormittag

gleich zum Strand _____₃ und _____ den ganzen Tag in der Sonne

_____₄ .

Viele Grüße, deine Lisa

4 **Schreiben Sie nun Ihrer Freundin / Ihrem Freund eine Ansichtskarte aus Norwegen.**

Liebe(r) ...   Viele Grüße aus Norwegen! Hier gefällt es uns sehr. Am ersten Tag ...

_____

_____

_____

(am ersten Tag lange schlafen, frühstücken, den ganzen Tag regnen, in die Sauna gehen, drei Stunden im Schwimmbad bleiben, am Abend im Restaurant essen, zum Club fahren)

So ein Pech, der Zug ist gerade abgefahren!

Trennbare Verben → **7**

be-, emp-, ent-, er-, miss-, ver-, zer-: nie betont und nie trennbar!
Ausnahmen: *missverstehen, missinterpretieren* →
Präfix ist betont, aber nicht trennbar

Perfekt mit *haben* → **52**

Perfekt mit *sein* → **53**

Trennbare Verben

Das Präfix ist trennbar und betont.

Präsens

<u>ab</u>fahren:	Der Zug **fährt** pünktlich **ab**.
<u>teil</u>nehmen:	Er **nimmt** am Kongress **teil**.
<u>zurück</u>kommen:	Wir **kommen** bald **zurück**.

ge- zwischen Präfix und Verb

Perfekt

Der Zug ist pünktlich ab**ge**fahren.
Er hat am Kongress teil**ge**nommen.
Wir sind gleich zurück**ge**kommen.

Ebenso: hat angefangen, ist angekommen, ist ausgestiegen, hat eingekauft, hat mitgenommen, ist umgestiegen, …

Präfixverben

Das Präfix ist nicht trennbar und unbetont.

Präsens

beginnen:	Der Unterricht **beginnt** um 14 Uhr.
erzählen:	Der Vater **erzählt** eine Geschichte.
vergessen:	Er **vergisst** oft sein Buch.

kein *ge-*

Perfekt

Der Unterricht hat um 14 Uhr **begonnen**.
Der Vater hat eine Geschichte **erzählt**.
Er hat sein Buch oft **vergessen**.

Ebenso: hat empfohlen, hat sich entschuldigt, hat missverstanden, hat übersetzt, hat sich unterhalten, hat verkauft, hat zerrissen, hat verziehen, …

Verben auf *-ieren*

Präsens

passieren:	Hier **passiert** nie etwas.
studieren:	Sie **studieren** in Wien.
probieren:	Er **probiert** alles.

kein *ge-*

Perfekt

Dem Fahrer ist fast nichts **passiert**.
Wo haben Sie denn **studiert**?
Hast du schon das Eis **probiert**?

Ebenso: hat informiert, hat kopiert, hat markiert, hat operiert, hat sortiert, …

(1) Bilden Sie die Partizipien der Verben und ordnen Sie sie in die richtige Spalte.

> verzeihen • probieren • bringen • geschehen • bezahlen • regnen • stehen • entschuldigen •
> bleiben • sitzen • sein • erzählen • laufen • leihen • übersetzen • mitnehmen • zurückbringen • einsteigen • treffen •
> wissen • platzen • schmelzen • liegen • einkaufen • verstehen • verbieten • einschlafen • vergessen • mitkommen •
> aufstehen • anfangen • antworten • hinsetzen

ge____t	ge____en	____en	____t	ge____t	ge____en
gewusst	_getroffen_	_verziehen_	_bezahlt_	_eingekauft_	_eingestiegen_
_____	_____	_____	_____	_____	_____
…	…	…	…	…	…

(2) Perfekt mit *haben* oder *sein*? Ordnen Sie die Verben aus (1) nach einem anderen Kriterium.

Perfekt mit *haben*:

ich habe gewusst

ich habe getroffen

…

Perfekt mit *sein*:

ich bin eingestiegen

…

(3) Welches Verb passt? In welcher Form?

> anfangen • anrufen • einsteigen • empfehlen • erzählen • mitnehmen • kennenlernen •
> vergessen • vergleichen • überweisen • warten • wegnehmen

1. Wer hat Ihnen den Rechtsanwalt ___empfohlen___?

2. Fahrscheinkontrolle! Wo sind Sie denn _____?

3. Mama! Matti hat mir den Teddy _____!

4. 800 Euro für das Fahrrad! Habt ihr auch gut die Preise _____?

5. Das Geld ist auf meinem Konto! Die Firma hat es mir endlich _____.

6. Warum hast du mich denn nicht _____? Ich habe auf deinen Anruf

_____.

7. Wo habt ihr euch eigentlich _____?

(4) Was hat er gefragt? Stellen Sie die passenden Fragen im Perfekt.

> anfangen • kommen • lesen • teilnehmen • umziehen • verzeihen

1. _Bist du mit dem Auto gekommen?_ Nein, mit dem Bus.

2. _____ Nein, erst bis Seite 50.

3. _____ Ja, seit vorigem Monat wohnt er in der Mozartstraße.

4. _____ Nein, sie ist ihm immer noch böse.

(5) Was haben Sie letzten Sonntag gemacht? Sprechen Sie mit Ihrem Partner / Ihrer Partnerin.

Zum Beispiel: „Mein Sohn ist mit meinem Mann zum Fußball gegangen, da habe ich mal richtig ausgeschlafen.

Dann …"

(duschen, sich anziehen, lange frühstücken, die Zeitung lesen, im Internet surfen, mit Mann und Sohn Mittag

essen, zum See fahren, spazieren gehen, ein Buch vorlesen, Fernsehen gucken, um 10 Uhr ins Bett gehen)

J. W. von Goethe war ein deutscher Dichter.
Er lebte von 1749 – 1832.
Goethe studierte in Leipzig Jura.
1774 schrieb er den Roman „Die Leiden des jungen Werthers".

Präteritum

Perfekt → **52, 53, 54**

Das Präteritum beschreibt Ereignisse und Zustände in der Vergangenheit, vor allem in schriftlichen Texten wie z. B. in Berichten, Erzählungen und in der Literatur.

	Regelmäßige Verben		Unregelmäßige Verben			
	leben	arbeiten	geben	laufen	haben	sein
ich	leb-**te**	arbeit-**ete**	g**a**b	lief	hatte	war
du	leb-**te-st**	arbeit-**ete-st**	g**a**b-**st**	lief-**st**	hatte-**st**	war-**st**
er / es / sie	leb-**te**	arbeit-**ete**	g**a**b	lief	hatte	war
wir	leb-**te-n**	arbeit-**ete-n**	g**a**b-**en**	lief-**en**	hatte-**n**	war-**en**
ihr	leb-**te-t**	arbeit-**ete-t**	g**a**b-**t**	lief-**t**	hatte-**t**	war-**t**
sie	leb-**te-n**	arbeit-**ete-n**	g**a**b-**en**	lief-**en**	hatte-**n**	war-**en**
Sie	leb-**te-n**	arbeit-**ete-n**	g**a**b-**en**	lief-**en**	hatte-**n**	war-**en**

Unregelmäßige Verben → **56**

Stamm + **te** + **Endung**
Nach -d, -t, -m, -n: -**ete** + **Endung**

Stamm + **Endung**
Der Stammvokal ändert sich.

Präteritum und Perfekt der Modalverben → **57**

Perfekt	↔	**Präteritum**

Perfekt

Allgemein im mündlichen Dialog, aber auch in umgangssprachlichen Texten (z. B. in E-Mails, Briefen, …): Ich **habe** mich sehr über deine E-Mail **gefreut**.
Oft in Zeitungstexten: Heute **ist** die Bundeskanzlerin nach Rom **geflogen**.
Wenn das Ereignis noch relevant für die Gegenwart ist: Es **hat geschneit**!

Präteritum

Vor allem in erzählenden schriftlichen Texten, wie z. B. in Berichten, Romanen, Erzählungen, Märchen: Es **war** einmal ein König, der **lebte** in einem …
Eine Folge von Ereignissen wird beschrieben: Er **trat** hinaus. Es **schneite**. Schnell **ging** er über die Straße hinunter zur Bushaltestelle.

sein, *haben* und die Modalverben stehen in der Regel im Präteritum: Hallo Ina! Wir **hatten** gestern Besuch und **konnten** nicht kommen.

1 **Wie heißt der Infinitiv?**

1. wir liefen _____*laufen*_____   4. es regnete _____

2. er dachte nach _____   5. sie kamen an _____

3. sie fror _____   6. sie nahm _____

2 **Ein Bericht. Ergänzen Sie passende Verben im Präteritum. Nicht alle Verben passen.**

Mein Onkel war Schreiner. Er ___*hatte*___ eine kleine Möbelfirma. Die vier

Angestellten und er _____ Möbel in Handarbeit _____ 1. Das

_____ 2 natürlich sehr teuer, und sie _____ 3 nicht viel.

Aber es machte ihnen allen Spaß. Mittags _____ 4 sie oft zusammen

und _____ 5 neue Ideen für außergewöhnliche Möbel.

2012 _____ mich mein Onkel in die Firma _____ 6 . Ich _____ 7 damals

gerade mit der Schule fertig und _____ 8 nach einem passenden Beruf. Aber die Arbeit in der

Schreinerei _____ 9 mir nicht so gut – ich bin dann Erzieher geworden.

> gefallen •
> diskutieren •
> einladen • geben •
> gefallen • haben •
> herstellen • leben •
> sein (2 x) • sitzen •
> suchen • verdienen

3 **Perfekt oder Präteritum? Antworten Sie auf die Fragen.**

● Kim, wo warst du gestern? (einen Film ansehen)   ● _*Ich habe mir einen Film im Kino angesehen.*_

● Und Tobias, was hast du gestern gemacht? (im Theater sein)   ● _____

● Britta, hattet ihr gestern Besuch? (zu den Nachbarn auf ein Fest gehen)   ● _____

_____

● Warum seid ihr gestern nicht gekommen? (nicht können, Besuch haben)   ● _____

_____

4 **Ein Lebenslauf. Ergänzen Sie die Verben im Präteritum.**

Ich ___*kam*___ 1996 in die Grundschule. Dort _____ 1 ich vier Jahre, | kommen, bleiben

danach _____ 2 ich auf das Gymnasium. Den meisten Spaß _____ 3 | wechseln, machen

mir Sport. 2002 _____ 4 ich dann auch einen Ersten Preis im Weitsprung. | gewinnen

Im Jahr 2009 _____ ich das Gymnasium mit dem Abitur _____ 5 und | abschließen

_____ 6 im Oktober mit dem Sport-Studium an der Universität Köln. | beginnen

5 **Schreiben Sie Ihren Lebenslauf wie in Übung 4.**

Zum Beispiel: Grundschule, Gymnasium (andere Schule?), Abitur (Abschlussprüfung), Studium, Beruf, …

6 **Ein Treffen. Ergänzen Sie passende Verben im Präteritum. Nicht alle Verben passen.**

Nach 20 Jahren ___*trafen*___ sie sich wieder, in einer fremden Stadt.

Sie _____ 1 im Park _____ 2 wie früher.

Er _____ 3 ihr sein Leben, sie _____ 4 von ihrer Familie,

von ihren Kindern. Lange Zeit _____ 5 sie auf einer Bank zusammen,

mal _____ 6 der eine, mal der andere, aber sehr oft _____ 7 sie auch und

_____ 8 sich an alte Tage. Es _____ 9 ein harmonisches Treffen, und nach zwei

Stunden _____ 10 jeder wieder nach Hause, in seine eigene Stadt, in sein eigenes Leben.

> berichten •
> erinnern • sein •
> erzählen • haben •
> schweigen • treffen
> • spazieren gehen •
> reden • fahren •
> sitzen • wissen

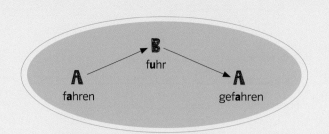

Die Veränderung des Vokals bei den unregelmäßigen Verben zeigt drei Muster: **ABA**, **ABB**, **ABC**

> **!**
> Lernen Sie bei jedem Verb die drei Formen und sprechen Sie laut: *fahren – fuhr – gefahren!*

fahren	fuhr	gefahren	a–u–a
essen	aß	gegessen	e–a–e (ss → ß)
lesen	las	gelesen	e–a–e
fallen	fiel	gefallen	a–i(e)–a
laufen	lief	gelaufen	au–ie–au
heißen	hieß	geheißen	ei–ie–ei
stoßen	stieß	gestoßen	o–ie–o
rufen	rief	gerufen	u–ie–u

Ebenso:

waschen, schlagen, …
fressen, messen, vergessen, …
sehen, geben, treten, geschehen, …
halten, schlafen, lassen, fangen, …

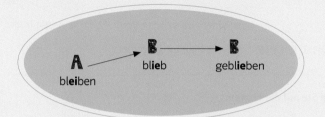

bleiben	blieb	geblieben	ei–ie–ie
schneiden	schnitt	geschnitten	ei–i–i (d → tt)
fließen	floss	geflossen	ie–o–o (ß → ss)
biegen	bog	gebogen	ie–o–o
heben	hob	gehoben	e–o–o

Ebenso:

leihen, schreiben, steigen, …
beißen, reißen, …
gießen, riechen, …
bieten, fliegen, verlieren, …
schmelzen, …

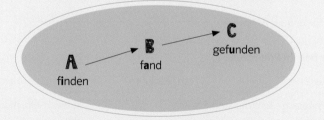

finden	fand	gefunden	i–a–u
gewinnen	gewann	gewonnen	i–a–o
helfen	half	geholfen	e–a–o
stehlen	stahl	gestohlen	e–a–o

Ebenso:

binden, singen, springen, trinken, …
beginnen, schwimmen, …
sprechen, treffen, werfen, …
befehlen, empfehlen, …

Besondere Unregelmäßigkeiten:

Unregelmäßige Verben
→ **Anhang**

sein	war	gewesen
haben	hatte	gehabt
werden	wurde	geworden
stehen	stand	gestanden
tun	tat	getan
ziehen	zog	gezogen
gehen	ging	gegangen
nehmen	nahm	genommen
treffen	traf	getroffen
sitzen	saß	gesessen

1 **Lernen Sie spielend!**

fahren	*fuhr*	*gefahren*
gehen	*ging*	*gegangen*

Schreiben Sie die drei Formen auf Wortkarten. Mischen Sie die Karten und ordnen Sie die Formen zueinander. Lesen Sie laut vor.

2 **Lernen Sie die Formen wie Vokabeln.**

stehen	*stand – gestanden*
tun	*tat – getan*
(Vorderseite)	(Rückseite)

3 **Lernen Sie mit Bildern.**

fliegen – flog – geflogen → i-o-o   → Kennwort: KIMONO   →

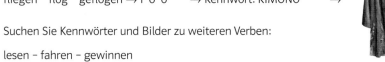

Suchen Sie Kennwörter und Bilder zu weiteren Verben:

lesen – fahren – gewinnen

4 **ABA, ABB oder ABC?**

biegen • e̶s̶s̶e̶n̶ • helfen • s̶c̶h̶n̶e̶i̶d̶e̶n̶ • finden • lassen • vergessen • ziehen • s̶t̶e̶h̶l̶e̶n̶

ABA

essen, aß, gegessen

_____

_____

ABB

schneiden, schnitt, geschnitten

_____

_____

ABC

stehlen, stahl, gestohlen

_____

_____

5 **Ergänzen Sie die Formen. In welche Spalte gehört das Partizip II?**

A	B	A	B	C
lesen	las	*gelesen*	_____	_____
gewinnen	gewann	_____	_____	*gewonnen*
bleiben	blieb	_____	_____	_____
_____	sprach	_____	_____	_____
_____	trug	_____	_____	_____
_____	nahm	_____	_____	_____
_____	traf	_____	_____	_____

> *Ich konnte leider nicht eher kommen, ich musste noch meine Mutter zum Flughafen bringen.*

Bei Modalverben verwendet man meistens das Präteritum als Vergangenheitsform, in formeller Sprache und in der Umgangssprache. Das Perfekt der Modalverben wird selten gebraucht.

Präteritum der Modalverben

!
Im Präteritum kein Umlaut

	können	wollen	müssen	dürfen	sollen
ich	konn**te**	woll**te**	muss**te**	durf**te**	soll**te**
du	konn**te-st**	woll**te-st**	muss**te-st**	durf**te-st**	soll**te-st**
er / es / sie	konn**te**	woll**te**	muss**te**	durf**te**	soll**te**
wir	konn**te-n**	woll**te-n**	muss**te-n**	durf**te-n**	soll**te-n**
ihr	konn**te-t**	woll**te-t**	muss**te-t**	durf**te-t**	soll**te-t**
sie	konn**te-n**	woll**te-n**	muss**te-n**	durf**te-n**	soll**te-n**
Sie	konn**te-n**	woll**te-n**	muss**te-n**	durf**te-n**	soll**te-n**

Modalverben → **43-46**

Präteritum → **55**

Stamm + **te** + Endung

Modalverben im Gespräch
- Warum bist du gestern nicht gekommen? ● Ich **musste** noch ein paar Sachen **erledigen**.
- **Konntest** du das nicht oder **wolltest** du das nicht? ● Na ja, ehrlich gesagt, ich hatte keine Lust.
- Was ist mit Kai? ● Er **sollte** eigentlich heute zu Hause **bleiben**, aber dann ist er doch mitgekommen.
- Theresa sagt, sie **möchte** heute keinen Ausflug machen, schade. ● Echt? Gestern **wollte** sie noch mitkommen. (*möchte* hat keine Vergangenheitsform, stattdessen: *wollte*)

Präteritum ⟷ Perfekt der Modalverben

Modalverb ohne Infinitiv → **43**

Präteritum:				
Ich	**konnte**	gestern nicht	**kommen**.	

Modalverb + Verb im Infinitiv

Perfekt:				können
Ich	habe	gestern nicht	**kommen** ~~gekonnt~~.	
Er	hat	den Film nicht	**sehen**	**wollen**.

das Modalverb steht im Infinitiv, nicht im Partizip II („doppelter Infinitiv")
Position des Modalverbs: am Satzende

Präteritum:			
Er	**konnte**	das wirklich gut!	

nur Modalverb (das andere Verb ist implizit)

Perfekt:			
Er	**hat**	das wirklich gut	**gekonnt**!
Sie	**hat**	das sicher nicht	**gewollt**.

wenn nur das Modalverb steht: Partizip II im Perfekt

1 **Wie sagt man meistens?**

1. Er hat heute nicht ins Schwimmbad gehen wollen.

   Er wollte heute nicht ins Schwimmbad gehen .

2. Die Kinder haben nicht länger aufbleiben dürfen, es war schon nach 22 Uhr.

3. Nach meiner Operation habe ich besonders viel spazieren gehen sollen.

4. Gestern Abend war ich zu müde, ich habe den Film nicht mehr zu Ende sehen können.

5. Zum Glück hat sie das gestern nicht mehr machen müssen.

2 **Schwierigkeiten beim Filmfestival. Ergänzen Sie die Modalverben im Präteritum. Nicht alle passen.**

● Warst du letzte Woche auch beim Filmfestival?

● Ja, aber ich ___*konnte*___ nur einen einzigen Abend hingehen.

  Den Rest der Woche habe ich keine Zeit.

dürfen • ~~können~~ • können • müssen • sollen • wollen

● Welchen Film hast du denn gesehen?

● Enzo und ich _____1 „Die Hochzeit" sehen, aber es gab keine Karten mehr. Zum

  Glück _____2 wir dann noch in die Spätvorstellung von „Berlin, Berlin" gehen.

● Ja, das ist immer schwierig mit den Karten. Wir _____3 auch jeden Tag lange anstehen.

3 **Fähigkeiten und Wünsche. Benutzen Sie ein passendes Modalverb.**

● Kannst du gut Französisch sprechen?   ● Nein, das habe ich noch nie ___*gekonnt*___ .

● Warum bist du eigentlich nicht verheiratet?   ● Heiraten? Nein, das habe ich nie _____1 .

● Warum singst du nicht mit?   ● Ach, weißt du, laut singen, das habe ich noch nie _____2 .

● Wie hoch ist die Mehrwertsteuer?   ● Uh, Kopfrechnen – das habe ich noch nie _____3 .

4 **Wie man es macht, ist es verkehrt! Benutzen Sie ein passendes Modalverb im Perfekt / Präteritum.**

1. Ich habe einen Kuchen gebacken, aber sie *hat ihn nicht essen wollen. / ..., aber sie wollte ihn nicht essen.*

2. Ich habe einen Kaffee gekocht, aber sie _____

3. Ich habe ihr ein Buch mitgebracht, aber sie _____

4. Gestern habe ich einen Film ausgesucht, aber sie _____

5 ***dürfen, müssen, können?* Ergänzen Sie im Präteritum.**

● Meine Kindheit habe ich auf dem Land verbracht. Da war Vieles einfacher. Wir ___*durften*___ frei auf den

  Wiesen herumlaufen. In der Stadt ist der Verkehr heute zu gefährlich. Allerdings _____1

  wir auch sehr früh aufstehen und einen weiten Weg zur Schule gehen. Es gab keinen Bus, wir

  _____2 alles zu Fuß gehen!

● _____3 ihr nicht mit dem Fahrrad fahren?

● Nein, wir hatten keine Fahrräder, das _____4 sich meine Eltern nicht leisten.

6 **Wie war das bei Ihnen? Sprechen Sie mit Ihrem Partner / Ihrer Partnerin.**

Zum Beispiel: zu Fuß gehen, mit dem Bus fahren, Schuluniform tragen, am Nachmittag andere Kinder besuchen,

in der Schule zu Mittag essen, Spielzeug mit in die Schule bringen, immer pünktlich sein, …

Hanna war sauer. Sie hatte zwei Stunden auf Matti gewartet.

Das Plusquamperfekt wird benutzt, wenn ein Ereignis in der Vergangenheit **vor** einem anderen Ereignis in der Vergangenheit stattgefunden hat.

Plusquamperfekt

①	② Verb	Satzmitte	Satzende
	Präteritum von *haben* oder *sein*		Partizip II
Matti	**hatte**	sich	**verfahren.**
Wahrscheinlich	**war**	er wieder mal zu spät	**losgefahren.**
Vielleicht	**hatte**	er auch noch etwas	erledigen **müssen.**

Präteritum

Er **kam** um 19 Uhr **an**.
Hanna **fühlte** sich verletzt.
Wir **waren** gestern Abend sehr müde.
2019 **fuhren** wir in den Ferien in die Türkei.

Perfekt → 52-54, 56

Plusquamperfekt
(Das ist vorher passiert.)

Seine Freundin **hatte** lange **gewartet**.
Das **hatte** er nicht **gewollt**.
Wir **hatten** den ganzen Tag im Garten **gearbeitet**.
Wir **hatten** das ganze Jahr dafür **gespart**.

1 **Was ist vorher passiert? Wählen Sie ein passendes Verb und formulieren Sie im Plusquamperfekt.**

1. Ihre Augen waren rot und geschwollen. *Sie hatte geweint.*

2. Er machte sofort die Tür auf. Er …

3. Ich gab ihr das Buch zurück. Ich …

4. Die Pflanzen sahen wieder frisch aus. Jemand …

5. Ein leckerer Kuchen stand auf dem Tisch. Tante Eva …

6. Ihr Koffer stand noch im Flur. Sie …

> schnell lesen •
> ~~weinen~~ •
> gießen •
> jemanden erwarten •
> vor einer Stunde
> ankommen • backen •
> etwas ansehen • packen

2 **Befragung. Geben Sie eine passende Antwort.**

1. ● Warum sind Sie am Abend des 20. November zu Frau Bohle gefahren?

   ● *Sie hatte mich eingeladen.*

2. Warum nahmen Sie nicht Ihr eigenes Auto?

3. Warum brachten Sie die Geheimpläne aus dem Büro mit?

4. Warum sind Sie um 23 Uhr plötzlich gegangen?

5. Warum kamen Sie erst um 1 Uhr früh an Ihrem Haus an?

> ~~sie – mich / einladen~~ •
> mein Mann / nach
> Hause kommen •
> sich verfahren •
> darum bitten: Frau Bohle
> – mich • Auto leihen:
> meinem Bruder

3 **Eine Einladung: Die Gäste kommen gleich.**

1. Guido deckte sorgfältig den Tisch. Zuerst die Gläser, die

   hatte er *schon am Morgen gewaschen.* | schon am Morgen ~~waschen~~

2. Dann die Servietten, die _____ | passend zur Tischdecke kaufen

3. Dann das Besteck, das _____ | mit einem Silbertuch putzen

4. Dann das Salz und den Pfeffer, beides _____ | füllen

5. Dann die Teller mit den Brötchen, die _____ | am Morgen backen

6. Dann den Salat, den _____ | erst im letzten Moment mischen

7. Zuletzt die Würstchen, die _____ | kurz vorher warm machen

4 **Ein Geburtstag. Ergänzen Sie die Verben, entweder im Präteritum oder im Plusquamperfekt.**

Wir damals in Mexiko. Unser Sohn noch sehr klein. Am 16. Oktober | ~~wohnen~~, sein

wir seinen dritten Geburtstag. Die Nacht vorher es recht kalt und wir die | feiern, sein, müssen

Heizung anstellen. Gleich zum Frühstück es einen Kuchen mit drei Kerzen | geben

darauf; den Kuchen ich noch in der Nacht vorher. Ben sehr über alles: | backen, sich freuen

die Dekoration, die Lampions, die Girlanden – mein Mann und ich alles | aufhängen

um Mitternacht. Die beiden Pakete von den Großeltern er nun endlich | dürfen

aufmachen – sie schon eine Woche früher und die ganze Zeit oben auf | ankommen, liegen

dem Schrank. Was war nur drin? Ben das Papier schnell – tatsächlich | aufmachen

er in einem Paket ein Auto mit Fernbedienung: Das er sich schon lange! | finden, wünschen

Die Omi mal wieder den Kinderwunsch und genau das Richtige! | erraten, schicken

Wir wohnten damals in Mexiko. Unser Sohn …

> *Wir werden die Steuern senken, die Kriminalität bekämpfen und die Umwelt schützen! Wir werden alles besser machen!*

Das Futur wird im Deutschen vor allem gebraucht, wenn man einen **Plan**, ein **Versprechen** oder eine **Prognose** in der Zukunft ausdrückt.

Wenn man ein **Geschehen** in der Zukunft beschreibt, benutzt man meist das Präsens mit einer Temporalangabe.

Futur I: *werden* + Infinitiv

①	② werden	Satzmitte		Satzende: Infinitiv	
Wir	**werden**	alles	besser	**machen!**	Versprechen
Ich	**werde**	bald	mit der Arbeit	**anfangen.**	Plan
Morgen	**wird**	das Wetter	schön	**(werden).**	Prognose
Sie	**wird**	bestimmt		**kommen.**	Vermutung, Beruhigung
Du	**wirst**	noch	viel	lernen **müssen.**	Modalverb ganz am Ende!

Temporalangaben Gegenwart und Zukunft → **61**

> Für zukünftige Geschehnisse benutzt man im Deutschen meist das Präsens mit einer Temporalangabe.

Zukünftiges: Präsens + Temporalangabe

Morgen gibt es ein Konzert in der Philharmonie.   zukünftige Geschehnisse
Wir fahren **im Sommer** in die Schweiz.
Er beginnt **nächstes Jahr** mit dem Studium.

Weitere Verwendungen von *werden*

Lass uns zurückgehen, es **wird** schon dunkel.   *werden* + Adjektiv: Zustandsänderung
Samira studiert Medizin, sie **wird** Kinderärztin.   *werden* + Nomen: Änderung der Rolle

Positionen von *werden* im Satz

①	②	Satzmitte	Satzende
Ich	**werde**	das morgen früh gleich	**erledigen.**
Langsam	**werde**	ich wieder	**wach.**
Sie	**wird**		**Ärztin.**
Was	**willst**	du	**werden?**

werden	
ich	werde
du	**wirst**
er / es / sie	**wird**
wir	werden
ihr	werdet
sie	werden
Sie	werden

1 **Versprechen**

finden • haben • ~~kritisieren~~ • kümmern • liegen lassen • machen • sein • waschen

Lieber Tobias, bitte verzeih mir, ich ___*werde*___ dich nicht mehr dauernd ___*kritisieren*___ . In Zukunft

_____ ich viel geduldiger _____ 1 , alle deine Sachen auf dem Schreibtisch

_____ 2 und vielleicht _____ ich auch ab und zu deine Wäsche _____ 3 .

Ich verspreche dir: Wir _____ sicher Kompromisse _____ 4 und ein tolles gemeinsames

Leben _____ 5 . Aber ich habe eine Bedingung: Ab heute _____ du dich um das Essen

_____ 6 und alle Einkäufe _____ 7 . Dann wird alles gut.

2 **Vermutung oder Realität?**

	Vermutung Prognose	zukünftige Realität
1. Das Wetter wird morgen bestimmt besser werden!	✗	
2. Ich werde noch eine Weile daran arbeiten müssen.		
3. In einem Jahr bin ich mit der Schule fertig. Dann studiere ich.		
4. Nun mach dir mal keine Sorgen, das wird schon gut gehen!		
5. Nächste Woche kommt mein Bruder zu Besuch.		

3 **Sonst …! Beschreiben Sie, was passieren kann.**

~~zu spät kommen~~ • zu anstrengend sein • dunkel werden • einschlafen • sich Sorgen machen • zu lang sein

1. Wir müssen jetzt wirklich gehen, *sonst kommen wir zu spät!* _____

2. Ich muss dringend einen Kaffee trinken, *sonst* _____

3. Ruf doch deine Großeltern mal wieder an, *sonst* _____

4. Fahr vorsichtig und mach mal eine Pause, *sonst* _____ (die Fahrt)

4 **Eine Wahlrede. Sie sind Präsidentschaftskandidat. Was versprechen Sie?**

verbessern • schaffen • erhöhen • bauen • senken • abschaffen • ausbauen • helfen • ankurbeln

Beispiel: _*Wählen Sie mich: Ich werde*_
*sofort die Steuern senken …*

Straßen • die Eisenbahn • die Renten • die Wirtschaft • die Entwicklungsländer • mehr Gleichberechtigung • die Steuern • die Schulen • die Benzinpreise

5 **Eine Schulklasse: Was sie werden wollten – was sie geworden sind.**

1. _*Paul wollte Lokführer werden, aber er ist Lehrer geworden.*_

2. Iris _____

3. Katherina _____

4. Markus _____

Beamter / Beamtin • Politiker / -in • Arzt / Ärztin • ~~Lokführer / -in~~ • Filmstar • Verkäufer / -in • ~~Lehrer / -in~~ • Fußballer / -in

6 **Und Sie? Fragen Sie verschiedene Partnerinnen und Partner im Kurs: Was wollten Sie werden –**

und was sind Sie geworden?

Das Team hat heute leider nicht gut gespielt.

Verben in der Satzklammer: Präsens und Präteritum

①	②		Satzmitte	Satzende	
Der Zug	**fährt**		gleich	**ab.**	Trennbares Präfix
Das	**kann**	man sich	nicht	**vorstellen.**	Infinitiv
Ich	**gehe**		jetzt	**spazieren.**	Infinitiv
Wir	**machen**		alles besser.		
Morgen	**fahren**	wir	nach Hause.		

Verben in der Satzklammer: Perfekt und Plusquamperfekt

①	②		Satzmitte	Satzende	
Der Zug	**ist**	gerade		**abgefahren.**	Partizip II
Ich	**bin**	heute Vormittag		**spazieren gegangen.**	Infinitiv + Partizip II
Das	**hatte**	man sich	vorher nicht	**vorstellen können.**	Infinitiv + Modalverb

Verben in der Satzklammer: Futur I

①	②	Satzmitte	Satzende	
Wir	**werden**	alles besser	**machen.**	Infinitiv
Leider	**wird**	es so bald keinen Frieden	**geben.**	Infinitiv

Temporaladverbien → **61, 62**
Modaladverbien → **49**
Lokaladverbien → **37, 38**
Adverbiale Adjektive → **48**
Negation → **18, 19**

Manchmal stehen Temporal-
adverbien direkt beim
Nomen:
Die Zeit damals war nicht
einfach.
Das Fest gestern war sehr
nett!

Adverbien in der Satzmitte

①	②		Satzmitte					Satzende
		Subj.	Temporaladv.	Modaladv.	Lokaladv.	Negation	Adv. Adj.	
Das Team	**hat**		heute	leider		nicht	gut	**gespielt.**
Damals	**war**	das Leben			hier	nicht	so hektisch.	
Mit wem	**hast**	du	heute				so lange	**telefoniert?**

Subj. = Subjekt, Temporaladv. = Temporaladverb, Modaladv. = Modaladverb, Lokaladv. = Lokaladverb,
Adv. Adj. + Adverbiales Adjektiv

1 **Kein guter Tag! Unterstreichen Sie die Satzklammer.**

Schon vor dem Frühstück <u>hatte</u> Frau Miri sich sehr <u>geärgert</u> . Die Zeitung hatte wieder einmal nicht vor der Tür gelegen, sie hatte die Kinder kaum aufwecken können und dann war auch noch die Milch für den Kaffee übergekocht. Kaum hatte sich Frau Miri an den Frühstückstisch gesetzt, da rief ihr Chef an: „Sie müssen heute dringend nach Gießen fahren, Frau Miri! Die Filiale dort ist einfach nicht effizient genug. Die werden noch die ganze Firma ruinieren! So kann es nicht weitergehen!" Frau Miri konnte nicht „nein" sagen, es war schließlich ihr Chef. Aber nun musste sie jemanden für die Kinder finden, ihrer Freundin absagen und zum Yoga konnte sie abends auch nicht gehen. Kein guter Tag!

2 **Was passt?**

<u>1. Heute habe ich endlich</u>	5. Wo ist nur die Zeit	a. kümmern	e. kommen
2. Sie wollte gestern	6. Das hatte niemand	b. verhindern können	f. fertig machen
3. Ich werde mich darum	7. Kriege wird man nicht	c. aufgeräumt	g. spazieren gegangen
4. Ich wollte das so gerne	8. Bist du hier auch immer	d. geblieben	h. vorhersehen können

1c: Heute habe ich endlich aufgeräumt.

3 **2020 und danach. Formen Sie die Sätze um.**

1. Vor 2020 hatte sich niemand eine Pandemie vorgestellt. (können; Plusquamperfekt)

   Vor 2020 hatte sich niemand eine Pandemie vorstellen können.

2. Plötzlich blieben alle Leute zu Hause. (müssen; Präteritum)

3. Viele Menschen kehrten vorzeitig aus dem Urlaub zurück. (müssen; Präteritum)

4. Eine endgültige Lösung des Problems kann man nur schwer finden. (werden; Futur)

4 **Ergänzen Sie die Adverbien.**

1. Ich kann zu dir kommen. (heute, nicht mehr, leider) *Ich kann heute leider nicht mehr zu dir kommen.*

   Oder: *Leider kann ich heute nicht mehr zu dir kommen. / Heute kann ich leider nicht mehr zu dir kommen.*

2. Das hast du gemacht. (sehr gut, wirklich) _____

3. Das Spiel findet statt. (nicht, heute, bestimmt) _____

4. Er gibt das Buch zurück. (heute Nachmittag, wahrscheinlich, dort) _____

5 **Kommst du auf das Fest morgen Abend? Fragen Sie Ihren Partner / Ihre Partnerin.**

   Fragen Sie im Präsens oder im Perfekt.

auf das Fest gehen • *Gehst du auf das Fest morgen Abend? Bist du gestern Abend auf das Fest gegangen?*

   • *Nein, da habe ich keine Zeit. / Ja, dazu habe ich große Lust!*

(ins Konzert gehen, den Unfall sehen, die Fernsehsendung ansehen, den Streit miterleben)

Temporalangaben

Im Deutschen verwendet man für die Zukunft sehr oft einfach Temporalangaben mit Verb im Präsens: **Morgen** komme ich. **Nächste Woche** rufe ich dich an.

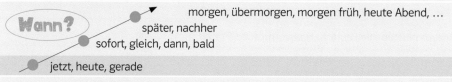 **Wann?**

morgen, übermorgen, morgen früh, heute Abend, …	Zeitpunkt in der Zukunft
später, nachher	
sofort, gleich, dann, bald	
jetzt, heute, gerade	Gegenwart

Deutscher Standard: *heute früh, morgen früh*. Österreichischer Standard: *heute in der Früh, morgen in der Früh*

Futur → 59

Weitere Temporalangaben: Zukunft

in einer Minute, in fünf Minuten, …; in einer Stunde, in drei Stunden, …
in drei Tagen, in acht Tagen (= in einer Woche), …
in einer Woche, in drei Wochen; in einem Monat; in einem Jahr
diese Woche; nächste Woche, nächsten Monat, nächstes Jahr (Akkusativ)

präziser Zeitpunkt

vager Zeitpunkt

Das sagt man oft:
● Toni, kommst du **jetzt**? ● Ja, ja, ich komm' **gleich**! **In einer Woche** ist schon Weihnachten!
Wir sehen uns **heute Abend**! Wir fahren **nächstes Jahr** nach Portugal in Urlaub.

Positionen im Satz

①	②		Satzmitte	Satzende
Morgen	haben	wir	leider keinen freien Termin.	
Sie	können	**aber**	nächste Woche Montag	kommen.
Ich	kann	**heute Abend**	leider nicht	kommen.

Temporalangaben stehen auf Position 1 oder in der Satzmitte, meistens **vor** den anderen Adverbien und der Negation.

1 **Nein, jetzt nicht! Finden Sie die passende Temporalangabe.**

gerade • gleich • in einem Monat • ~~jetzt~~ • jetzt morgen • nächstes Jahr • nachher • ~~später~~ •

1. ● Mathilde, kommst du schnell mal her?

  ● Nein, ___*jetzt*___ geht es gerade nicht, ich komme ___*später.*___

2. ● Tarek, wir müssen jetzt wirklich los!

  ● Ja, ja, ich komme _____!

3. ● Haben Sie einen Moment Zeit?

  ● Nein, jetzt passt es gerade nicht, können Sie _____ nochmal anrufen?

4. ● Kannst du nachher mal den Wasserhahn reparieren?

  ● Tut mir leid, heute schaffe ich das nicht mehr, aber _____ mache ich es bestimmt!

5. ● Papa, spielst du mit mir? Nein, _____ nicht, ich lese _____.

2 **Die Karriere. Ergänzen Sie die passenden Temporalangaben.**

2006: Abteilungsleiter
2010: Geschäftsführer
2022: eigener Betrieb

Also, meine Karriere habe ich genau geplant. ___*In einem Jahr*___ will ich

Abteilungsleiter sein, _____ _1_ Geschäftsführer, und

_____ _2_ will ich meinen eigenen Betrieb gründen.

3 **Du hast ja keine Ahnung!**

Was sagst du? Ich habe ein ruhiges Leben? Du hast ja keine Ahnung,

mein Lieber! Es ist jetzt 12 Uhr Mittag und

___*in zehn Minuten*___ kommt Herr Willeke, mit dem

muss ich über den neuen Praktikanten reden.

_____ _1_ muss ich dann zum Chef, eine

Besprechung. _____ _2_ gibt es einen

Empfang im Rathaus, da muss ich auch hingehen.

Und _____ _3_ geht es gleich wieder weiter,

da ist ein Arbeitsfrühstück. So, jetzt muss ich

aufhören, _____ _4_ kommt Herr Willeke. Tschüs!

Montag
12.00 Anruf Kai
12.10 Besuch Willeke
13.00 Besprechung
14.00 …
Abend: Empfang im Rathaus
Nicht vergessen:
Dienstag: Arbeitsfrühstück

4 **Setzen Sie die Temporalangabe an die passende Stelle im Mittelfeld.**

1. Ich kann leider nicht zur Arbeit kommen. (morgen)

  Ich kann morgen leider nicht zur Arbeit kommen. / Ich kann leider morgen nicht zur Arbeit kommen.

2. Fahrt ihr wieder an die Ostsee? (im Sommer)? _____

3. Ich ruf dich zurück, ich kann nicht telefonieren (gleich, gerade). _____

4. Wir treffen uns mit Timo in der Stadt. (morgen früh). _____

5 **Schreiben Sie die Sätze neu und beginnen Sie mit der Temporalangabe.**

1. Er will mich <u>nächste Woche</u> besuchen, das passt mir gar nicht.

  Nächste Woche will er mich besuchen, … _____

2. Wir machen <u>dieses Wochenende</u> endlich den Ausflug nach Brandenburg.

3. ● Ich koche <u>nachher</u>. ● Oh super, ich komme <u>dann</u> zu Besuch.

> Schau mal, das war 1930. Damals hatten noch nicht so viele Leute ein Auto, darum sind die Straßen so leer.

Zeiträume und Zeitpunkte in der Vergangenheit und Gegenwart

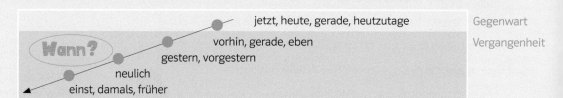

Das sagt man oft:

- ● Wo ist nur Melanie? ● Die muss schon da sein, ich habe sie **eben** (**gerade**) gesehen. (vor ein paar Minuten)
- ● Wann ruft denn Malte an? ● Der hat doch **vorhin** angerufen. (vor ein paar Stunden)

Neulich habe ich Paul, meinen alten Freund, wiedergetroffen. (vor einigen Tagen / Wochen)

Wir hatten es nicht einfach, aber das Leben war **damals** nicht so hektisch wie heute. (zu der Zeit, vor langer Zeit)

Hier wohnten **einst** arme Bauern. Vor 150 Jahren kam dann die Industrialisierung. (vor langer Zeit)

Früher haben die Menschen noch miteinander geredet – **heute / heutzutage** sitzen sie meistens vor dem Computer und schauen auf ihre Handys.

> Märchen beginnen sehr oft mit der Formel: **Es war einmal** ein alter König / ein kleines Kind …

da – nun

Sie las ein spannendes Buch. **Da** klingelte das Telefon.	in dem Moment
● Was machen wir **nun (jetzt)**? ● **Nun (Jetzt)** räum erst mal auf!	als Nächstes

Dauer und Frequenz

 **Wie lange?**   **Dauer**

ewig – immer, stets   lang(e)   schnell, kurz

immer wieder – dauernd – meist / meistens – oft / öfter(s) – manchmal – selten – nie

Wie oft?    **Frequenz**

Das sagt man oft:

Wir haben uns ja **ewig** nicht gesehen!

Die Ostsee ist wunderschön – wir fahren **immer wieder** hin!

Mach doch nicht **dauernd** so einen Lärm!

1 **Was passt zusammen?**

1. Heutzutage fahren alle mit dem Auto.

2. Frau Markovic ist sicher hier.

3. Gestern hatte ich einen schlechten Tag.

4. Ich wollte gerade das Essen servieren.

a. Ich habe sie gerade auf dem Flur gesehen.   __1d__

b. Heute fühle ich mich viel besser.   _____

c. Da klingelte plötzlich das Telefon.   _____

d. Früher sind wir viel mehr zu Fuß gegangen.   _____

2 **Setzen Sie die Temporalangaben ein. Nicht alle passen.**

damals • eben • einst • gestern Abend • gleich • jetzt • neulich

Du, Tina, weißt du, was mir passiert ist? ___Neulich___ hab ich beim Joggen eine alte Schulfreundin getroffen,

sie heißt Mira. Das war total nett! Wir haben _____ _1_ die Handynummern ausgetauscht und

_____ _2_ haben wir uns getroffen. Das war lustig – die Schulzeit war echt komisch.

_____ _3_ wollte ich noch Lehrerin werden, und sie wollte nach Australien auswandern!

_____ _4_ wohnt sie ganz in der Nähe von mir und hat eine eigene Firma. Ich habe mir

_____ _5_ ihre Webseite angesehen, sieht toll aus!

3 **Setzen Sie die Temporalangaben ein. Nicht alle passen.**

1. Ich bin in Eile – mach bitte ___schnell___ !

2. Ich kann nicht warten, das dauert mir zu _____.

3. Hier stand _____ das Denkmal – plötzlich ist es weg!

4. Ich liebe dieses Lied – ich höre es _____ an!

5. ● Gehst du oft ins Kino?

   ● Nein, ich habe wenig Zeit, ich gehe leider nur _____.

immer • immer wieder • lange • nie • schnell • selten • vorhin

4 **Klagen. Welche Temporalangaben passen? Manchmal gibt es mehrere Möglichkeiten.**

Nichts klappt! ___Immer___ muss ich auf den Bus warten, _____ _1_ kommt er. Mein Auto

ist _____ _2_ kaputt. Die Werkstatt braucht _____ _3_ für jede Reparatur. Ich habe

viel zu viel Arbeit – und die Wochenenden sind viel zu _____ _4_ . Meine Kinder sehe ich nur

_____ _5_ , meine Geschwister sehe ich _____ _6_ . Zum Glück habe ich eine gute

Freundin – aber die hat auch _____ _7_ keine Zeit. Ich rufe sie _____ _8_ an, aber sie ist

nur _____ _9_ da. Was mache ich nur falsch?

5 **Was war früher besser – was ist heute besser? Schreiben Sie fünf Dinge auf.**

Beispiel: *Früher war die Kommunikation schwierig – es gab kein Internet, kein Handy, keine E-Mails. Heute ist das*

besser, man kann immer in Kontakt sein.

6 **Was machen Sie oft / manchmal / selten / nie ? Fragen Sie Ihren Partner / Ihre Partnerin oder schreiben Sie.**

Beispiel: *Ich gehe oft spazieren, aber ich jogge nie.*

(im Internet surfen, Filme ansehen, ins Kino gehen, ins Theater gehen, einkaufen, lesen, über Politik diskutieren,

Musik hören, aufräumen, Computerspiele spielen, …)

> *Vor dem Test bin ich immer sehr nervös. Während des Tests wird es dann aber schnell besser!*

WANN? Mit temporalen Präpositionen gibt man an, **wann** etwas passiert.

Temporale Präpositionen mit Dativ

vor	**Vor dem Test** bin ich oft nervös.	ich bin jetzt nervös, der Test findet später statt
bei	Ich werde **beim Sport** immer sehr müde.	etwas passiert gleichzeitig: ich mache Sport und werde dabei müde
nach	Ich gehe **nach der Arbeit** noch einkaufen.	die Arbeit ist schon vorbei, jetzt gehe ich einkaufen
zwischen	**Zwischen 9 Uhr und 11 Uhr** habe ich noch keine Termine.	Intervall

> *bei + dem → beim*; wenn das Ereignis näher definiert oder betont wird: *bei + dem*: Bei dem Essen mit Herrn Sokolowski war ich nicht dabei. Bei **dem** Spiel mache ich nicht mit.

vor	**Vor einem Jahr** habe ich Abitur gemacht.	Zeitpunkt in der Vergangenheit
in	**In zwei Stunden** bin ich fertig.	Zeitpunkt in der Zukunft

an / am	**am Dienstag, am Vormittag, am Abend, am Wochenende, am 20. 12., an einem schönen Sommertag, ...**	Wochentage, Tageszeiten, Datum
in / im	**im Januar, im Sommer, im 5. Jahrhundert, im Sommersemester, in diesem Monat, ...**	Monate, Jahreszeiten, Jahrhunderte, Zeiträume

> *an / in + dem → am, im*; wenn das Ereignis näher definiert oder betont wird: *an / in + dem*: an **dem** Abend (kann ich nicht); in dem Sommer, in dem es so trocken war ...

Uhrzeit → 94

Datum → 95

Temporale Präpositionen mit Akkusativ

um	**um halb fünf, um 23 Uhr, um diese Uhrzeit** kommt sie immer nach Hause, ...	Uhrzeit
gegen	Ich komme **gegen drei Uhr**.	kurz vor dem Zeitpunkt

> ❗ *gegen* wird ohne Artikel gebraucht.

Temporale Präpositionen mit Genitiv

während	**Während des Krieges** gab es große Not.	gleichzeitig

> *während* wird informell öfters mit Dativ verwendet: *während dem Essen*

① **Schulsorgen. Ergänzen Sie die Präpositionen mit dem Artikel im richtigen Kasus.**

___Vor der Schule___ bin ich meistens sehr im Stress – ich bin immer zu spät und | vor (Schule)

muss noch schnell die Hausaufgaben machen. _____1 | während (Unterricht)

kann ich mich nie konzentrieren. Trotzdem bin ich _____2 | nach (Schule)

immer völlig k.o. Erst _____3 werde ich richtig wach. | an (Nachmittag)

Abends kommt mein Vater nach Hause. _____4 will er immer | bei (Abendessen)

über meine Hausaufgaben mit mir sprechen. Darum träume ich _____5 | in (Nacht)

oft schlecht. _____6 geht dann alles wieder von vorne los. | an (Morgen)

② **Ergänzen Sie die Präpositionen und Artikel (wo nötig). Achten Sie auf Genus und Kasus.**

In meiner Jugend war alles viel strenger: ___Vor dem___ Mittagessen haben wir gebetet.

_____1 Essen mussten wir still sein. _____2 Nachmittag

mussten wir zuerst unsere Hausaufgaben machen. Erst kurz _____3

Abendessen durften wir etwas spielen. _____4 Mittag- und Abendessen gab es nichts zu essen.

Ich durfte _____5 Abend nie lange wach bleiben. Manchmal habe ich _____6

Nacht heimlich noch ein Buch gelesen, aber das durften meine Eltern nicht wissen!

> zwischen •
> in • an • an •
> bei • ~~vor~~ • vor

③ **Vergangenheit. Ergänzen Sie.**

1. Vor ___30 Jahren gab es keine Handys.___ (30 Jahre) Heute haben die meisten Menschen ein Handy.

2. Vor _____ (100 Jahre) Heute haben viele Menschen ein eigenes Auto.

3. Vor _____ (150 Jahre) Heute haben alle Städte elektrischen Strom.

4. Vor _____ (100 Jahre) Jetzt reisen viele Menschen mit dem Flugzeug.

④ **Schöne neue Welt? Was sind Ihre Prognosen für die Zukunft?**

1. Heutzutage fahren wir noch selbst Auto. ___In 10 Jahren fahren die Autos vielleicht automatisch.___

Oder: ___In ... werden wir auch noch selbst Auto fahren.___

2. Viele Menschen nutzen heute soziale Medien auf dem Handy oder Computer.

_____

3. Die USA und China dominieren heute die Weltpolitik.

_____

4. Heute lesen die Leute noch Bücher.

_____

⑤ **Sitten und Gebräuche. Wie ist das bei Ihnen? Fragen und antworten Sie.**

Beispiel: *In Deutschland sind die Geschäfte am Sonntag geschlossen. Wie ist das bei Ihnen? – Bei uns ...*

	Deutschland	Ihr Land
1. Geschäfte geschlossen: Sonntag		
2. Keine Schule: Samstag und Sonntag		
3. Die meisten Kinder: Nachmittag frei		
4. Es ist kalt und es liegt öfters Schnee: Winter		
5. Die meisten Leute haben Urlaub: Sommer		

Hi Mira, alles klar bei dir? Seit gestern bin ich in Berlin – bis Sonntag! Hast du Zeit? Schreib mir doch 😄 , ciao, Jule

Temporale Präpositionen

ab	**Ab morgen** scheint die Sonne! In Deutschland ist man **ab dem achtzehnten Lebensjahr** volljährig.	Beginn
seit	**Seit gestern** bin ich in Berlin. **Seit einer Woche** bin ich krank.	Vergangenheit bis jetzt
bis	Ich warte noch **bis Montag. Bis jetzt** hat er noch nicht angerufen. **Bis nächste Woche** bin ich damit fertig.	Endpunkt
bis zu	Sie war **bis zum** Schluss aufgeregt. Es sind noch drei Wochen **bis zu** meinem Geburtstag.	Endpunkt

bis steht immer ohne Artikel, *bis zu* kann mit Artikel stehen: Warte bis zum Ende!

von – bis (zu)	Ich arbeite **von** neun **bis** fünf Uhr. Sie wanderten **von** morgens **bis zum** Sonnenuntergang.

Temporaladverbien

Tage und Tageszeiten

morgens, mittags, abends, … montags, dienstags, …	Ich bin **morgens** immer so müde. **Abends** lese ich ein Buch. **Montags** gehe ich schwimmen, **freitags** spiele ich Tennis.	immer am Morgen, … immer am Abend immer am Montag, …

seitdem, vorher, zuerst – danach / dann

seitdem / seither	Vor drei Wochen fuhr er los. **Seitdem / Seither** hat er sich nicht gemeldet.	seit 3 Wochen
vorher	● Gehen wir einkaufen? ● Gleich, ich muss **vorher** noch telefonieren.	vor dem Einkaufen
zuerst – danach / dann	**Zuerst** fahren wir in die Schweiz, **danach / dann** besuchen wir unsere Freunde in Italien.	nach der Fahrt in die Schweiz

schon, noch, erst

schon	● Brauchst du noch lange? ● Nein, ich bin **schon** fertig.	schneller als erwartet
noch	Haben Sie **noch** einen Moment Zeit? Ich möchte gerne **noch** etwas mit Ihnen besprechen.	etwas dauert länger als erwartet, zusätzlich
erst	Das Konzert findet **erst morgen** statt!	später als erwartet

1 **Was passt?**

1. Seit fünf Tagen   3. Bis jetzt   a. sind es noch 10 Tage.   c. soll das Wetter besser werden.

2. Ab nächster Woche   4. Bis zu den Ferien   b. bin ich krank.   d. habe ich nichts davon gehört.

_1b_   _____   _____   _____

2 **Ordnen Sie und schreiben Sie die Sätze. Achten Sie auf die Wortstellung.**

1. in drei Tagen   3. seit drei Tagen   a. ich habe angerufen   c. ich bin richtig im Stress

2. noch drei Tage   4. vor drei Tagen   b. ich bleibe   d. das muss fertig sein

1d: In drei Tagen muss das fertig sein. _____

3 **Die Großmutter erzählt. Ergänzen Sie. Nicht alle Ausdrücke passen.**

ab • bis • bis zum • dann / danach • noch • schon • seit • seitdem • vorher • zuerst

Meine Kindheit war eigentlich ganz glücklich. Wir sind viel umgezogen – ____seitdem____ bin ich neugierig

auf neue Orte und Menschen. _____ 1 ist es natürlich anstrengend, wenn man in der Schule

neu ist, aber _____ 2 ist es auch sehr spannend. Meine Schwester mochte das aber gar

nicht. Ich hör sie noch: Müssen wir denn jetzt _____ 3 wieder umziehen? Ich habe mich doch

_____ 4 gar nicht an diesen Ort gewöhnt! Sie hatte natürlich recht – es dauerte nie lange

_____ 5 nächsten Umzug. _____ 6 ihrer Kindheit ist sie darum auch nie wieder

umgezogen! Das kann ich auch verstehen.

4 **Antworten Sie.**

1. Wann wollen Sie mit dem Studium anfangen? (Wintersemester) _Ab dem Wintersemester._ _____

2. Wie lange leben Sie schon hier? (drei Jahre) _____

3. Wann genau arbeitest du morgen? (8 h – 17 h) _____

4. Hat Frau Siefert immer noch nicht angerufen? _____

5 *bis* **oder** *bis zu***? Ergänzen Sie mit oder ohne Artikel.**

1. Ich bleibe noch ___bis zum___ Wochenende.   3. Mach's gut und _____ morgen!

2. Ich habe noch _____ heute Abend Zeit.   4. Schrecklich – es sind noch sechs Wochen _____

                                               Ferien!

6 **Immer die Chefin. Setzen Sie** *schon, noch* **oder** *erst* **an die richtige Stelle.**

● Ah, Herr Mihailovic, gut, dass ich Sie sehe. Sie wollen doch nicht gehen?

● Nein, nein, Frau Sanchez, ich gehe immer um 6 Uhr nach Hause.

● Sehr gut. Wie steht es denn mit dem Vertrag mit der Firma Zettel? Haben Sie den entworfen?

● Nein, das tut mir leid, das habe ich nicht geschafft.

● Haben Sie mit Frau Kummer gesprochen?

● Nein, das Treffen mit Frau Kummer ist morgen.

● Na gut, dann arbeiten Sie ein bisschen, ich gehe jetzt nach Hause.

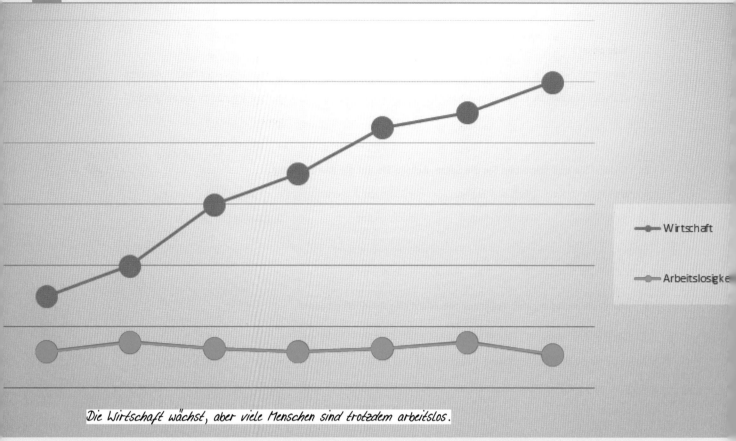

Die Wirtschaft wächst, aber viele Menschen sind trotzdem arbeitslos.

Legend: — Wirtschaft, — Arbeitslosigke[it]

Hauptsatz-Kombinationen

Konjunktionen wie *aber, und, oder* verbinden zwei Sätze. Die Positionen im Satz bleiben gleich.

> *und, aber, denn:* Gleiches Subjekt in Satz 1 und Satz 2 → man kann das Subjekt in Satz 2 weglassen:
> Er ist noch jung, aber schon sehr erfolgreich.

> Mit *sondern* korrigiert man eine Aussage.

und	Dresden ist eine schöne Stadt **und** wir haben uns keine Sekunde gelangweilt.
oder	Kann ich direkt nach Köln fahren **oder** muss ich umsteigen?
aber	Sonntags gehen wir gern spazieren, **aber** bei dem Regen bleiben wir lieber zu Hause.
sondern	Julian ist nicht mein Chef, **sondern** (er ist) mein Kollege!
doch / jedoch	Wir sind in die Schweiz zum Skifahren gefahren, **doch / jedoch** es hat nicht geschneit.
denn	Wir bleiben zu Hause, **denn** der Wetterbericht hat Regen angesagt.
entweder – oder	**Entweder** du kommst gleich mit **oder** wir sehen uns später im Restaurant.
zwar – aber	Er ist **zwar** noch jung, **aber** (er ist) schon sehr erfolgreich.

Die Konjunktionen *sowohl – als auch, sowie* und *weder – noch* verbinden meistens <u>Satzteile</u>.

sowie	Der Club widmet sich dem Sport **sowie** dem Jugendaustausch.
sowohl – als auch	**Sowohl** die Weltbank **als auch** die EU fördern Entwicklungsprojekte.
weder – noch	Zum Rock-Konzert? Dazu habe ich **weder** Lust **noch** Zeit.

Positionen im Satz

	Hauptsatz				Hauptsatz		
①	② Verb	Satzmitte	Satzende	①	② Verb	Satzmitte	Satzende
Sie	hatte	sich sehr	beeilt,	**denn**	sie	wollte	nicht zu spät	kommen.
Zuerst	ging	er nach Hause,		**und**	dann	fuhr	er noch mal	weg.

Die Konjunktionen stehen zwischen den Sätzen – auf „Position Null".

1 **Was passt zusammen?**

1. Ein Rat an die Eltern: Nicht jammern,

a. und im Studio geht es hektisch zu.　　*1b*

2. Frauen haben heute bessere Chancen als früher,

b. sondern mit den Kindern reden!　　_____

3. Die Live-Sendung beginnt gleich,

c. aber in den wichtigen Positionen sind
sie immer noch eine Minderheit.　　_____

2 **Wählen Sie die richtige Satzverbindung (Konjunktion).**

aber • denn • doch • oder • und • sowohl – als auch • sondern • weder – noch • entweder – oder • (auch mehrmals)

1. Sie kamen etwas zu spät an, ___*denn*___ der Zug hatte einen Defekt.

2. Komm schnell runter _____ bring bitte den Schirm mit. Es regnet in Strömen!

3. ● Möchten Sie den Kaffee mit Milch _____ nehmen Sie Zucker? ● Am liebsten beides.

4. ● Kommst du mit spazieren? ● Ich komme gern mit, _____ ich kann nicht lange bleiben, ich habe
noch zu tun.

5. In diesem Buch gefallen mir _____ die Texte _____ die Bilder.

6. ● Siehst du gern spannende Filme? ● Nein, mir gefallen _____ Horrorfilme _____ Krimis.

7. Du musst dich jetzt entscheiden: _____ du kommst mit _____ du bleibst zu Hause
_____ wartest auf seinen Anruf.

8. Jahrelang war Krieg, _____ nun gibt es wieder Hoffnung.

9. Leider hat sie mich nicht angerufen, _____ sie hat mir nur einen Zettel geschrieben. Darum habe ich
den Termin verpasst!

3 **Ein Reisetagebuch. Juan schreibt während seines Skiurlaubs ein Reisetagebuch. Es passieren viele
unerwartete Dinge. Beenden Sie den Tagebuchtext und verwenden Sie möglichst viele Konjunktionen.**

Zermatt, 27. 2. 2020
Also, dieses Jahr mal ein Experiment: Wir sind mit der ganzen Familie in den Ski-Urlaub gefahren, ___*aber*___
dieses Mal nicht mit dem Auto – ___*sondern*___ mit dem Zug und dem Bus!!! Mit dem Auto war es zu gefährlich,
___*denn*___ die Straßen waren vereist. ...

_____

_____

_____

_____

_____

_____

_____

_____

nicht mit dem Auto (fahren) • Straßen waren vereist • mit Zug und Bus fahren •
es gab nicht genug Schnee • hier bleiben? nach Hause fahren? •
am dritten Tag geschneit • Ski fahren / Snowboard fahren •
am nächsten Tag Schlitten fahren: es regnete • also nicht rausgehen, im Hotel bleiben •
dort gab es auch ein Schwimmbad • es gibt einen Supermarkt und eine Bäckerei in der Nähe •
es gibt keine Bücherei, es gibt kein Kino; das WLAN (Internet) funktioniert nicht gut

Seit Wochen ist hier eine Baustelle. Deshalb kann sie sich nicht auf ihre Arbeit konzentrieren.

Textadverbien

<u>Seit Wochen ist hier eine Baustelle.</u> **Deshalb** kann sie sich nicht auf ihre Arbeit konzentrieren.

Textadverbien verbinden Textteile. Sie geben eine logische Beziehung an.

deshalb / deswegen darum daher	Ich habe noch eine Verabredung. Morgen sind die Geschäfte zu. Er hatte eine schwere Erkältung. Der Kurs war zu voll. Grund	**Deshalb** muss ich jetzt leider gehen. **Deswegen** muss ich schnell noch einkaufen fahren. **Darum** konnte er gestern nicht kommen. Wir mussten ihn **daher** teilen. Konsequenz
nämlich	Ich muss schnell etwas einkaufen. Konsequenz	Morgen sind die Geschäfte **nämlich** zu. Grund
also	Frau Metz hatte gestern frei. Feststellung	Sie konnte **also** an der Sitzung nicht teilnehmen. logische Folgerung
trotzdem	Das Wetter ist regnerisch. Feststellung	**Trotzdem** fahren wir jetzt an die Nordsee! Konsequenz ist anders als erwartet
sonst	Wir müssen uns jetzt anstrengen, Feststellung (Notwendigkeit)	**sonst** schaffen wir das nicht! negative Alternative

Positionen im Satz

①	②	Satzmitte			Satzende
Das Wetter	ist				schlecht.
Trotzdem	fahren	wir	morgen	vielleicht an die Nordsee.	
Dort	treffen	wir	**nämlich**	meine Familie.	
Es	ist	ein weiter Weg,			
wir	fahren	**darum** schon sehr früh			los.

Textadverbien stehen oft auf Position 1, manchmal in der Satzmitte; *nämlich* steht immer in der Satzmitte.

(1) **Was passt? Schreiben Sie die Sätze auf, die zusammengehören.**

1. Goethe war Geheimrat am Hof von Weimar.

2. Heinrich Heine musste aus Deutschland fliehen.

   Berthold Brecht war überzeugter Marxist.

4. Georg Büchner starb sehr jung.

5. „Die Blechtrommel" von Günter Grass war

   ein literarischer Welterfolg.

a. Trotzdem hinterließ er ein umfangreiches Werk.

b. Er arbeitete daher in der DDR, nicht in Westdeutschland.

c. Darum bekam er 1999 den Literaturnobelpreis.

d. Deshalb hatte er keine finanziellen Sorgen.

e. Er hatte nämlich die politischen Zustände kritisiert.

1d: Goethe war Geheimrat am Hof von Weimar. Deshalb hatte er keine finanziellen Sorgen.

---

(2) **Das müssen wir vermeiden! Formulieren Sie mit *sonst*.**

1. Max, kannst du mir bitte helfen? Ich schaffe das nicht mehr. *Max, kannst du mir bitte helfen, ich schaffe das*

   sonst nicht mehr.   Oder: *... sonst schaffe ich das nicht mehr.*

2. Geh bitte jetzt einkaufen. Die Läden sind schon zu. _____

   _____

3. Schick das Paket heute ab. Es kommt nicht rechtzeitig zum Geburtstag an. _____

   _____

4. Bleib nicht so lange in der Sonne liegen. Du bekommst einen Sonnenbrand. _____

   _____

---

(3) **Schreiben Sie die Satzverbindungen mit *nämlich, trotzdem, sonst* oder *also*.**

1. Bitte beeil dich! Wir kommen zu spät.   *Bitte beeil dich, sonst kommen wir zu spät.*

2. Der Zug war schon abgefahren. Ich konnte nicht kommen.

3. Wir müssen heute ins Kino gehen. Wir sehen den Film nicht mehr.

4. Ich hole dich gerne ab – ich bin sowieso in der Gegend. Es ist kein Problem!

5. Ich habe einen schrecklichen Schnupfen. Ich gehe zur Arbeit, denn es gibt so viel zu tun!

6. Bitte schau genau auf die Landkarte. Wir verfahren uns.

7. Dieses Rezept ist sehr kompliziert. Ich probiere es aus, es sieht sehr interessant aus.

8. Ich bin nicht baden gegangen. Das Schwimmbad war total überfüllt.

---

(4) **Schreiben Sie diesen Text neu. Benutzen Sie *deshalb (deswegen), nämlich, also* oder *trotzdem*.**

   Achten Sie auf die logischen Beziehungen und die Wortstellung.

Liebe Carmen,

seit einigen Wochen bin ich endlich mit der Schule fertig. Ich bin nicht so richtig glücklich, ich muss mich für ein

Studienfach entscheiden. Seit Tagen durchsuche ich die Webseiten aller möglichen Unis. Es hilft nichts: Ich kann

mich nicht entscheiden! Vielleicht studiere ich auch gar nicht. Die Universitäten sind so anonym. Außerdem gibt

es viel zu viele Studierende – man findet nach dem Studium nicht unbedingt einen guten Arbeitsplatz. Meine

Freunde gehen alle an die Universität. Hast du nicht einen Rat?

Alles Liebe, dein Philipp

Nebensätze

In Nebensätzen steht das Verb am Ende:
Ich glaube: Wir **schaffen** das. → Ich glaube, **dass** wir das **schaffen**.

Nebensätze beginnen meist mit einer Subjunktion: **dass, ob . . .**

dass-Sätze

Ich glaube, **dass** wir das **schaffen**.	Ein *dass*-Satz folgt meist auf ein Verb des Sagens, Denkens, Wünschens oder Bedauerns.
Er hat gesagt, **dass** er dich morgen **anruft**.	
Bist du sicher, **dass** du keinen Hunger **hast**?	

ob-Sätze

Sie fragt, **ob** er heute noch **kommt**.	Ein *ob*-Satz folgt meist auf ein Verb des Fragens, des Zweifelns oder Nicht-Wissens.
Ich weiß nicht, **ob** er **kommt**.	
Sie überlegen, **ob** sie heute zusammen **kochen**.	
Ich bin mir nicht sicher, **ob** das eine gute Idee **ist**!	

Positionen im Satz

Nebensatz-Klammer

Hauptsatz	Subjunktion	Subjekt Satzmitte	Satzende: Verb	
Ich weiß,	**dass**	ihr bald	**kommt.**	konjugiertes Verb am Ende
Er glaubt,	**dass**	sie sehr gern	**einkauft.**	trennbare Verben: Präfix + Verb
Ich weiß nicht,	**ob**	ich dich	besuchen **kann.**	Infinitiv + Modalverb
Ich glaube nicht,	**dass**	er	angerufen **hat.**	Perfekt: Partizip II + *haben*
Weißt du,	**ob**	sie nach Hamburg	gefahren **ist?**	Perfekt: Partizip II + *sein*

1 Formulieren Sie anders.

1. Ich glaube, er ist zu Hause. → *Ich glaube, dass er zu Hause ist.*

2. Er meint, wir machen das falsch. → _____

3. Frau Docht behauptet, sie kann die Zukunft sehen. → _____

4. Er vermutet, seine Freundin ist allein in Urlaub gefahren. → _____

2 Was meinen Sie? Verwenden Sie *dass* oder *ob*.

1. Tortillas schmecken wunderbar. *Ich finde, dass Tortillas wunderbar schmecken.*

2. Rauchen ist ungesund. _____

3. Klappt das noch? _____

4. Sollen wir das wirklich tun? _____

> ich frage mich
> ich finde
> ich weiß
> ich weiß nicht
> ich habe keine Ahnung

3 *dass* oder *ob*?

Ich wünsche nur, ___*dass*___ ich bald meinen Traumpartner finde! Dabei ist es mir besonders wichtig,

___1 er ähnliche Interessen hat wie ich. Ich werde ihn natürlich sofort fragen, ___2 er

auch so gern Musik hört wie ich. Es ist auch wichtig für mich, ___3 mein Lebenspartner Kinder

mag. Mir ist es aber ziemlich egal, ___4 er viel verdient oder nicht. ___5 er eine ähnliche

Ausbildung hat wie ich, finde ich allerdings wieder wichtig. Ich weiß nicht, ___6 ich das alles in einer

einzigen Person finden kann.

4 Was steht heute in der Zeitung? Formulieren Sie mit *ob* oder *dass*.

1. Heute fliegt die Bundeskanzlerin zu Gesprächen in die Türkei.

   Die „Süddeutsche" schreibt, dass die Bundeskanzlerin heute zu Gesprächen in die Türkei fliegt.

2. Sollen wir den Mindestlohn erhöhen? *Die „taz" (Tageszeitung) …*

3. Der Bundestag debattierte über die Steuerreform.

4. In Osteuropa lernen viele Menschen Deutsch.

> berichten
> schreiben
> melden
> fragen

„Süddeutsche" „Die Zeit" „Die Welt" „taz"

5 Das ist aber schade!

1. Ich muss jetzt gehen. *Schade, dass du schon gehen musst!*

2. Er hat den Termin verpasst.

3. Deine Schwester kann doch nicht kommen.

4. Ich habe meinen Freund gestern in der Mensa nicht gesehen.

> Zu dumm, dass …
> Komisch, dass …
> Schade, dass …
> Tut mir leid, dass …

6 Bist du sicher, dass du das gemacht hast? Fragen Sie und antworten Sie mit *dass* und *ob*.

1. den Ausweis einstecken ● *Bist du sicher, dass du den Ausweis eingesteckt hast?*

   ● *Ich weiß nicht genau, ob ich ihn eingesteckt habe.*

(2. Sara am Morgen anrufen, 3. die Ergebnisse in die Datenbank eintragen, 4. die Blumen gießen)

> Können Sie mir sagen, wo das Zimmer von Frau Milic ist?

Nebensätze mit Fragewörtern: *wann, wo, wer, wie ...*

Nach Verben des Sagens, Fragens oder Wissens können Nebensätze mit Fragewort stehen.

direkte Frage		Nebensatz mit Fragewort
Wann kommt sie?	→	Ich weiß nicht, **wann** sie **kommt**.
Wo kann ich mich anmelden?	→	Können Sie mir sagen, **wo** ich mich anmelden **kann**?
Wie macht man das?	→	Kann ich kurz fragen, **wie** man das **macht**?
Mit wem kommt er zur Party?	→	Weißt du, **mit wem** er zur Party **kommt**?
Welchen Kurs soll ich besuchen?	→	Er überlegt, **welchen** Kurs er besuchen **soll**.

Das sagt man oft:

- Wo ist Tom denn schon wieder?
- Wissen Sie, **wie** spät es ist?
- Worüber lachen denn die Leute?
- Was – der Kuchen ist ja schon aufgegessen!
- Ich suche eine Jacke.

- Keine Ahnung, **wo** er ist.
- Ja, Viertel nach drei.
- Ich weiß auch nicht, **worüber** die lachen.
- Ja, ich weiß auch nicht, **wer** das war!
- Sehr gerne, **was für eine** Jacke suchen Sie denn genau?

Präpositionaladverbien
(worüber ...) → 42

Positionen im Satz

Nebensatz-Klammer

Hauptsatz	Fragewort	Satzmitte		Satzende
		Subjekt		
Können Sie mir sagen,	**wo**	das Zimmer von Frau Milic		**ist?**
Ich weiß auch nicht,	**wie**	er	das	gemacht **hat.**
Weißt du,	**mit wem**	er	zu dem Fest	kommen **will?**
Er hatte keine Ahnung,	**worüber**	die Leute		**lachten.**
Ich weiß auch nicht,	**warum**	das so		**ist.**

(1) Eine Schauspielerin bekommt eine neue Rolle. Ihr Agent stellt Fragen an den Regisseur. Formulieren Sie die Fragen mit Nebensätzen.

1. *Sie möchte wissen, was für ein Theaterstück das genau ist.* | (Was für ein ~~Theaterstück~~ ist das?)

2. *Sie fragt, ...* | (Wie viele Lieder muss ich singen?)

3. *Außerdem ist es für sie wichtig, ...* | (Wer ist mein Partner?)

4. *Sagen Sie uns bitte, ...* | (Wann beginnen die Proben?)

5. *Und schließlich möchte sie auch wissen, ...* | (Wie hoch ist die Gage?)

(2) Rajiv ist neu in Bern. Er will alles über die Schweiz wissen. Schreiben Sie auf, was er fragt. Beginnen Sie mit: „Sag mal ... / weißt du ... / ... ."

1. *Sag mal, Alex, kannst du mir sagen, wie viele Einwohner die Schweiz hat?*

2. *Sag mir doch noch einmal, wie ...*

(1. ~~Wie viele Einwohner hat die Schweiz?~~ 2. Wie heißt der höchste Berg? 3. Welches ist der längste Tunnel? 4. Wer war Wilhelm Tell genau? 5. Seit wann gibt es eigentlich das Frauenwahlrecht bei euch? 6. Warum spricht man in der Schweiz meistens Dialekt?)

(3) Monika hat einen neuen Job. Sie bekommt ein Formular zum Ausfüllen. Sie ärgert sich darüber.

1. *Warum wollen die denn wissen, wie mein Vater heißt?*

2. *Was geht die das an, wo ...*

3. *Warum muss ich sagen, ...*

4.

5.

~~Name des Vaters~~
Wohnort in den letzten 5 Jahren
Ehepartner
Zahl der Kinder
meine letzte Arbeitsstelle

(4) Carla und Alex sind ein Paar – aber sie kennen sich noch nicht gut. Formulieren Sie die Fragen mit Nebensätzen. Formulieren Sie die Fragen mit Fragewörtern.

1. *Sag mir, ob du mich liebst!* | (~~Liebst du mich?~~)

2. *Erzähl mir, ...* | (Bist du Vegetarier / Vegetarierin?)

3. *Ich frage mich, ...* | (Was ist dir wichtig im Leben?)

4. *Hast du schon eine Ahnung, ...* | (Was willst du später mal beruflich machen?)

5. *Lass uns mal darüber reden, ...* | (Fahren wir zusammen in Urlaub?)

(5) Nachfragen. Robin versteht seine Mutter schlecht. Spielen Sie den Dialog.

Robin hört nicht gut oder möchte nicht hören. Er fragt immer nach. Will er nur Zeit gewinnen?

● Mutter: Hast du schon Tante Elvi angerufen? ● Robin: *Ob ich schon Tante Elvi angerufen habe? Klar.*

● Mutter: Wann kommst du heute nach Hause? ● Robin: *Wann ...*

Fahren Sie fort: Wo hast du eigentlich Mariam kennengelernt? Hast du schon eine neue Arbeit gefunden? Wann räumst du eigentlich mal dein Zimmer auf? Kannst du auf dem Rückweg noch Eier und Milch mitbringen? Ist der Müll schon draußen? Warum erzählst du mir nie etwas?

Genau, da ist es! Das ist das Bild, das mir so gut gefällt! Toll, oder?

Relativsätze

Relativsätze definieren oder erklären ein Nomen, manchmal auch ganze Sätze. Sie beginnen mit einem Relativpronomen.

Da vorne ist der **Lehrer, der** mit uns den Ausflug macht. Das ist **das Bild, das** mir so gut gefällt. Wir suchen **eine Mitbewohnerin, die** ordentlich, flexibel und nett ist.	Genus (*der, das, die*) und Numerus (Singular / Plural) von Relativpronomen und Nomen im Hauptsatz sind gleich.
Wo ist der Mann, **den** du im Café **gesehen hast**? Sind das die Leute, **denen** du die Bilder **gezeigt hast**? Dort drüben ist die Schule, **an der** ich Abitur **gemacht habe**. Oder: Das ist die Schule, **wo** ich Abitur **gemacht habe**.	Das Verb im Relativsatz bestimmt den Kasus: *sehen* + Akkusativ: der Mann, **den** du **gesehen hast** *zeigen* + Dativ: die Leute, **denen** du die Bilder **gezeigt hast**
Das ist alles, **was** ich dir sagen wollte. Er ist sehr früh gekommen, **was** mich sehr gefreut hat.	Das Relativpronomen *was* bezieht sich auf Pronomen (*alles, vieles* …) oder ganze Sätze.

Deklination des Relativpronomens

> Das Relativpronomen im Genitiv steht immer mit einem anderen Nomen: Das ist der Lehrer, **dessen Klasse** dieses tolle Projekt macht. (= seine Klasse macht dieses tolle Projekt)

Possessivartikel → 15

	maskulin	neutral	feminin	Plural
Nominativ	der	das	die	die
Akkusativ	den	das	die	die
Dativ	dem	dem	der	**denen**
Genitiv	**dessen**	**dessen**	**deren**	**deren**

Positionen im Satz

Positionen im Satz → 80

Nebensatz-Klammer

	Relativpronomen	Satzmitte	Satzende: Verb	
Das ist das **Bild**,	**das**	mir so gut	**gefällt**.	
Das ist **die Studentin**,	**mit der**	ich das Referat	halten **muss**.	
Der **Vortrag**,	**den**	sie gestern	gehalten **hat**,	war sehr spannend.

Relativsätze stehen normalerweise direkt hinter dem Nomen, auf das sie sich beziehen.

1 Drücken Sie den Relativsatz als Hauptsatz aus.

1. Im Flur hängt ein Bild, auf dem man die ganze Familie sehen kann.

   Im Flur hängt ein Bild. Auf dem Bild kann man die ganze Familie sehen.

2. Der Aufstieg auf den Vulkan ist eine Herausforderung, die man akzeptieren muss.

3. Mir gefallen die großen Fenster, aus denen man eine so schöne Aussicht hat.

4. Gehen Sie doch zu der Ärztin, deren Praxis hier in der Nähe ist.

2 Ergänzen Sie das Relativpronomen.

1. Es gibt junge Leute, ___*die*___ gar nicht von zu Hause ausziehen wollen.

2. Ein Lexikon enthält alles, _____ man wissen muss.

3. Das Goethe-Zertifikat B1 ist eine Prüfung, _____ die Fähigkeit zur Kommunikation in

   Alltagssituationen prüft.

4. Für viele Deutsche ist der Hund ein Freund, _____ ihnen die Familie ersetzt und _____

   _____ sie sich wie mit einem Menschen unterhalten.

3 Definitionen. Schreiben Sie Relativsätze mit diesen Elementen.

1. Tisch	1. *Ein Tisch ist ein Möbelstück, an dem man schreibt und isst.*	
2. Stuhl	Instrument	
3. Klavier	Transportmittel	
4. U-Bahn	Zimmer	
5. Bett	Möbelstück	
6. Bad		

musizieren • sitzen • schlafen •
schreiben • essen • zur Arbeit fahren •
sich waschen …

4 Schau mal, meine alte Schule! Schreiben Sie die passenden Relativpronomen in die Lücken.

Das ist die Schule, ___*in die*___ ich als Kind gegangen bin. Da drüben, da wohnte der Hausmeister,

_____ 1 uns immer die Getränke verkauft hat. Und da unten links, das ist die Klasse, _____ 2 ich

gegangen bin. Ich frage mich, ob die Lehrerin noch hier ist, _____ 3 ich Schreiben gelernt habe, oder der

Bio-Lehrer, _____ 4 wir immer geärgert haben? Da vorn, das ist das Schultor, _____ 5 wir jeden

Tag in die Schule gegangen sind. Das ist alles schon sehr lange her!

5 Superlative. Bilden Sie Relativsätze.

1. ein gutes Buch lesen   *Das ist das beste Buch, das ich je gelesen habe!*

2. einen spannenden Film sehen   _____

3. eine weite Reise machen   _____

4. einen tollen Job bekommen   _____

6 Formulieren Sie die Eigenschaften in Relativsätzen.

Harald sucht eine Frau, ___*die gut aussieht,*___ | (sie sieht gut aus)

_____ | (sie hat auch Sinn für Humor)

_____ | (man kann mit ihr schöne Reisen machen)

Und Julie sucht einen Mann, ___*der gut aussieht,*___ | (er sieht gut aus) …

> *Ich kann morgen leider doch nicht mitkommen, weil meine Katze krank ist.*

Kausale Nebensätze

Kausale Nebensätze beginnen mit den Subjunktionen *weil* oder *da*. Sie nennen den Grund für die Information im Hauptsatz.

> Nebensätze mit *da* stehen meist vor dem Hauptsatz. Sie enthalten Informationen, die schon bekannt sind. Nebensätze mit *da* kommen vor allem in schriftlichen / formellen Kontexten vor.

		Grund:
weil	Wir haben heute früher frei,	**weil** unsere Lehrerin krank ist.
	Ich musste schnell nach Hause,	**weil** meine Kinder auf mich gewartet haben.
	Grund:	
da	**Da** sein Vater Diplomat war,	musste er oft die Schule wechseln.

Positionen im Satz

> Mündlich und informell ist die Wortstellung nach *weil* oft anders: Ich bin gestern doch nicht mehr gekommen, weil – ich war sehr müde.

	Hauptsatz			Nebensatz		
①	② Verb	Satzmitte	Satzende	Subjunktion	Satzmitte	Satzende
Das Klima	**erwärmt sich,**				**weil**	der CO_2-Ausstoß	**zunimmt.**
Wir	**konnten**	Ihren Antrag nicht	**bearbeiten,**	**da**	er nicht vollständig	**war.**

Der Nebensatz steht vorn:

Nebensatz			Hauptsatz			
Subjunktion	Satzmitte	Satzende	② Verb	Subjekt Satzmitte		Satzende
Da	sein Vater Diplomat	**war,**	**musste**	er	oft die Schule	**wechseln.**
Weil	er sehr neugierig	**war,**	**lernte**	er überall schnell neue Freunde		**kennen.**

Der Nebensatz steht auf Position 1.

→ Das Verb steht auf Position 2, nach dem Komma. Das Subjekt steht meist direkt nach dem Verb.

1 Was passt zusammen?

1. Melanie kann heute nicht zum Sport gehen,   a. weil er das Buch fertig lesen will.

2. Yunus bleibt in seinem Zimmer,   b. weil sie sich verletzt hat.

3. Nele kommt nicht mit in die Kneipe,   c. weil er eine wichtige Besprechung hat.

4. Die Kinder haben ständig Hunger,   d. weil sie sich langweilt.

5. Herr Kattowitz ist sehr in Eile,   e. weil sie unterrichten muss.

6. Natalia spielt immer mit ihrem Handy,   f. weil sie sich so viel bewegen.

1b, e   _____   _____   _____   _____   _____

2 So viele Fragen! So viele Antworten!

1. ● Warum bist du gestern so spät nach Hause gekommen?

   ● *Weil ich mit Freunden im Club war.* | (Ich ~~war mit Freunden im Club~~.)

2. ● Warum ist denn das Auto noch nicht fertig? ● … | (Auch die Bremsen sind kaputt.)

3. ● Warum wohnst du immer noch bei deinen Eltern? ● … | (Ich habe kein Geld für eine eigene Wohnung.)

4. ● Warum bist du nie online? ● … | (Ich mag die sozialen Medien nicht.)

5. ● Warum demonstrieren die Leute hier? ● … | (Sie haben ihre Arbeit verloren.)

3 Warum ist das so?

1. Herr Andres muss zum Arzt. Er hat heftige Schmerzen.

   Da Herr Andres heftige Schmerzen hat, muss er zum Arzt.

2. Der Arzt muss ihn operieren. Sein Blinddarm ist entzündet.

   _____

3. Basti ist seit einem Jahr Vegetarier. Er findet die Tierhaltung problematisch.

   _____

4. Annette arbeitet in einem Altersheim. Sie findet soziales Engagement wichtig.

   _____

4 Drücken Sie das anders aus.

1. Margot fährt gern in fremde Länder. Denn sie möchte andere Kulturen kennenlernen.

   Margot fährt gern in fremde Länder, weil sie andere Kulturen kennenlernen will.

2. Marc hat oft Fernweh. Denn er langweilt sich zu Hause.

3. Marga fährt dieses Jahr nach Mexiko. Denn die Landschaft dort fasziniert sie.

4. Mariana macht lieber Urlaub zu Hause. Denn Fernreisen schaden der Umwelt.

5 Erzählen Sie Ihrem Partner / Ihrer Partnerin, welche Jahreszeit Sie lieben.

1. Ich liebe den Frühling, weil …   3. Ich liebe den Herbst, weil …

2. Ich liebe den Sommer, weil …   4. Ich liebe den Winter, weil …

Finale Nebensätze

Wir müssen dringend die Kosten senken, damit die Firma kein Defizit macht!

Finale Nebensätze

Finale Nebensätze beginnen mit der Subjunktion *damit* oder haben die Konstruktion *um … zu* + Infinitiv.
Sie geben ein Ziel oder einen Zweck an.

> Trennbare Verben: Präfix + *zu*
> + Verb: aus**zu**machen

		Ziel, Zweck:	
damit	Die Stadt baut neue Radwege,	**damit** mehr Leute mit dem Fahrrad zur Arbeit fahren.	zwei verschiedene Subjekte: <u>Die Stadt</u> – <u>die Leute</u>;
	Er hilft ihr beim Kofferpacken,	**damit** sie den Zug noch bekommt.	<u>er</u> – <u>sie</u>
um … zu + Infinitiv	Ich ruf' nachher an,	**um** einen Termin **auszumachen**.	das Subjekt bleibt gleich: <u>Ich</u> rufe an und mache einen Termin aus.
	Marja hat gestern angerufen,	**um** mir zum Geburtstag **zu gratulieren**.	<u>Marja</u> hat angerufen und sie hat mir gratuliert.

Positionen im Satz

		Nebensatz		
Hauptsatz	Subjunktion	Subjekt	Satzmitte	Satzende
Er hilft ihr,	**damit**	sie	den Zug noch	**bekommt.**
Till organisiert den Haushalt,	**damit**	Teres	in Ruhe	arbeiten **kann.**
Alfredo lernt Deutsch,	**um**		Goethe im Original	lesen **zu können.**
Wir sparen,	**um**		im Sommer nach Rom	**zu fahren.**

Das sagt man oft:

● Warum gehst du schon wieder in die Stadt?   ● **Um einzukaufen.**
● Warum muss ich schon ins Bett?   ● **Damit** du morgen ausgeschlafen bist.

1 **Was passt zusammen?**

1. Pavel steht morgens immer früh auf,

2. Beeil dich bitte,

3. Ich kaufe mir ein Fahrrad,

4. Man sagt, die Deutschen leben,

5. Kochen Sie die Kartoffeln nicht zu lange,

a. um zu arbeiten.

b. um seine Katze zu füttern.

c. damit sie nicht zu weich werden.

d. damit wir nicht zu spät kommen.

e. um damit zur Arbeit zu fahren.

_1b_

_____

_____

_____

_____

2 **Formulieren Sie das Ziel der Handlung mit *um ... zu*.**

1. Ich fahre in den Ferien nach Deutschland. Ich möchte gern mein Deutsch verbessern.

   Ich fahre in den Ferien nach Deutschland, um mein Deutsch zu verbessern.

2. Annette studiert Sprachen. Sie möchte Übersetzerin werden.

3. Matthias fährt um 17 Uhr zum Flughafen. Er holt seine Familie ab.

4. Wir gehen einmal pro Woche schwimmen. Wir möchten fit bleiben.

5. Frau Hansemann fährt in die Stadt. Sie möchte Geburtstagsgeschenke einkaufen.

6. Die Firma hat mir geschrieben. Sie bestätigt meine Bestellung.

3 **Wozu machen die Leute das?**

1. Simon schreibt eine E-Mail,   _damit die Universität ihm das Zeugnis schickt._

   um sich für die Stelle zu bewerben.

2. Natalia arbeitet in den Ferien, ...

3. Alfonso geht ins Theater, ...

4. Michael putzt heute die ganze Wohnung, ...

5. Anna lernt intensiv Portugiesisch, ...

> er will die neue Inszenierung von Brecht sehen • die Speisekarten bereiten ihr im Urlaub kein Problem
> • sich für die Stelle bewerben • er will seine Mitbewohner / innen überraschen •
> sie möchte in Portugal ein Praktikum machen • sie möchte eine Reise machen •
> die Universität soll ihm das Zeugnis schicken • ihre Eltern müssen ihr nicht so viel Geld geben •
> seine Frau kann in Ruhe ihr Projekt fertig machen • seine Eltern fühlen sich wohl

4 **Weshalb machen Sie einen Sprachkurs? Erzählen Sie Ihrem Partner / Ihrer Partnerin.**

- Ich möchte andere Denkweisen kennenlernen.

- Meine beruflichen Möglichkeiten werden dann besser.

1. _Ich gehe in einen Sprachkurs, ..._   • Ich möchte gern etwas mit anderen Leuten tun.

- Meine Schwiegereltern können dann in ihrer Sprache mit mir sprechen.

- Ich möchte auf Youtube die Liedertexte verstehen.

- ...

Wenn das Essen fertig ist, rufe ich dich.

Temporale Nebensätze

wenn: in der Vergangenheit nur bei Ereignissen, die sich wiederholen, sonst **als**

wenn	**Wenn** das Essen fertig ist, Ich kann keine Musik hören, **Wenn** die Ferien kamen, **(= immer wenn)**	rufe ich dich. **wenn** ich arbeite. fuhren wir zu meinen Großeltern.	Zeitpunkt in der Gegenwart oder Zukunft wiederholte Handlungen in der Vergangenheit
als	**Als** ich mit der Arbeit fertig war, Wir haben immer viele Feste gefeiert,	sind wir ins Kino gegangen. **als** wir noch in München wohnten.	Zeitpunkt in der Vergangenhei

während als Präposition → 63

während	Sie geht einkaufen, **Während** die Außenminister tagten,	**während** er putzt. gab es draußen Proteste.	zwei Ereignisse geschehen gleichzeitig
bis	Es sind noch drei Wochen,	**bis** der Urlaub anfängt.	Dauer von jetzt bis zu einem Zeitpunkt ———→

bis, seit, seitdem als Präpositionen → 64

seitdem seit	**Seitdem** er in München wohnt, **Seit** sie nach Berlin gezogen ist,	sehen wir uns wieder öfter. habe ich nichts von ihr gehört.	Dauer von einem Zeitpunkt bis jetzt |——→

Positionen im Satz

① (Nebensatz)			②		Satzmitte	Satzende
Wenn	das Essen	fertig **ist,**	**rufe**		ich dich.	
Als	ich mit der Arbeit	fertig **war,**	**sind**		wir ins Kino	**gegangen.**
Seitdem	er in München	**wohnt,**	**sehen**		wir uns wieder öfter.	

↑ Subjunktion   ↑ Satzende (Nebensatz)

Temporale Nebensätze stehen sehr häufig vor dem Hauptsatz. Dann steht der Nebensatz auf Position 1 des Hauptsatzes. Das Verb des Hauptsatzes folgt direkt danach (nach dem Komma).

1 Was passt zusammen?

1. Während die Kinder im Garten spielten,	a. sprach er fast ausschließlich Spanisch.	1c
2. Während er in Lateinamerika lebte,	b. räumt er schon die Gläser auf.	_____
3. Während der Besuch sich verabschiedet,	c. las die Mutter in Ruhe die Zeitung.	_____
4. Mateo lernt kochen,	d. seit sein Vater ihm ein Kochbuch geschenkt hat.	_____
5. Er hat 2 kg zugenommen,	e. seit er keinen Sport mehr treibt.	_____

2 Das ist immer so!

1. Mirko hat Hunger. Er geht zu einer Imbiss-Bude und kauft sich eine Currywurst.

   Wenn Mirko Hunger hat, geht er zu einer Imbiss-Bude und kauft sich eine Currywurst.

2. Ich habe es eilig, ich nehme das Auto.

3. Meine Mutter ist müde, sie trinkt einen Mate-Tee.

4. Das wörtliche Übersetzen ist schwierig. Es handelt sich um sehr verschiedene Sprachen.

3 Wie kann man das auch anders sagen?

1. Ich kam gestern Nachmittag nach Hause, da waren meine Großeltern schon da.

   Als ich gestern Nachmittag nach Hause kam, waren meine Großeltern schon da.

2. Michael machte 2021 eine Geschäftsreise nach Japan. Er lernte ein wenig Japanisch.

3. Sie verlor ihren Job. Er musste wieder ganztags arbeiten.

4 *als, wenn* oder *wann*?

1. ● Was habt ihr eigentlich gemacht, ___*als*___ ihr in Berlin wart? ● Wir haben Veronika besucht.

2. ● _____ darf ich fernsehen? ● _____ du deine Hausaufgaben gemacht hast.

3. ● _____ hast du Katharina das letzte Mal gesehen? ● Gestern, _____ wir zusammen nach Hause gingen.

4. ● Du spielst sehr gut Klavier. _____ hast du das gelernt? ● Ich habe angefangen, _____ ich sieben war.

5. ● Weißt du, _____ der Film anfängt? ● Nein, ich schau gleich im Internet nach.

6. ● _____ fliegst du nach Amsterdam? ● _____ ich genügend Geld habe.

5 Ergänzen Sie die richtige Subjunktion.   bis • als • seit • ~~während~~ • wenn

1. ● ___*Während*___ du einkaufen gehst, passe ich auf das Baby auf. ● Das ist sehr nett von dir!

2. Wir haben noch eine halbe Stunde Zeit, _____ der Film anfängt.

3. Katia hat nicht geschrieben, _____ sie nach Dresden umgezogen ist.

4. _____ sie zwei Jahre verheiratet waren, bekamen sie ein Kind.

5. Früher mussten die Kinder bei Tisch ruhig sein, _____ die Eltern miteinander sprachen.

6 Was machen Sie, wenn …? Sprechen Sie mit Ihrem Partner / Ihrer Partnerin.

Was machen Sie, wenn Sie traurig sind? …, wenn Sie sehr glücklich sind? …, wenn Ihre Familie plötzlich vor der Tür steht? …, wenn Ihr Chef Sie stark kritisiert? …, wenn …

+49 711 93567891

eingehende Nachricht
Montag 10:02

Hi Bea, kann ich dich schnell anrufen, bevor du losfährst?

Temporale Nebensätze

	A passiert zuerst:	B passiert danach:	
bevor ehe	Sie las jeden Abend ein Kapitel, Putzt euch die Zähne,	**bevor** sie einschlief. **ehe** ihr ins Bett geht!	Das Tempus in Haupt- und Nebensatz ist gleich.
sobald	**Sobald** er kommt, **Sobald** der Regen aufgehört hat,	gehen wir los. fahren wir in die Stadt.	Tempus ist gleich **oder** Tempus im Nebensatz ist <u>vor</u> Tempus im Hauptsatz
nachdem	**Nachdem** du nun das Abitur bestanden hast, **Nachdem** die Regierung die Wahl gewonnen hatte,	kannst du studieren. erhöhte sie die Steuern.	Nebensatz mit *nachdem*: Tempus ist <u>vor</u> dem Tempus im Hauptsatz **Entweder:** Perfekt → Präsens **oder:** Plusquamperfekt → Präteritum

> Mündlich steht oft Perfekt in Haupt- und Nebensatz: Nachdem er nach Hause **gekommen ist, hat** er sofort den Fernseher **angemacht**.

Positionen im Satz

	Hauptsatz			Nebensatz		
①	② Verb	Satzmitte	Satzende	Subjunktion	Satzmitte	Satzende
Die Zuschauer	**gingen,**			ehe	das Stück	zu Ende **war.**
	Ruf	doch	**an,**	bevor	du	**losfährst!**
Ich	**melde**	mich,		sobald	ich	angekommen **bin.**

Nebensatz auf Position 1 → 70

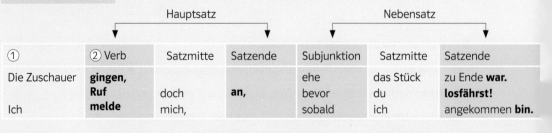

	Nebensatz				Hauptsatz	
Subjunktion	Satzmitte	Satzende	② Verb	Subjekt Satzmitte		Satzende
Sobald	ich fertig	**bin,**	**gehen**	wir		**spazieren.**
Nachdem	sie die Konferenz	beendet **hatte,**	**fuhr**	sie zu ihrem nächsten Termin.		

1 **Was passiert zuerst? Was passiert danach?**

bevor / ehe • bevor / ehe • nachdem • als • sobald

1. Lass uns gleich losgehen, ___*bevor / ehe*___ es wieder anfängt zu regnen.

2. Marga, wir fahren, _____ du fertig bist.

3. Maike war schon gegangen, _____ er anrief.

4. Lena informiert sich immer sehr genau im Internet, _____ sie eine Reise macht.

5. Max plant alles ganz genau, _____ er in den Urlaub fährt.

2 **Annas Morgenrituale. Bilden Sie Nebensätze mit den Subjunktionen.**

als • bevor • nachdem • sobald • während • wenn

1. der Wecker klingelt um 7 Uhr – sie wacht auf

___*Wenn der Wecker um 7 Uhr klingelt, wacht sie auf.*___

2. Yoga machen – duschen

3. im Badezimmer fertig sein – in die Küche gehen

4. frühstücken – schnell Nachrichten auf dem Handy lesen

5. das Haus verlassen – die Katze füttern

3 **Bei Familie Koch (Vater Harry, Mutter Linda, Tochter Sonia) sieht jeder Morgen so aus.**

Formulieren Sie mit Nebensätzen.

1. Wecker klingelt – Linda steht auf / Harry bleibt noch liegen

___*Wenn der Wecker klingelt, steht Linda auf. Harry bleibt noch liegen.*___

2. Linda ist fertig mit Duschen – Harry steht auf

3. Harry hat geduscht – Sonia steht auf

4. Harry zieht sich an – Linda macht Frühstück

5. frühstücken – den Tag besprechen

4 **Was machen Sie zuerst, was danach?**

1. das Picknick einpacken – einen Ausflug machen ___*Bevor ich einen Ausflug mache, packe ich das Picknick ein.*___

(2. jemanden besuchen – jemanden anrufen, 3. anklopfen – hineingehen, 4. das Obst waschen – das Obst essen,

5. einen Vortrag halten – Notizen noch einmal ansehen, 6. nachdenken – reden)

5 **Gleichzeitig oder nacheinander?**

während • während • nachdem • bevor

1. Auto fahren – singen ___*Während ich Auto fahre, singe ich oft.*___

2. Hausaufgaben machen – Radio hören _____

3. eine Reise machen – Geld wechseln _____

4. den Vertrag unterschreiben – das Kleingedruckte lesen _____

6 **Kein guter Tag. Ergänzen Sie die passenden Subjunktionen.**

als • dass • dass • dass • nachdem • ob • ~~weil~~ / da

Gestern bin ich zur Bücherei gegangen, ___*weil / da*___ ich einige Bücher zurückbringen musste.

_____ 1 ich auf das Rückgabedatum im Buch schaute, sah ich, _____ 2 ich den Termin

schon um drei Tage verpasst hatte. Ich erkundigte mich, _____ 3 ich eine Strafgebühr

zahlen muss. Die Bibliothekarin erklärte mir, _____ 4 das leider so ist, und _____ 5

sie ausgerechnet hatte, wie viel ich zahlen musste, merkte ich, _____ 6 ich mein Geld vergessen hatte.

Wenn das so weitergeht, fahren wir wieder nach Hause!

Konditionale Nebensätze

Manchmal schriftlich ohne *wenn*; dann steht das konjugierte Verb auf Position 1: **Tritt** nach drei Tagen keine Besserung **ein**, (dann) konsultieren Sie Ihren Arzt! (= Wenn nach drei Tagen keine Besserung eintritt, konsultieren Sie Ihren Arzt!)

		Bedingung:	Konsequenz:	
wenn		**Wenn** das so weitergeht,	fahren wir wieder nach Hause.	Nebensatz mit *wenn*: Bedingung, Kondition, Hauptsatz: Konsequenz *dann* vor dem Verb: die Konsequenz wird betont
		Wenn er nicht bald kommt,	gehe ich.	
		Wenn er nicht bald kommt,	**dann** gehe ich.	
falls		**Falls** ich etwas anderes höre,	sage ich dir noch Bescheid.	Bedingung ist nicht wahrscheinlich

Positionen im Satz

	Nebensatz			Hauptsatz	
Subjunktion	Satzmitte	Satzende	② Verb	Satzmitte	Satzende
Wenn **Wenn** **Falls**	er nicht bald es morgen noch etwas	**kommt,** **schneit,** **dazwischenkommt,**	**gehen** **fahren** **ruf**	wir allein sie in die Berge. mich bitte unbedingt	**los.** **an.**

	Hauptsatz			Nebensatz	
①	②	Satzmitte	Satzende	Subjunktion	Satzmitte	Satzende
Er Sie	**soll** **will**	mich schnell noch	**anrufen,** **nachkommen,**	**wenn** **falls**	das Fieber sie nicht zu	**steigt.** müde **ist.**

Konditionale Nebensätze mit Konjunktiv → 88, 89

1 **Wann machen Sie das?**

1. Ich gehe zum Arzt,	a. wenn ich eine Erkältung habe.	*1a, c, d, e*
2. Ich gehe ins Krankenhaus,	b. wenn ich nervös bin.	_____
3. Ich trinke Kräutertee,	c. wenn ich eine Grippe habe.	_____
4. Ich gehe zum Zahnarzt,	d. wenn ich mir ein Bein gebrochen habe.	_____
5. Ich bleibe im Bett,	e. wenn ich mich geschnitten habe.	_____
6. Ich nehme ein Pflaster,	f. wenn ich Karies habe.	_____

2 **Wie ist es logisch?**

1. Muskelkater haben

2. nicht schlafen können

3. Haare sind zu lang

4. müde sein

5. viel am Computer arbeiten

6. reisen

> ein Glas Milch trinken
> kalt duschen
> ein heißes Bad nehmen
> Entspannungsübungen machen
> zum Frisör gehen
> die Reiseapotheke mitnehmen

1. *Wenn ich Muskelkater habe,*
   nehme ich ein heißes Bad.

2. *Wenn ich ...*

3 **Bedingungen und Konsequenzen. Formulieren Sie Konditionalsätze.**

1. Dieses Wochenende hat Mirko nicht viel Zeit. Da kann er nicht mit seinen Freunden Fußball spielen.

   Aber wenn Mirko am Wochenende viel Zeit hat, spielt er immer mit seinen Freunden Fußball.

2. Diese Woche ist Imke krank. Sie kann nicht ins Schwimmbad gehen.

   Aber wenn

3. Ich sehe meine Schwester heute nicht. Ich kann ihr leider deine Grüße nicht bestellen.

   Aber wenn

4 **Ergänzen Sie.**

> wenn •
> falls • da • da •
> ~~ob~~ • ob

1. Er hat mir immer noch nicht gesagt, ___*ob*___ er mitkommt oder nicht.

2. Aber _____ er noch rechtzeitig kommt, gehen wir alle zusammen in die Oper.

3. Sie reist oft allein, _____ sie nicht verheiratet ist.

4. _____ sie nicht allein reisen möchte, hat sie dieses Jahr eine Gruppenreise gebucht.

5. Es hängt von meinem Reiseziel ab, _____ ich den Zug oder das Flugzeug nehme.

6. _____ du im Winter wirklich in die Schweiz zum Wintersport fahren willst, musst du bald buchen.

5 **Bedingung oder Konsequenz?**

1. Das Ehepaar Norden spart jeden Monat etwas Geld. Sie wollen in drei Jahren eine längere Reise machen.

   Wenn das Ehepaar Norden jeden Monat etwas Geld spart, können sie in drei Jahren eine längere Reise machen.

2. Herr Norden fährt mit dem Fahrrad in die Arbeit. Er kann sich das Geld für das U-Bahn-Ticket sparen.

3. Die Nordens bauen Kräuter und Gemüse im Garten an. Sie geben weniger Geld im Supermarkt aus.

Obwohl sie sich vor einer Woche verletzt hatte, fuhr sie ein tolles Rennen.

Konzessive Nebensätze

> **!**
> Vergleichen Sie die Bedeutung von *obwohl* und *trotzdem*: Die Kinder haben den ganzen Tag gespielt. **Trotzdem** sind sie nicht müde.

obwohl	**Obwohl** die Kinder den ganzen Tag gespielt haben,	sind sie immer noch nicht müde.	Konsequenz ist anders als erwartet
	Ich habe die Prüfung bestanden,	**obwohl** ich nicht viel gelernt hatte.	

Alternative Nebensätze

> verschiedene Personen: *statt dass*
> dieselbe Person: *statt ... zu* + Infinitiv

(an)statt dass	Er fuhr zu ihr nach Hamburg,	**(an)statt dass** sie nach München kam.	anstelle von A passiert B
statt ... zu	Sie setzt sich in ein Café,	**statt** zur Vorlesung zu gehen.	Eigentlich sollte sie zur Vorlesung gehen, aber ...

Textadverbien → 66

Positionen im Satz

		Hauptsatz			Nebensatz	
①	②	Satzmitte	Satzende	Subjunktion	Satzmitte	Satzende
Er	**streicht**	die Wand noch	**fertig,**	**obwohl**	er schon	müde **ist.**
Sie	**hat**	ihr Geld immer	**gespart,**	**statt**	es für Luxus	**auszugeben.**

	Nebensatz			Hauptsatz	
Subjunktion	Satzmitte	Satzende	② Verb	Satzmitte	Satzende
Obwohl	sie wenig	**schläft,**	**ist**	sie immer sehr fit.	
Statt	faul	**herumzuliegen,**	**kannst**	du mir	**helfen.**

1 *weil* oder *obwohl*? Ergänzen Sie.

Sie wird häufig krank, ...

1. Sie isst viel Obst.   _Sie wird häufig krank, obwohl sie viel Obst isst._
2. Sie ist glücklich verheiratet. _____
3. Sie macht wenig Sport. _____
4. Sie arbeitet viel. _____

2 *weil* oder *obwohl*? Bilden Sie Sätze.

1. Paul – in einem teuren Hotel wohnen – wenig Geld haben

   Paul will in einem teuren Hotel wohnen, obwohl er wenig Geld hat.

2. Mohamed – am Strand joggen – es regnet stark

3. Zeynab – Lehrerin werden – Kindern gerne Dinge erklären

4. Mariam – Diplomatin werden – keine Fremdsprache sprechen

3 Sagen Sie das mit *obwohl* oder *weil*.

1. Es regnet stark. Trotzdem geht Niels spazieren.   _Niels geht spazieren, obwohl es stark regnet._

2. Frau Nieden macht seit zwei Wochen eine Obst-Diät. Trotzdem hat sie noch nicht viel abgenommen.

3. Sie arbeitet gern mit Menschen. Deshalb möchte Theresa eine eigene Praxis als Psychologin aufmachen.

4. Meine Eltern haben vergessen, die Heizung abzustellen. Deshalb ist es nun im Zimmer zu warm.

5. Die Luft in den Städten wird immer schlechter. Trotzdem ziehen immer mehr Menschen dorthin.

4 Formulieren Sie das mit *trotzdem*.

1. Obwohl im Park das Füttern der Tiere verboten ist, geben Lea und Tom den Rehen Nüsse.

   Im Park ist das Füttern der Tiere verboten. Trotzdem geben Lea und Tom den Rehen Nüsse.

2. Obwohl der Zug erst in einer halben Stunde kommt, steht Polly schon ungeduldig auf dem Bahnsteig.

3. Julia ist Malerin geworden, obwohl die Eltern ihren Berufswunsch nicht akzeptierten.

4. Obwohl sie als Malerin nicht viel Geld verdient, ist sie glücklich in ihrem Beruf.

5 Ergänzen Sie die richtige Konjunktion: *obwohl, statt, sobald, dass.*

1. ● Du hast die Gitarre gekauft, ___obwohl___ sie nicht gut klingt?

   ● Ja, sie war billig. _____ 1 ich genug Geld habe, kaufe ich mir eine bessere.

2. ● Du fährst mit dem Auto, _____ 2 du weißt, _____ 3 das der Umwelt schadet?

   ● Ich komme anders leider nicht schnell in die Arbeit. Und du fliegst ja auch in den Urlaub,

   _____ 4 du weißt, _____ 5 das schlecht für das Klima ist.

   ● Stimmt, wir sollten uns umweltfreundlich bewegen, _____ 6 die Umwelt noch mehr zu

   belasten.

6 Beenden Sie die Sätze.

1. Ich möchte in den Ferien lieber wandern, statt ...   (Zum Beispiel:

2. Ich fahre lieber mit dem Zug in Urlaub, ...   am Strand liegen, im Auto im Stau

3. Wenn ich eine Sprache lerne, höre ich lieber zuerst zu, ...   stehen, gleich sprechen, ...)

Raub im Museum!

Und so einfach ging es: Die Täter brachen in das Museum ein, indem sie mit einer Leiter auf das Dach stiegen und ein Fenster aufbrachen. Sie verließen das Museum durch ein anderes Fenster, ohne dass jemand sie bemerkte.

Nebensätze: Instrument

| indem | Ich lerne Wörter, | **indem** ich sie mit einer App täglich wiederhole. |
| dadurch, dass ... | Echt? Ich lerne Wörter **dadurch,** | **dass** ich sie mir in ein Vokabelheft schreibe. |

Nebensätze: Folge; Nicht-Folge

> ! Beide Schreibweisen sind korrekt: *so dass* und *sodass*

so dass / sodass	In meinem Büro ist es immer hektisch,	**so dass** ich mich kaum konzentrieren kann.	Folge
	Vor der Prüfung war ich **so** aufgeregt,	**dass** ich alle Wörter vergessen habe.	
ohne dass	Er legte das müde Kind ins Bett,	**ohne dass** es aufwachte.	Nicht-Folge verschiedene Subjekte: *ohne dass*
ohne ... zu	Sie las das Buch zu Ende,	**ohne** auf die Uhr zu sehen.	Subjekt bleibt gleich: *ohne ... zu* + Infinitiv

Positionen im Satz

	Hauptsatz			Nebensatz		
① ②		Satzmitte	Satzende	Subjunktion	Satzmitte	Satzende
Ihr **habt**		**so** gut	**aufgeräumt,**	**dass**	er gar nichts	gemerkt **hat.**
Sie **brachen**		in das Museum	**ein,**	**indem**	sie auf das Dach	stiegen.
Sie **verließen**		das Museum,		**ohne dass**	jemand sie	bemerkte.

	Nebensatz			Hauptsatz	
Subjunktion	Satzmitte	Satzende	② Verb	Satzmitte	Satzende
Ohne	sich noch einmal	**umzudrehen,**	**verließen**	sie ihr altes Haus.	

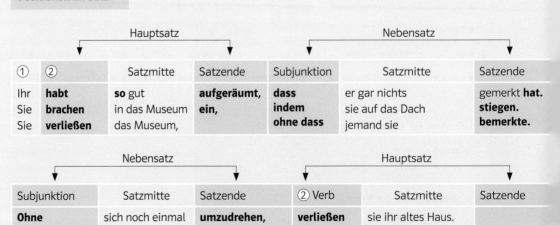

1   Wie macht man das am besten?

1. Man ~~kann Geld~~ sparen,   a. indem man ständig trainiert.   *1c*

2. Man kann ein erfolgreicher Sportler werden,   b. indem man die Lippen rund und spitz macht.   _____

3. Man hilft Kindern am besten,   c. ~~indem man sein Auto selbst~~ repariert.   _____

4. Man kann das „Ü" am besten aussprechen,   d. indem man ihnen hilft, selbstständig zu werden.   _____

2   Welches Adjektiv passt hier?

1. Es regnete so ____*stark*____ , dass sie pitschnass wurde und sich umziehen musste.

2. Der Redner sprach so _____, dass die Zuhörer ihn nicht verstanden.

3. Mein Neffe hatte sich in den letzten Jahren so _____ verändert, dass ich ihn kaum erkannte.

4. Gestern war es so neblig und _____, dass wir keine Lust mehr zum Schwimmen hatten.

3   Konsequenzen. Formulieren Sie mit *so dass*.

1. Tarek behandelt seine Bücher sehr vorsichtig. Sie sehen auch nach Jahren noch wie neu aus.

   Tarek behandelt seine Bücher sehr vorsichtig, so dass sie auch nach Jahren noch wie neu aussehen.

2. Sie hatte sich ausführlich über die Firma informiert. Sie machte bei der Vorstellung einen guten Eindruck.

3. Es regnete tagelang. Die Pflanzen erholten sich endlich wieder.

4. Wir wollten gestern Schlittschuh laufen, aber das Eis taute. Wir konnten nicht mehr auf den See gehen.

4   Formulieren Sie mit *ohne dass* oder *ohne zu*.

1. Er kann sich so eine weite Reise nicht leisten. Er muss lange Zeit dafür sparen.

   Er kann sich so eine weite Reise nicht leisten, ohne lange Zeit dafür zu sparen.

2. Er reist. Er schließt eine Versicherung ab.   *Er reist nie, ...*

3. Ich hoffe, der Camping-Urlaub geht vorüber. Niemand wird krank. (… jemand …)

4. Er besuchte den Deutschkurs. Er fehlte nicht ein einziges Mal.

5   Formulieren Sie anders.

1. Mira ging ohne Gruß an uns vorbei. (grüßen)   *Mira ging an uns vorbei, ohne zu grüßen.*

2. Sara ist ohne eine Verabschiedung nach Hause gegangen. (sich verabschieden)

3. Luc ist weggegangen und hat sein Buch hier vergessen. (mitnehmen)

4. Sie hat ein Foto von mir online gestellt und hat mir nicht Bescheid gesagt.

6   Wie kann man das auch sagen?

1. Man kann durch viel Üben ein Instrument lernen.

   Man kann ein Instrument lernen, indem man viel übt.

2. Am besten pflegt man seine Blumen durch regelmäßiges Gießen.

3. Wir lernen viel über die Welt durch ständiges Fragen.

7   Diskutieren Sie.

Wie lernt man am besten eine Sprache?   *Indem man ... und ...*

Oh, die Wohnung ist viel größer, als ich erwartet hatte!

Nebensätze: Vergleiche

so ... wie	Die Wohnung ist genau **so,**	**wie** es in der Anzeige beschrieben war.	kein Adjektiv oder einfaches Adjektiv:
	Das Buch war wirklich **so spannend,**	**wie** du mir gesagt hattest.	*so ... wie*
	Ich kann nicht **so lang** arbeiten,	**wie** ich gedacht hatte.	Adjektiv im
als	Der Test war leicht**er,**	**als** die Kursteilnehmer erwartet hatten.	Komparativ: *als*
	Das Wetter ist schlecht**er,**	**als** der Wetterbericht vorhergesagt hatte.	
je ... desto umso	**Je mehr** du dich dagegen wehrst,	**desto** schlimm**er** wird es.	*je* + Komparativ *desto* + Komparativ
	Je läng**er** du das hinausschiebst,	**desto** schwer**er** wird es.	wenn der Satz mit *je*
	Die Arbeit dauert **umso** läng**er,**	**je** wenig**er** du dich darauf konzentrierst.	hinten steht: *umso* im ersten Satz
als ob	Es scheint,	**als ob** die Insel unbewohnt ist.	es scheint so zu sein

als ob + Konjunktiv → **89**

Komparativ → **30**

Positionen im Satz

	Hauptsatz			Nebensatz		
①	② Verb	Satzmitte	Satzende	Subjunktion	Satzmitte	Satzende
Das Konzert	war	**so**	schön	**wie**	ich es mir	vorgestellt **hatte.**
Das Problem	ist	viel	größ**er**	**als**	ich erwartet	**hatte.**
Das Spiel	dauert	**umso**	läng**er,**	**je mehr**	Spieler	beteiligt **sind.**

je ... desto

	Nebensatz				Hauptsatz		
Subjunktion	Satzmitte	Satzende			② Verb	Satzmitte	Satzende
Je	läng**er** du das	**hinausschiebst,**		**desto** schwer**er**	wird	es	**werden.**

1 **Was passt?**

1. Je weniger ich zahlen muss, ___1d___   a. desto mehr gebe ich aus.

2. Je länger er spricht, _____   b. desto durstiger wird man.

3. Je mehr Geld ich verdiene, _____   c. desto verwirrter werde ich.

4. Je mehr Salzwasser man trinkt, _____   d. desto besser.

2 **Wie kann man das besser ausdrücken?**

1. Weniger Gift wird in die Flüsse geleitet. Es gibt wieder mehr Fische.

   Je weniger Gift in die Flüsse geleitet wird, desto mehr Fische gibt es.

   oder: Es gibt umso mehr Fische, je weniger Gift in die Flüsse geleitet wird.

2. Die Arbeitslosigkeit steigt weiter. Die Menschen sind verzweifelter.

3. Die Jugendarbeitslosigkeit ist groß. Man braucht mehr soziale Programme.

4. Die Regierung gibt mehr Geld für Rüstung aus. Für Bildung ist weniger Geld übrig.

3 **Formulieren Sie.**

1. du: nett zu mir   ich: glücklich   _Je netter du zu mir bist, desto glücklicher bin ich._

2. kalt draußen   gemütlich drinnen _____

3. man: hoch steigen   Luft wird dünn _____

4 *als* oder *so ... wie*? **Ergänzen Sie.**

1. Für diese Aufgabe habe ich eine Stunde gebraucht. Das ist etwa

   ___so lang___ , ___wie___ ich gedacht hatte.

   anstrengend •
   ~~lang~~ • früh •
   schön • schwer

2. Er hat sich bei dem Sturz den Arm gebrochen. Der Sturz war doch _____, _____ er zuerst

   gedacht hatte.

3. Hier isst man schon um 18 Uhr zu Abend. Das ist _____, _____ ich es gewohnt bin.

4. ● Wie war euer Urlaub in Costa Rica? Ganz herrlich!   ● Genau _____, _____ wir es uns

   gewünscht hatten.

5. ● Wie ist dein neuer Job?   ● Viel Arbeit! Es ist doch _____, _____ ich erwartet hatte.

5 *wie* oder *als*? **Ordnen Sie die Sätze zu.**

1. In Kanada regnet es tatsächlich so viel,   a. _____ du mir versprochen hast.

2. Dieses Restaurant ist doch nicht so gut,   b. _____ das mit meiner alten Kamera möglich war.

3. Der Roman ist so spannend,   c. ___wie___ man allgemein denkt.

4. Mit diesem Handy kann ich viel bessere Fotos machen,   d. _____ wir zuerst befürchtet hatten.

5. Gott sei Dank war der Unfall weniger schlimm,   e. _____ du mir gesagt hast.

6 **Vermutungen. Formulieren Sie mit *als ob*.**

1. Sein Fahrrad steht vor der Tür. Es sieht so aus, _als ob er zu Hause ist._ (er ist zu Hause)

2. Du musst sehr laut zu ihm sprechen. Es scheint, _____ (er hört nicht gut)

3. Was meinst du mit „Das ist ganz gut"? Das klingt so, _____ (du bist nicht sehr zufrieden)

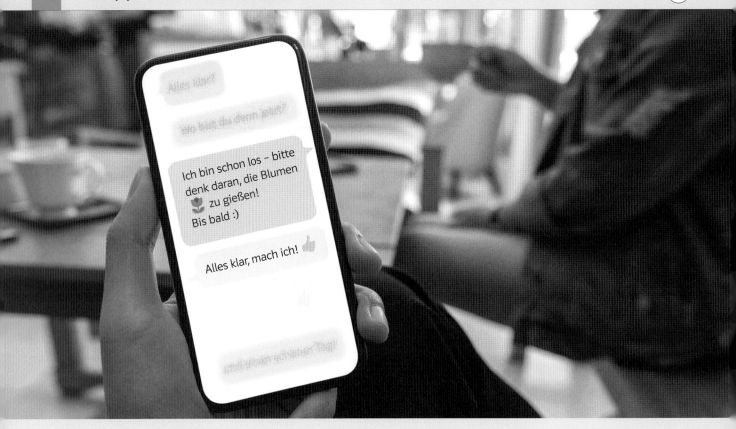

da(r)- + Nebensatz

Ich **denke an** die Blumen.

Verb + Präposition + Nomen

verschiedene Personen:
dass-Satz
dieselbe Person: *zu* + Infinitiv

Ich **denke daran**, die Blumen **zu gießen**.

da(r)- + Präposition:
Verweis auf Infinitivsatz
oder Verweis auf Nebensatz

Denk bitte **daran, dass** er heute später kommt!

Weitere Beispiele:

Er **wartet auf** seine Freundin.

Er **wartet darauf, dass** seine Freundin sich bei ihm meldet.

Er **wartet darauf**, mit ihr **zu sprechen**.

Sie **vergisst (darauf)**, die Handynachrichten **anzusehen**. (*darauf*: österreichischer Standard)

Wir **freuen uns** sehr **darüber, dass** ihr den Test bestanden habt!

Die Studierenden **interessieren sich** sehr **dafür, welche** Lehrerin oder **welchen** Lehrer sie bekommen.

Präpositionaladverbien → **42**

Ich **komme** im Moment nicht **dazu**, die ganzen E-Mails **zu beantworten**.

Positionen im Satz

	Hauptsatz			Nebensatz		
①	② Verb	Satzmitte	Satzende	Subjunktion	Satzmitte	Satzende
Ich	**denke**	nicht immer	**daran,**		die Blumen	**zu gießen.**
Er	**wartet**	schon lange	**darauf,**	**dass** sie	ihm eine Nachricht	**schreibt.**

Nebensatz			Hauptsatz		
	Satzmitte	Satzende	② Verb	Satzmitte	Satzende
Darauf, dass	er heute	**kommt,**	**freue**	ich mich.	

1 Kombinieren Sie.

1. <u>Matti hat mir ~~gerade dazu~~ gratuliert,</u>	a. ob du nicht am Wochenende mitkommen willst.	<u>1c</u>
2. Ahmed freut sich darauf,	b. dass seine Freundin sich von ihm getrennt hat.	____
3. Denkst du bitte daran,	c. ~~dass ich die Fahrprüfung bestanden habe.~~	____
4. Max leidet sehr darunter,	d. dass wir mit ihm an den See fahren.	____
5. Denk doch mal darüber nach,	e. die Wohnung aufzuräumen?	____

2 Ergänzen Sie diese Sätze.

1. Wir freuen uns darüber, *dass unsere Freunde morgen kommen.* (unsere Freunde kommen morgen)

2. Kann ich mich darauf verlassen, _____ (alles klappt)

3. Wir haben uns schon daran gewöhnt, _____ (wir müssen früh aufstehen)

4. Maik interessiert sich nicht dafür, _____ (was die neue App für das Handy alles kann)

5. Sorgen Sie bitte dafür, _____ (alle Mitarbeiter erhalten die Information)

6. Er erinnert sich daran, _____ (er hatte diese Serie im Internet schon mal gesehen)

3 Bitte antworten Sie.

1. ● Warum bist du gestern nicht zum Café gekommen? (nicht denken an: wir hatten uns verabredet)

   ● *Tut mir leid! Ich habe nicht mehr daran gedacht, dass wir uns verabredet hatten!*

2. ● Warum sprichst du so wenig? (Angst haben vor: einen Fehler machen)

   ● Ach, weißt du, ich _____

3. ● Was ist bei dieser Übung besonders wichtig? (achten auf: die richtige Präposition benutzen)

   ● Man muss vor allem _____

4. ● Mach bitte das Handy beim Essen aus. (aufhören mit: mir das verbieten – ich warte auf eine wichtige Nachricht)

   ● Also, bitte _____

5. ● Was machst du denn für ein Gesicht? (sich ärgern über: er hört mir nie zu)

   ● Ach, ich _____

6. ● Hallo, Jule, was ist los? (bedanken für: verständnisvoll sein)

   ● Ich möchte _____

7. ● Ach, hat die Sitzung schon angefangen? (bitten um: in Zukunft pünktlich sein)

   ● Ja, schon um 9 Uhr 30. Ich bitte … _____

8. ● Worüber diskutiert ihr denn so laut? (wir streiten über: Kinder mit 10 Jahren schon ein Handy haben sollen)

   ● Tja, wir _____

9. ● Warum ist er denn so enttäuscht? (sein Freund nicht daran denken, er hat Geburtstag)

   ● Ach, er _____

4 Wie kann man das auch sagen?

1. Meine Eltern freuen sich auf meinen Besuch. *Meine Eltern freuen sich darauf, dass ich sie besuche.*

2. Sie erzählen mir von einem Besuch meiner Freundin.

3. Ich habe Lena gerade noch an Mattis Geburtstag am Sonntag erinnert.

4. Ich wundere mich immer wieder über sein Schweigen.

Hi Leni, hier ist es total idyllisch 😄 aber ich hab ein Problem – es gibt hier viele Mücken 😞

es als Pronomen im Text

es kann in dieser Funktion nicht auf Position 1 stehen und ist immer unbetont.

Ich hab <u>mein Handy</u> irgendwo liegen lassen – ich finde **es** einfach nicht.

● <u>Wann kommt der Zug an</u>?   ● Ich weiß **es** nicht. (ich weiß nicht, wann der Zug ankommt)

es bezieht sich auf ein Element, das vorher erwähnt wurde.

es als festes Subjekt bei bestimmten Verben

es kann auf Position 1 stehen oder direkt nach dem Verb in der Satzmitte und ist immer unbetont.

Es regnet. Heute schneit **es stark. Es hagelt / blitzt / donnert**, …
Es ist warm / kalt / feucht … **Es wird** schon **dunkel** …
Wie **spät ist es? Es ist früh / 10 Uhr / Nachmittag** …
Es war einmal ein alter König …
Vorsicht, hier **gibt es** viele Mücken. **Gibt es** Leben auf dem Mars?
Danke für Ihren Anruf! Wenn **es sich um** ein Software-Problem **handelt**, drücken Sie bitte die 2!
Worum **geht es** in dem Film?
Hier **riecht es** ja ganz herrlich – sind das die Blumen?
● Wie **geht es** Ihnen?   ● Danke, gut! **Hier ist es dunkel / laut / stressig …**

Wetter-Verben
Wetter-Adjektive
Zeitangaben
bei Verben, die
Anwesenheit / ein
Thema ausdrücken

feste Wendungen

es als Element auf Position 1

es verschwindet, wenn ein anderes Element auf Position 1 steht.

Direktor Haßberg gab eine Party. **Es** kamen <u>viele Gäste</u>. (= Viele Gäste kamen.)
Freitag: Jazzkonzert. **Es** spielt <u>das Michael Wollny Trio</u>. (= Das Michael Wollny Trio spielt.)

Man möchte das <u>Subjekt</u> betonen (es bringt neue / wichtige Information):
es auf Position 1, Subjekt im Mittelfeld

es bezieht sich auf einen Nebensatz (Korrelat)

Wenn der Nebensatz zuerst steht, fällt *es* weg: **Dass** du morgen kommst, finde ich super.

Es gefällt mir nicht, dass die Ungleichheit auf der Welt immer noch so groß ist!
Ich finde **es** super, dass du morgen kommst!

① Worauf bezieht sich *es*?

1. ● Siehst du das Gebäude dort drüben?   **Bezug:**

   ● <u>Es</u> wurde von Friedrich Schinkel erbaut. | *das Gebäude dort drüben*

   ● Ja? Aus welchem Jahr stammt <u>es</u> denn? | _____

   ● Ich weiß <u>es</u> nicht genau – Anfang des 19. Jahrhunderts, glaube ich. | _____

2. ● Vorhin hat mich fast ein Auto überfahren.

   ● Das ist ja schrecklich! Hast du dir gemerkt, wie <u>es</u> aussah? | _____

   ● Nein, ich weiß <u>es</u> nicht mehr, ich habe mich zu sehr erschrocken! | _____

② Stellen Sie die unterstrichenen Elemente an den Anfang.

1. Tut mir leid, es fährt <u>jetzt</u> keine U-Bahn mehr. → _Tut mir leid, jetzt fährt keine U-Bahn mehr._

2. Ich glaube, wir machen das Restaurant zu. Es kommen <u>heute</u> keine Gäste mehr. →

3. Dieser Vortrag war schrecklich. Es hat <u>niemand</u> etwas verstanden. →

4. Wir sind fast fertig. Es fehlen aber noch <u>die Kerzen</u>. →

5. Gehen wir morgen ins Konzert? Es spielen <u>die Wiener Philharmoniker</u>! →

6. Es freut mich, <u>dass du die Prüfung bestanden hast</u>! →

③ Märchen ohne Ende. Welche Funktion hat das Pronomen *es* hier? Notieren Sie: T = Pronomen im Text,
F = Festes Subjekt, P = Element auf Position 1, N = Bezug auf Nebensatz.

Es war einmal ein kleines Mädchen [*F*] , das hatte keine Mutter und keinen Vater mehr. Es war ganz allein

auf der Welt [   ]1 . Eine Weile wohnte es bei einer Tante [   ]2 , aber die behandelte das Mädchen

schlecht und so zog es in die weite Welt hinaus [   ]3 . Nach einer Weile kam es in ein kleines Dorf

[   ]4 . Da zogen am Himmel Wolken auf und es blitzte und donnerte ganz gewaltig [   ]5 . Auf einmal

war es in dem Dorf dunkel und unheimlich [   ]6 . Da öffnete sich eine Tür und ein heller Lichtstrahl fiel auf

den Dorfplatz. Es stand plötzlich eine alte Frau in der Tür [   ]7 . Sie winkte und sagte: „Komm doch herein,

mein liebes Mädchen, es wird dir bei mir an nichts fehlen [   ]8 !" Das Mädchen fand es erst unheimlich,

dass die fremde Frau sie einfach so hereinbat [   ]9 . Konnte es sein, dass die Alte etwas Böses vorhatte

[   ]10 ? Doch das Mädchen fror so sehr, dass sie langsam auf die Frau zuging und ihr in das Haus folgte …

④ Obligatorisch oder nicht? Formulieren Sie als Frage. Was passiert mit *es*?

1. Es gibt hier ein Problem.   → _Gibt es hier ein Problem?_

2. Es fuhr kein Zug nach Salzburg.   → _____

3. Es gibt in dieser Gegend keine Läden.   → _____

4. Es geht ihm heute nicht so gut.   → _____

5. Es kommen auch mal wieder bessere Zeiten.   → _____

⑤ Was gibt es? Fragen Sie Ihren Partner / Ihre Partnerin.

1. ● In Deutschland gibt es viele Kirchenfeiertage. Wie ist das bei Ihnen?

   ● _Bei uns gibt es keine (auch viele) Kirchenfeiertage._

(lange Sommerferien, viele Staus, viele Radwege, viele Volksfeste, wenig Bodenschätze, …)

Verbindung von Hauptsätzen

	Hauptsatz					Hauptsatz		
①	② Verb	Satzmitte	Satzende		①	② Verb	Satzmitte	Satzende
Sie	hatte	sich sehr	beeilt,	**aber**	das Fest	hatte	schon	angefangen.
Matti	war	heute	krank,	**und**	Finn	konnte	auch nicht	kommen.
Wir	fahren	erst morgen	los,	**denn**	Mira	muss	noch länger	arbeiten.

Konjunktionen *(aber, und, denn, oder, sondern …)* verbinden Hauptsätze. Sie stehen auf Position Null.

Hauptsatz und Nebensatz

	Hauptsatz			Nebensatz		
①	② Verb	Satzmitte	Satzende	Subjunktion	Satzmitte	Satzende
Die Chefin	meinte,			**dass**	das eine gute Idee	**ist.**
Ich	habe	ihn	gefragt,	**ob**	er früher	kommen **kann.**
Wir	wissen	nicht,		**wann**	die Reise	**losgeht.**
Zeynep	schreibt	eine Notiz,		**damit**	Lars beim Einkauf nichts	**vergisst.**
Luc	hatte	schon das Essen	gemacht,	**als**	seine Freundin von der Arbeit	**kam.**
Er	war	viel	jüng**er,**	**als**	wir	vermutet **hatten.**
Jonathan	hat		Lust,		heute Abend mal	**zu kochen.**
Nie	denkt	er daran,			die Blumen	**zu gießen!**
Ich	habe	gerade Sophie	angerufen,	**um**	ihr	**zu gratulieren.**
Es	überrascht	mich nicht,		**dass**	ihre Arbeit sehr gut	**war.**

Nebensatz vor dem Hauptsatz

	Nebensatz			Hauptsatz		
Subjunktion	Satzmitte	Satzende	② Verb	Satzmitte		Satzende
Sobald	der Regen	**aufhört,**	**gehen**	wir		**los.**
Da	sie nichts mehr von ihm	gehört **hatte,**	**verkaufte**	sie	seine Sachen.	
Nachdem	die Regierung die Wahl	gewonnen **hatte,**	**erhöhte**	sie	die Steuern.	
Dass	die Arbeit gut	**war,**	**überrascht**	mich	nicht.	

> Relativsätze stehen meist direkt hinter dem Nomen, auf das sie sich beziehen. Wenn der Relativsatz sehr lang ist und nur wenige Wörter nach dem Nomen folgen, beendet man zuerst den Hauptsatz.

Relativsätze

Prof. Simon ist <u>eine Expertin</u>, **die** schon sehr lange zu Viren und Infektionen forscht.

Heute hat mich <u>ein alter Freund</u> besucht, **den** ich schon lange nicht mehr gesehen hatte.

(nicht so üblich: Heute hat mich <u>ein alter Freund</u>, **den** ich schon lange nicht mehr gesehen hatte, besucht.)

Relativsätze → 69

(1) Hauptsätze und Nebensätze. Ergänzen Sie das fehlende Wort.

1. Weißt du eigentlich, ___*wie*___ das neue Lehrwerk für Deutsch als Fremdsprache heißt?

2. _____ einige Studenten einen Text lesen, beschäftigen sich andere mit Grammatik.

3. _____ alle ihre Aufgaben gelöst haben, tauschen sie das Material aus.

4. Ich weiß einfach nicht, _____ ich dazu sagen soll.

5. Das ist die Frau, _____ Hund ich so süß finde!

6. Erfinden Sie eine Geschichte _____ erzählen Sie eine wahre Begebenheit.

7. Ich muss noch mal zurückgehen, _____ ich habe meinen Regenschirm vergessen.

8. Das hat er sicher nur gesagt, _____ sie Mitleid mit ihm bekommt.

9. Wir wurden noch in den Saal gelassen, _____ die Vorstellung schon begonnen hatte.

(2) Lieber mit der U-Bahn?

● Ich finde, ___*dass*___ wir zu dem Fest bei Harry mit der U-Bahn fahren sollten.

● Ich weiß nicht, _____ ₁ es dort eine U-Bahn-Station gibt. Warum möchtest du mit der U-Bahn fahren?

● _____ ₂ das besser für die Umwelt ist. Fährst du nie mit der U-Bahn?

● Doch, aber nur, _____ ₃ das Wetter schlecht ist, sonst fahre ich mit dem Fahrrad!

(3) Sagen Sie das ohne Relativsatz. Schreiben Sie jeweils zwei Hauptsätze.

1. Das Institut, das den Namen eines großen Dichters trägt, widmet sich der Pflege der deutschen Sprache.

   Das Institut widmet sich der Pflege der deutschen Sprache. Es trägt den Namen eines großen Dichters.

2. Viele Kinder haben Schwächen im Sprach- und Sozialverhalten. Sie werden in diesem Institut gefördert,

   das von Theaterpädagogen geleitet wird.

3. Der Verein hat jetzt ein neues Projekt, das Geflüchtete unterstützen soll.

(4) Seminar für weibliche Führungskräfte. Setzen Sie die passenden Wörter in den Text ein.

> aber • als • damit • daran • dass • die • ob • obwohl • was • um • zu

Es gibt Frauen, ___*die*___ gern Karriere machen wollen, _____ ₁ Sorge haben, _____ ₂ sie

Kinder und Beruf vereinen können. Sie arbeiten besonders hart, _____ ₃ zu zeigen, _____ ₄

sie beides schaffen. Oft sind sie viel gestresster, _____ ₅ es nach außen wirkt, und fragen sich,

_____ ₆ sie eigentlich falsch machen. Zwar arbeiten Politikerinnen und Politiker _____ ₇ , eine

bessere Kinderbetreuung _____ ₈ organisieren, _____ ₉ die Hauptverantwortung für die Kinder

haben trotzdem oft die Frauen. _____ ₁₀ die Männer inzwischen mehr im Haushalt tun, gibt es noch lange

keine Geschlechtergerechtigkeit. Auch die Firmen müssen flexiblere Arbeitsmodelle anbieten, _____ ₁₁

Männer und Frauen sich die Aufgaben gerechter aufteilen können. _____ ₁₂ eine längere Elternzeit nicht

bedeutet, _____ ₁₃ man auf seine Karriere verzichten muss, haben Frauen auch bessere Aufstiegschancen.

Dann ist die Frage nicht mehr, _____ ₁₄ man Kinder oder Karriere möchte – beides ist möglich.

Wir gehen heute Abend ins Kino. Kommst du mit?

Ach nee, ich hab' keine Lust, ins Kino zu gehen.

zu + Infinitiv

Verben mit *zu* + Infinitiv
→

Nach einigen (abstrakten) Nomen, Verben und bei Ausdrücken wie *Es ist* + Adjektiv kann eine Konstruktion mit *zu* + Infinitiv stehen.

Er hat **Angst**,	über den Fluss **zu schwimmen**.
Die Kommission hatte den **Auftrag**,	die Kriminalität **zu reduzieren**.
Ich **versuche**,	heute mal **pünktlich zu sein**.
Er **hat** keine Zeit,	**einzukaufen**.
Vergiss nicht,	die Blumen **zu gießen**!
Vergiss nicht darauf,	die Blumen **zu gießen**! (österreichischer Standard)
Es ist nicht **leicht**,	diese Aufgabe **zu lösen**.
Es **fällt** ihm **schwer**,	zwei Stunden ruhig **zu sitzen**.

> Trennbare Verben: Präfix + *zu* + Verb

> ❗ Setzen Sie ein Komma, wenn es für das Verständnis hilfreich ist: Ich habe heute keine Zeit, für dich zu kochen.

Verben mit Infinitiv (ohne *zu*)
→ 82

Zum Vergleich:

Ich fürchte, den Zug zu verpassen.	dieselbe Person (*ich*) ⟶ *zu* + Infinitiv
Ich fürchte, dass **er** den Zug verpasst.	verschiedene Personen (*ich* und *er*) ⟶ Nebensatz mit *dass*

Positionen im Satz

	Hauptsatz				
①	② Verb		Satzende		Satzende
Ich	**habe**	heute	keine **Lust**,	mit dir	**auszugehen**.
Er	**versucht**,			heute mal pünktlich	**zu sein**.
Es	**ist**		sehr **schwer**,	Nietzsche im Original	**zu lesen**.
Sie	**versucht**,			viele neue Leute	**kennenzulernen**.
Es	**ist**		**toll**,	heute mal	**faulenzen zu können**.

	Hauptsatz			
		② Verb	Satzmitte	Satzende
Nietzsche im Original	**zu lesen**	**ist**	sehr	**schwer**.

Wenn eine *zu* + Infinitiv-Konstruktion auf Position 1 steht: Das Pronomen *es* fällt weg, das Verb im Hauptsatz steht auf Position 2.

1 **Drücken Sie das anders aus.**

1. Linda hofft, dass sie die Prüfung besteht. *Linda hofft, die Prüfung zu bestehen.*

2. Manche Leute sind es gewohnt, dass sie bewundert werden.

3. Der Lehrer empfiehlt den Studierenden, dass sie die Vokabeln in ein Extra-Heft schreiben.

2 **Ergänzen Sie die passenden Ausdrücke.**

1. Es macht Spaß, _____   a. (hier Platz nehmen)

2. Darf ich Sie bitten, _____   b. (mit mir in den Speisewagen gehen)

3. Ich lade Sie ein, _____   c. (barfuß durch das Gras laufen)

3 ***zu* + Infinitiv oder *dass*?**

1. Die Gewerkschaft hat beschlossen: Wir streiken. *Die Gewerkschaft hat beschlossen zu streiken.*

2. Die Oppositionspartei hat kritisiert: Die Steuern sind zu hoch.

3. Die Liberalen und die Konservativen haben vorgeschlagen: Wir bilden eine Koalition.

4. Dem Parteivorsitzenden fällt es nicht leicht: Er muss zurücktreten.

5. Der Parteivorstand hat Sorge: Die Wähler lernen die neue Vorsitzende nicht kennen.

4 **Fehlt hier ein *zu*? Setzen Sie ein, wenn es fehlt.**

1. Nora hat schon oft versucht, täglich schwimmen gehen, aber sie geht viel lieber joggen.

   Nora hat schon oft versucht, täglich schwimmen zu gehen, aber sie geht viel lieber joggen.

2. Ihre Freundin Senna muss immer früh nach Hause gehen.

3. Der Arzt hat mir verboten schwere Sachen heben.

4. Es hat regnen aufgehört.

5 **Hast du das schon gemacht?**

1. Jonis: Hast du die Theaterkarten abgeholt?

   Hanna: Oh je, ich habe ganz vergessen, *sie abzuholen.*

2. Hanna: Und du, Jonis, hast du die Flugzeiten aufgeschrieben?

   Jonis: Ach, ich habe gar nicht daran gedacht, _____

3. Jonis: Hanna, hast du eigentlich die Schmidts zu unserem Einweihungsfest eingeladen?

   Hanna: Also ich hatte fest vor, _____, und dann habe ich es doch vergessen.

4. Hanna: Und hast du schon die Katzen der Nachbarin gefüttert?

   Jonis: Nein, ich bin noch gar nicht dazu gekommen, _____

6 **Was ist wichtig beim Deutschlernen? Sprechen Sie mit Ihrem Partner / Ihrer Partnerin.**

1. Beim Deutschlernen ist es für mich am wichtigsten, …   3. Beim Deutschlernen ist es für mich interessant, …

2. Beim Deutschlernen ist es für mich nicht so wichtig, …   4. Beim Deutschlernen ist es für mich langweilig, …

(grammatisch ganz korrekte Sätze bilden, alles aufschreiben, viel sprechen, viel hören, viel lesen, mit Deutschen in Kontakt kommen, die Kultur der deutschsprachigen Länder kennenlernen)

Er hatte schon eine halbe Stunde gewartet.
Da sah er sie durch den Park kommen.

Verben mit Infinitiv

Einige Verben können einen Infinitiv bei sich haben.

bleiben, gehen, fahren	**Perfekt mit *sein*:**
Ich **bleibe** hier **stehen**. **Bleiben** Sie doch **sitzen**, ich mache das schon!	Ich **bin stehen geblieben**.
Wir **gehen** nachher **einkaufen**. **Gehen** wir danach **essen**?	Wir **sind essen gegangen**.
Sie **fährt** Klaus **abholen**. Ich **fahre** noch schnell **einkaufen**.	Sie **ist** ihn **abholen gefahren**.

> Bei *lernen* ist das zweite Verb nicht immer obligatorisch:
> Ich lerne Geige (spielen).
> Ich lerne Deutsch (sprechen).

lernen	**Perfekt mit *haben*:**
Das Kind **lernt** gerade **laufen**. Ich **lerne** jetzt Golf **spielen**.	Das Kind **hat laufen gelernt**.

hören, sehen (Wahrnehmungsverben)	**Perfekt mit 2 Infinitiven:**
Ich **höre** ihn **singen**. **Hörst** du den Regen gegen das Fenster **trommeln**?	Ich **habe** ihn **singen** ~~gehört~~ **hören**.
Endlich **sah** sie ihn **kommen**. Ich **sehe** ein Gewitter **heranziehen**.	Sie **hat** ihn **kommen** ~~gesehen~~
Das **habe** ich **kommen sehen**! (idiomatisch, *ich habe gewusst: das passiert*)	**sehen**. (Infinitiv statt Partizip II)

> weitere Bedeutungen von
> *lassen* → **47**

lassen	
Wir **lassen** ihn das Auto **reparieren**.	Wir **haben** das Auto **reparieren**
Lass das doch einen Fachmann **machen**!	~~gelassen~~ **lassen**. (Infinitiv statt
Alle vier Wochen **lasse** ich mir die Haare **schneiden**.	Partizip II)

> *helfen* wird auch öfter mit *zu* + Infinitiv verwendet, wenn es weitere Angaben gibt:
> Sebastian hat mir geholfen, <u>das Zimmer</u> aufzuräumen.

helfen + Dativ	
Sebastian **hilft** mir (das Zimmer) **aufräumen**. Ich **helfe** ihr **kochen**.	Ich **habe** ihr **kochen geholfen**.

zu + Infinitiv → **81**

(1) Wer macht das?

1. Ich helfe dir <u>kochen</u>. *Du kochst.*

2. Ich gehe jetzt <u>einkaufen</u>. _____

3. Wir hören sie <u>lachen</u>. _____

4. Matti lernt <u>Ski fahren</u>. _____

5. Sie lässt ihn die Wäsche <u>waschen</u>. _____

6. Bleiben Sie ruhig <u>sitzen</u>! _____

(2) Lernprozesse. Ergänzen Sie *lernen* + Infinitiv.

Liebe Oma, uns geht es gut. Wir lernen gerade ganz viele neue Sachen:

1. schwimmen (ich) *Ich lerne gerade schwimmen.*

2. laufen (Sophie) _____

3. Ski fahren (Daniel) _____

4. die neue App benutzen (Papa) _____

5. Motorrad fahren (Mutti) _____

Lernst du auch was Neues? Alles Liebe, deine Enkelin Isabella

(3) Hilfst du mir? Ergänzen Sie die Verben und Infinitive.

● Hans, _*gehst*_ du jetzt bald _*einkaufen*_ ?   ~~einkaufen~~ gehen

● Ich mach' das später, da _____ ich sowieso Julian und Mia _____ ¹. | abholen fahren

● Du willst ja nur gemütlich _____ _____ ² und Zeitung lesen! | sitzen bleiben

● Ich lese nur den Artikel noch schnell fertig. Aber dann _____ ich dir _____ ³. | aufräumen helfen

(4) Bieten Sie Ihre Hilfe an!

1. ● Ich schaffe das Kochen nicht allein!   ● *Ich helfe dir gerne kochen* .

2. ● Ich kann das Fahrrad nicht allein reparieren!   ● _____ .

3. ● Wir brauchen dringend Hilfe beim Umzug!   ● _____ . (umziehen)

4. ● Ich muss die ganze Wohnung streichen!   ● _____ .

(5) Luxus

1. Ich koche nicht selbst, *ich lasse kochen.*

2. Ich putze die Wohnung nicht selbst, _____

3. Ich kaufe nicht selbst ein, (die Lebensmittel, bringen) _____

4. Ich bügle meine Hemden nicht selbst, _____

(6) Was ist schon geschehen? Ergänzen Sie im Perfekt.

1. ● Funktioniert die Waschmaschine jetzt wieder? (reparieren lassen)   ● Ja, ich …

2. ● Was habt ihr denn gestern abend gemacht? (in ein türkisches Restaurant, essen gehen)   ● …

3. ● Wart ihr früh zu Hause?   ● Nein, es war so nett bei Hubers. (etwas länger, sitzen bleiben) Da …

4. ● Ist Herr Becker schon da?   ● Ich glaube nicht. (nicht kommen sehen)

5. ● Nico ist schon wieder durch die Prüfung gefallen! (kommen sehen)   ● Das …

Hier werden die Poster gedruckt.

Passiv

Die meisten Verben mit Akkusativobjekt können ein Passiv bilden. In Passivsätzen steht der Vorgang selbst im Vordergrund. Es ist nicht so wichtig, wer das macht. Das Akkusativobjekt des Aktivsatzes wird zum Subjekt im Passivsatz.

Der Arzt operiert <u>den Jungen</u>.   <u>Der Junge</u> **wird operiert**.

       Akkusativobjekt   Subjekt

Form des Passivs: *werden* + Partizip II

> Ein Dativ bleibt als Dativ erhalten: Sie halfen <u>ihm</u> bei der Firmengründung.
> → <u>Ihm</u> wurde bei der Firmengründung geholfen.

Der Junge **wird** (vom Arzt) **operiert**.

Wir **wurden** durch den Sturm **aufgehalten**.

man kann den Handelnden auch nennen: *von* + Dativ

bei (anonymen) Institutionen und Umständen auch *durch* + Akkusativ

Passiv (2) → 84

Präsens und Präteritum

	Konjugierte Form von *werden*		Partizip II
Das Spiel	**wird**	live im Fernsehen	**übertragen.**
Warum	**wurden**	wir nicht	**informiert?**

Perfekt und Plusquamperfekt

> Partizip Perfect von *werden*: ~~geworden~~ → *worden* im Passiv
> Aber:
> Sie wird Ärztin (kein Passiv)
> → Sie ist Ärztin <u>geworden</u>.

	Konjugierte Form von *sein*		Partizip II	*worden*
Er	**ist**	gestern Abend am Flughafen	**gesehen**	**worden.**
Seine Frau	**war**	sofort	**verständigt**	**worden.**

werden → 59

Passiv bei Modalverben: Präsens, Perfekt

Perfekt der Modalverben → 57

	Modalverb oder *haben*		Partizip II	Infinitiv von *werden* (+ Modalverb)
Die Firma	**soll**	von einer anderen Firma	**übernommen**	**werden.**
Voriges Jahr	**hat**	das Theater-Festival	**subventioniert**	**werden müssen.**

1 **Ergänzen Sie die richtige Form von *werden*.**

1. Ich ___*werde*___ mal wieder von keinem verstanden. Was soll ich nur tun?

2. Hast du schon gehört? Jennifer ist gestern aus dem Krankenhaus entlassen _____.

3. Der Streik _____ heute Morgen nach tagelangen Verhandlungen beendet.

4. Keine Sorge, ihr _____ sicher auch noch eingeladen.

5. Die Abteilung hat kein Geld mehr. Deshalb müssen diese Zeitungen abbestellt _____.

2 ***worden* oder *geworden*?**

1. Alex ist im Januar 40 Jahre alt ___*geworden.*___

2. An seinem Geburtstag ist er von allen seinen Freunden sehr gefeiert _____

3. Der Erfinder ist durch seine Idee nicht reich _____

4. Die Autoherstellung ist immer mehr automatisiert _____

5. Und die Autos sind immer schneller _____

3 **Formulieren Sie im Passiv.**

1. streichen / die Fassade des Hauses / gerade

   ___*Die Fassade des Hauses wird gerade gestrichen.*___

2. benutzen / nicht viel / bei uns / das Auto

3. verschweigen / in dem Zeitungsartikel / viele Einzelheiten

4. nachschicken / nach meinem Umzug / meine Briefe / von der Post

5. veröffentlichen / einige Werke des Schriftstellers / von seinen Nachfahren

4 **Fragen über Fragen im Passiv**

1. erfinden / das Smartphone / wann? ___*Wann wurde das Smartphone erfunden?*___

2. sprechen / in der Schweiz / welche Sprachen? _____

3. erbauen / der Kölner Dom / wann? _____

4. Baseball spielen / in Deutschland / viel? _____

5 **Was kann oder muss geschehen?**

1. Die Schraube ist locker. ___*Die muss sofort wieder festgedreht werden.*___

2. Dieser Aufsatz hat viele Fehler.

3. Mateo, hier liegt eine Rechnung vom Installateur.

4. Das Radio funktioniert nicht mehr.

5. Das sind wichtige Informationen.

> bezahlen • reparieren • ~~festdrehen~~ •
> weitergeben • korrigieren • allen Kollegen •
> ~~sofort wieder~~ • überhaupt noch? •
> unbedingt noch • bis wann?

6 **Wie wird ein Rührkuchen gemacht?**

~~Butter weich rühren~~ – Eier und Zucker dazugeben – das Ganze auf höchster Stufe mixen – eine Prise Salz in die

Masse mischen – Milch dazugeben – das Mehl esslöffelweise unterheben – Teig in die Form füllen – bei heißer

Temperatur backen – am besten am nächsten Tag essen

___*Zuerst wird die Butter weich gerührt, dann ...*___

Hier wird Tag und Nacht gearbeitet.

Unpersönliches Passiv (Passiv ohne Subjekt)

Passiv (1) → **83**

Hier **wird gearbeitet**.
Heute **darf getanzt werden**.
Es **darf geraucht werden**!
Jetzt **wird** aber **geschlafen**!
Auf dem Schild steht, dass hier nicht
geraucht werden darf.

Funktionen von *es* → **79**

Jetzt **wird** aber **gearbeitet**!

In diesen Sätzen gibt es kein Subjekt. Der Vorgang steht absolut im Vordergrund. Diese Struktur gibt es in vielen Sprachen nicht.
Es als Element auf Position 1
ihr müsst jetzt schlafen

wir müssen jetzt endlich mit der Arbeit anfangen

Zustandspassiv

Die Bücher **werden gedruckt**.
Das Fahrrad **wird** heute noch **repariert**.

Prozess: *werden*-Passiv (*werden* + Partizip II)

Die Bücher **sind gedruckt**.
Das Fahrrad **ist** schon **repariert**!

Resultat, Zustand: Zustandspassiv (*sein* + Partizip II)

Passiv im Nebensatz

Wortstellung im Nebensatz → **67**

	Hauptsatz				Nebensatz	
①	②	Satzmitte	Satzende		Satzmitte	Satzende
Die Zeitung			berichtet,	**dass**	auf der Baustelle Tag und Nacht	**gearbeitet wird.**
Wir	haben		erfahren,	**dass**	die Bücher nun	**gedruckt sind.**
Wir	haben	zwei Wochen im Hotel	gewohnt,	**als**	unsere Wohnung	**renoviert wurde.**
Sie	hat	mich	gefragt,	**ob**	die Blumen schon	**gebracht worden sind.**
Er	hat	uns	erzählt,	**dass**	das Haus nun doch	**gebaut werden darf.**

Das konjugierte Verb steht ganz am Ende

1 **Formulieren Sie im unpersönlichen Passiv mit einem passenden Modalverb.**

1. endlich mal faulenzen: *In den Ferien darf endlich mal gefaulenzt werden!*

2. mal so richtig feiern: _____

3. nicht arbeiten: _____

4. nicht so viel organisieren: _____

2 **Ich habe dir doch gesagt, dass ...**

1. Wann wird das Buch veröffentlicht? *Ich habe dir doch gesagt, dass es schon längst veröffentlicht ist.*

2. Wann wird eigentlich der neue Präsident gewählt? *Ich habe dir doch gesagt, dass ...*

3. Wann werden denn endlich die Einladungen geschrieben?

4. Wann werden denn die Aufgaben in der Wohngemeinschaft verteilt?

5. Wann wird denn mal das Bad geputzt?

6. Wann wird endlich das Fahrrad repariert?

3 **Woher soll ich das wissen? Ergänzen Sie das unpersönliche Passiv.**

Mein Gast aus Amerika stellt mir dauernd Fragen, die ich kaum beantworten kann.

1. Gestern wollte er wissen, *warum in Deutschland so viel geraucht wird.* | in Deutschland, so viel rauchen

2. Einmal hat er mich gefragt, _____ | wohin, der Sondermüll, bringen

3. Er wollte auch wissen, _____ | warum, Kreditkarten, so wenig

_____ | benutzen

4. Er konnte auch überhaupt nicht verstehen, _____ | keine Höchstgeschwindigkeit,

_____ | auf Autobahnen, einführen

5. Er war überrascht, _____ | nicht in allen Geschäften,

_____ | Englisch sprechen

4 **Wer macht was mit wem? Formulieren Sie im Passiv.**

1. Man darf hier tanzen! – *Hier darf getanzt werden!*

2. Man darf hier nicht rauchen. – Hier _____

3. Du musst jetzt aufpassen. – Jetzt _____

4. Wir haben auf unseren Festen viel getanzt. – Auf den Festen _____

5 **Sprechen Sie über sich selbst! Erzählen Sie Ihrem Partner / Ihrer Partnerin.**

Bei uns zu Hause wird viel gelacht. Glücklicherweise wird nicht viel geraucht. Es wird ...

(lachen, rauchen, feiern, diskutieren, schimpfen, singen, spielen, lesen, fernsehen, tanzen, Sport treiben)

Pfifferlinge und Steinpilze kann man essen.
Der Fliegenpilz ist nicht essbar, er ist giftig!

Unpersönliche Ausdrücke mit *man*

man → 25

Das sagt **man** so.	allgemein wird das so gesagt
Das kann **man** leider nicht ändern.	das kann nicht geändert werden
Man hat mir gesagt, dass ich dieses Formular ausfüllen soll.	mir wurde gesagt, … (ich weiß nicht mehr genau, wer es gesagt hat / es ist nicht wichtig)
In dieser Firma arbeitet **man** mit der modernsten Technologie.	in dieser Firma wird mit der modernsten Technologie gearbeitet

> Mündlich verwendet man oft *man*, um Passiv-Konstruktionen zu vermeiden.

man bedeutet oft „jede Person, alle Leute". Die konkrete, handelnde Person ist nicht wichtig.

Adjektive mit *-bar*

Form: essen → ess**bar**, lesen → les**bar**: Verb (ohne Endung) + *bar* → Adjektiv

Die Schrift ist so klein, der Text ist kaum **lesbar**.	man kann den Text kaum lesen
Das ist ohne Probleme **machbar**.	das kann man ohne Probleme machen
Pfifferlinge sind **essbare** Pilze.	man kann sie essen
Ich glaube, das ist ein **lösbares** Problem!	das Problem kann gelöst werden

Deklination der Adjektive
→ 26, 27

Unregelmäßige Form:	Das Ufer ist **sichtbar**. (man kann es sehen)	
Besondere Bedeutung:	**wunderbar** (sehr schön, toll)	
	zahlbar innerhalb von acht Tagen (man **muss** innerhalb von acht Tagen zahlen)	

(1) Sitten und Gebräuche. Formulieren Sie mit *man*.

1. *In Asien isst man mit Stäbchen.* | mit Stäbchen essen, in Asien
2. _____ | Blumen mitbringen, als Gast, in Deutschland
3. _____ | viel über das Wetter sprechen, in Kanada
4. _____ | auf der linken Straßenseite fahren, in Japan
5. _____ | viel mit dem Fahrrad fahren, in den Niederlanden
6. _____ | oft wandern in den Bergen, in Österreich

Was für Gebräuche gibt es in Ihrem Land? Formulieren Sie mit *man*.

(2) Kaum bewohnbar. Notieren Sie die Verben zu den Adjektiven mit *-bar*.

Die Hausbesichtigung hat ergeben, dass die Wohnung kaum mehr <u>bewohnbar</u> ist. | *bewohnen*

Überall gibt es deutlich <u>sichtbare</u> Schäden. Das fängt bei der Wohnungstür an, die | _____ 1

nur noch mit Mühe <u>verschließbar</u> ist. Die Farbe an den Wänden blättert ab, das | _____ 2

Badezimmer ist wohl kaum mehr <u>renovierbar</u> – hier muss alles komplett neu | _____ 3

gemacht werden. Insgesamt ist eine Renovierung zwar <u>machbar</u>, aber sehr teuer! | _____ 4

(3) Das kann man doch (nicht) machen! Formulieren Sie mit *-bar*.

1. Diese Milch kann man nicht mehr trinken.   *Diese Milch ist nicht mehr trinkbar.*

2. Auf dem Foto kann man kaum etwas erkennen.   *Auf dem Foto* _____

3. Diese Partei hat sehr radikale Ansichten – ich finde, _____

    man kann sie nicht wählen. _____

4. Viele gefährliche Krankheiten kann man heutzutage _____

    heilen. _____

5. Seit Eva kontinuierlich lernt, kann man ihre   *Ihre Fortschritte* _____

    Fortschritte messen. _____

6. Klar möchte ich nach Südafrika in Urlaub fahren – _____

    aber kann man die Reise denn auch bezahlen? _____

(4) Auf dem Amt ist nicht alles Passiv. Variieren Sie die unterstrichenen Sätze. Sie können z. B. *man,*
**   *eine Person, jemand, die Leute, der Beamte / die Beamtin* etc. verwenden.**

Gestern war ich auf dem Einwohnermeldeamt. Was für eine Bürokratie! <u>An der Pforte wurde mir gesagt</u>, ich solle

in den ersten Stock gehen. Dort saßen schon viele Leute. Ich habe an einer Tür geklopft, <u>mir wurde von dem</u>

<u>Beamten gesagt</u>, dass ich erst eine Nummer ziehen muss. <u>Nach einer Stunde wurde meine Nummer endlich</u>

<u>aufgerufen</u>. Ich muss sagen, <u>ich wurde nicht gerade freundlich behandelt</u>. <u>Am Ende wurde ich dann wieder nach</u>

<u>Hause geschickt</u>, weil ich meinen Pass nicht dabei hatte. Ich bin froh, dass <u>bei uns zu Hause nicht daran gedacht</u>

<u>wird</u>, so eine Meldepflicht einzuführen!

    An der Pforte hat man mir gesagt, ich solle ...   Oder: *An der Pforte hat mir der Beamte gesagt, ...*

> Mach dir keine Sorgen, das lässt sich leicht reparieren

sich lassen + Infinitiv

Kunst **lässt sich** nicht immer klar von Kitsch **unterscheiden**.	Kunst kann nicht immer klar von Kitsch unterschieden werden
● Kannst du bitte heute die Konzertkarten abholen?	
● Ja, das **lässt sich machen**.	das kann ich machen
Die Kartoffeln **lassen sich** gut **schneiden**.	man kann sie gut schneiden
Das **lässt sich** nicht **ändern**.	das kann man nicht ändern, da kann man nichts machen

lassen → **47**

sich lassen + Infinitiv hat die Bedeutung: **man kann** es **machen** oder es **kann gemacht werden.**
Man kann die handelnde Person nennen: Das lässt sich nur **von einem Fachmann** reparieren.

sein + *zu* + Infinitiv

> Mit *sich lassen* + Infinitiv und *sein* + *zu* + Infinitiv kann man komplizierte Passiv-Konstruktionen mit Modalverb vermeiden.

Dieser Text **ist** schwer **zu verstehen**.	man kann den Text nur schwer verstehen
Manche Gefühle **sind** schwer **zu beschreiben**.	sie können nur schwer beschrieben werden
Bei Feuer **ist** die Treppe **zu benutzen**.	man muss die Treppe benutzen
Diese Frage **ist** noch **zu klären**.	diese Frage muss noch geklärt werden
● Wie alt ist das Bild? ● Das **ist** schwer **zu sagen**.	idiomatisch: man weiß es nicht genau

sein + *zu* + Infinitiv hat die Bedeutung: **man kann** es machen oder **man muss** es machen, oder es kann / muss gemacht werden.
Man kann die handelnde Person nennen: Dieser Text ist **von Lernenden** nur schwer zu verstehen.

1 Ergänzen Sie *sich lassen*.

1. Manche Probleme ___*lassen sich*___ ganz einfach lösen, wenn man darüber spricht.

2. Seit Tagen ist Theresa sehr aufgeregt. Sie _____ gar nicht mehr beruhigen.

3. Der Vertrag _____ nicht so einfach kündigen – haben Sie das nicht gewusst?

4. Diese Schuhe _____ nur schwer verkaufen – sie sind einfach zu teuer!

5. Der Text _____ mit einem Online-Übersetzer ganz leicht übersetzen.

2 Ein praktisches Auto! Formulieren Sie mit *sich lassen*.

1. Man kann die Spiegel elektronisch verstellen. *Die Spiegel lassen sich elektronisch verstellen.*

2. Man kann das Auto mit einem Knopfdruck starten. _____

3. Man kann die Sitze ganz einfach herausnehmen. _____

4. Man kann einen Sitz in einen Tisch verwandeln. *Ein Sitz* _____

3 Strenge Hausordnung

1. Die folgenden Regeln ___*sind zu befolgen*___ | befolgen

2. Die Fahrräder _____ | in den Keller stellen

3. Die Treppe _____ | einmal in der Woche putzen

4. Die Haustür _____ | immer abschließen

5. Die Gehwege _____ | im Winter von Schnee reinigen

6. Der Rasen _____ | im Sommer mähen

7. Die Miete _____ | pünktlich am Ersten des Monats bezahlen

4 Gefühle und Gedanken. Formulieren Sie mit *sich lassen* und mit *sein … zu + Infinitiv*.

1. Manche Gefühle kann man nicht leicht verstehen. *Manche Gefühle lassen sich nicht leicht verstehen. /*
   Manche Gefühle sind nicht leicht zu verstehen.

2. Manche Gedanken kann man nicht leicht aussprechen.

3. Manche Hoffnung kann man nicht leicht erfüllen.

4. Manche Erfahrung kann man nicht leicht vergessen.

5. Manche Enttäuschungen kann man nicht leicht verzeihen.

6. Manche Ideen kann man nicht leicht umsetzen.

5 Was kann man oder muss man tun?

1. Die Bedienungsanleitung ist genau zu lesen. *Man muss die Bedienungsanleitung genau lesen.*

2. Die Bedienungsanleitung ist schwer zu verstehen. _____

3. Die Sitzplätze sind älteren Personen
   und Behinderten zu überlassen. _____

4. Hunde sind an der Leine zu führen. _____

5. Bei Feueralarm ist das Gebäude sofort zu verlassen. _____

6. Das Gebäude ist von zwei Seiten zu betreten. _____

Hallo, Britta. Komm doch rüber zum Kaffeetrinken.

Hi, Nora. Wenn ich nicht so viel zu tun hätte, würde ich gern kommen!

Konjunktiv II: Konditionale Nebensätze

Wenn ich nicht viel zu tun habe, komme ich.	Die Bedingung ist realisierbar: es ist möglich, dass ich komme
Wenn ich nicht so viel zu tun **hätte**, **würde** ich **kommen**. **Wenn** wir weniger **fernsehen würden**, **könnten** wir mehr miteinander **unternehmen**. **Wenn** du nicht immer gleich beleidigt **wärst**, **würden** wir uns besser **verstehen**.	Die Bedingung ist nicht realisierbar: ich habe viel zu tun, deshalb komme ich nicht: **Konjunktiv II**
Wäre das Virus ansteckend, **müsste** man Quarantänen **vorschreiben**.	Selten auch ohne *wenn* (konjugiertes Verb auf Position 1)

Formen des Konjunktiv II

Regelmäßige Verben: Konjunktiv II von *werden* + Infinitiv:
ich **würde** dort **wohnen**, du **würdest** es **machen**, er **würde** jetzt **arbeiten**

Unregelmäßige Verben: Konjunktiv II = Präteritum + *-e*; Umlaut: a, o, u → ä, ö, ü
ich kam → ich **käme**, er **käme**

> ich würde brauchen →
> ich bräuchte (süddeutsch /
> österreichisch)

Konditionale Nebensätze ohne
Konjunktiv → **74**

	haben	sein	werden	wissen	können	sollen	kommen
ich	hätt-**e**	wär-**e**	würd-**e**	wüsst-**e**	könnt-**e**	sollt-**e**	käm-**e**
du	hätt-**est**	wär-**st**	würd-**est**	wüsst-**est**	könnt-**est**	sollt-**est**	käm-**est**
er es sie	hätt-**e**	wär-**e**	würd-**e**	wüsst-**e**	könnt-**e**	sollt-**e**	käm-**e**
wir	hätt-**en**	wär-**en**	würd-**en**	wüsst-**en**	könnt-**en**	sollt-**en**	käm-**en**
ihr	hätt-**et**	wär-**(e)-t**	würd-**et**	wüsst-**et**	könnt-**et**	sollt-**et**	käm-**et**
sie	hätt-**en**	wär-**en**	würd-**en**	wüsst-**en**	könnt-**en**	sollt-**en**	käm-**en**
Sie	hätt-**en**	wär-**en**	würd-**en**	wüsst-**en**	könnt-**en**	sollt-**en**	käm-**en**

Verwendung des Konjunktiv II

→ besonders bei frequenten unregelmäßigen Verben: ich **käme**, ich **ginge**, ich **ließe**, ich **bliebe**, ich **wüsste**, …
→ Modalverben: **könnte**, **wollte**, **müsste**, **sollte**, **dürfte**
→ **hätte** (haben), **wäre** (sein), **würde** (werden)
Sonst verwendet man meist *würde* + Infinitiv.

1 **Was wäre, wenn ...? Verbinden Sie passende Sätze. Es gibt mehrere Möglichkeiten.**

1. Wenn ich mehr Zeit hätte,	a. würde ich mehr sprechen. *1b, c, d*
2. Wenn ich mehr Wasser trinken würde,	b. käme ich noch schnell vorbei. _____
3. Wenn ich nicht so viel Angst vor Fehlern hätte,	c. ginge es mir besser. _____
4. Wenn ich nicht so müde wäre,	d. würde ich öfter meditieren. _____
	e. würde ich mehr Sport machen. _____

2 **Wie würden Sie das sehen? Verbinden Sie passende Sätze im Konjunktiv II.**

Zum Beispiel: _____ *1b: Ich hätte nichts dagegen, wenn die Gäste noch eine Weile bei uns blieben.* _____

1. Ich habe nichts dagegen.	a. Die ganze Familie fährt mit in den Urlaub.
2. Es ist o. k.	b. Die Gäste bleiben noch eine Weile bei uns.
3. Ich freue mich.	c. Ich muss die ganze Hausarbeit allein machen.
4. Ich finde es nicht so gut.	d. Ich bin berühmt.

3 **Konjunktiv oder nicht? Ergänzen Sie die Verben.**

Jasmin erzählt: „Ich bin eine allein erziehende Mutter und _____ *muss* _____ (müssen) alles allein machen.

Wenn der Vater von Lena bei uns _____ 1 (leben), _____ 2

(sein) es natürlich einfacher, und wir _____ 3 (können) gemeinsam entscheiden,

was zu tun ist. Gott sei Dank hilft mir meine Mutter, wenn ich mal besonders viel für meinen Job zu tun

_____ 4 (haben). Wenn sie nicht in der Nähe _____ 5 (wohnen) und

immer mal wieder _____ 6 (aushelfen), _____ 7 (wissen) ich gar

nicht, was ich tun _____ 8 (sollen). Manchmal _____ 9 (haben) ich

auch am Abend noch berufliche Verpflichtungen. Das _____ 10 (gehen) gar nicht, wenn

ich nicht mit der Hilfe meiner Freundinnen rechnen _____ 11 (können). Oft denke ich,

wir _____ 12 (haben) es einfacher, wenn ich nur halbtags _____ 13

(arbeiten). Aber _____ 14 (sein) das auch besser für unsere Lebensqualität? Wenn ich das

nur _____ 15 (wissen)!

4 **Leider ist es nicht immer ideal.**

1. Wenn Lernende einen großen Wortschatz haben, verstehen sie auch schwierigere Texte besser.

    _____ *Wenn Lernende einen größeren Wortschatz hätten, würden sie auch schwierigere Texte besser verstehen.* _____

2. Wenn wir weniger Müll produzieren, wird die Umwelt weniger belastet.

3. Wenn ich die Sprache des Urlaubslandes spreche, kann ich mich mit den Bewohnern besser verständigen.

4. Wenn die Ballettgruppe aus Indonesien in unsere Stadt kommt, gehe ich hin.

5 **Was würden Sie tun, wenn Sie Filmregisseur / Filmregisseurin wären?**

   _____ *Wenn ich Filmregisseur wäre, würde ich einen Film über meine Kindheit drehen. Ich liebe ...* _____

(Zum Beispiel: meine Eltern und meine Geschwister auftreten lassen – auch selbst mitspielen – von meiner

ersten großen Liebe erzählen – nur an authentischen Drehorten filmen – der Film darf nicht länger als 90

Minuten dauern – er muss spannend sein – er wird ein glückliches Ende haben – ...)

Ich hätte gern noch einen Kaffee, bitte.

Konjunktiv II: Höfliche Bitten und Fragen

| Ich **hätte** gern noch einen Kaffee. | Mit dem Konjunktiv II kann man Bitten höflicher formulieren. Diese Form benutzt man besonders in Situationen mit *Sie*. |

Die Modalpartikeln *vielleicht* und *mal* machen die Bitte vorsichtiger.

Modalpartikeln → **50, 51**

Das sagt man oft:
Frau Reiser ist nicht da. **Könnten** Sie bitte morgen noch einmal **anrufen**?
Entschuldigen Sie, **könnten** Sie mir bitte **sagen**, wie spät es ist?
Entschuldigung, **hätten** Sie vielleicht einen Moment Zeit?
Würdest du bitte die Zwiebeln **schneiden**?
Wärst du so **nett**, mir die Zeitung zu bringen?
Dürfte ich Sie um einen Gefallen **bitten**? (sehr formell)
Wenn Sie bitte hier **warten würden**. Herr Leitner kommt gleich. (sehr formell)
Wären Sie bitte so **freundlich**, hier zu warten? (sehr formell)

Konjunktiv II: Ratschläge

Formen des Konjunktiv II → **87**

| An deiner Stelle **würde** ich diesen Mietvertrag nicht **unterschreiben**. Wenn ich du **wäre**, **würde** ich jetzt die Wahrheit **sagen**. Du **solltest** wirklich mehr **Sport treiben**! Das ständige Sitzen ist nicht gut für den Kreislauf. | Ratschläge kann man mit dem Konjunktiv II vorsichtiger formulieren. |

1 **Sagen Sie das höflicher.**

Könnten Sie … • Würden Sie … bitte •
Dürfte ich Sie bitten, … • Wäre es möglich, …

1. Sprechen Sie langsamer.   *Würden Sie bitte langsamer sprechen?*

2. Helfen Sie mir. _____

3. Warten Sie einen Moment. _____

4. Sagen Sie mir, wann der Zug aus Köln ankommt. _____

2 **Höfliche Fragen und Bitten an einen Freund / eine Freundin. Benutzen Sie auch *vielleicht* und *mal*.**

die Tür | leihen   Beispiele:

das Radio | ein- / ausschalten   *Könntest du vielleicht mal die Tür zumachen?*

das Handy | leiser machen   *Würdest du bitte mal das Radio einschalten?*

dein Auto | auf- / zumachen

3 **Im Restaurant: Geht es auch höflicher?**

1. Kellner: Was wollen Sie?   *Was hätten Sie gerne?*

2. Gast: Was empfehlen Sie? _____

3. Kellner: Ich empfehle Steak mit Salat. _____

4. Gast: Gut. Und bringen Sie mir ein Mineralwasser. _____

4 **Einladung bei einer Kollegin**

1. Sie bitten um das Salz. *Könnte ich bitte mal das Salz haben?* _____

2. Sie möchten das Telefon benutzen. _____

3. Sie haben eine Frage Ihrer Gastgeberin nicht verstanden. _____

4. Sie wissen nicht, wie man zur Autobahn kommt. _____

5 **Ratschläge für eine Reise nach Lateinamerika**

1. Zuerst würde ich …

2. An deiner Stelle …   einen Spanischkurs machen • einen guten Reiseführer kaufen •
                 im Internet nachsehen • sich erkundigen, ob eine Malaria-Impfung nötig ist •
3. Auf jeden Fall solltest du …   Kreditkarte mitnehmen • Hotels vorbestellen • …

4. Wenn ich du wäre, …

6 **Zwei Briefe – einmal an eine Freundin, einmal an einen Kollegen**

Liebe Hanna!

Wie geht es dir? … Kannst du mir einen Gefallen tun? Ich brauche ein deutsches Lehrwerk und kann es

hier nicht bekommen. Kannst du mal nachsehen, ob die Universitätsbuchhandlung es auf Lager hat? Und

ist es möglich, dass du es mir schickst? Das ist sehr nett von dir! Ich werde dir natürlich deine Unkosten

ersetzen. Antwortest du mir bitte so schnell wie möglich per E-Mail?

Herzliche Grüße, deine Sophie

Schreiben Sie nun den Brief an einen Kollegen in Deutschland, den Sie erst seit Kurzem kennen.

Lieber Herr Fichte! *Wie geht es Ihnen? … Könnten Sie mir bitte einen Gefallen tun?* … _____

Wenn ich das gewusst hätte, hätte ich die Autobahn genommen.

Irreale Sätze im Konjunktiv II (Vergangenheit)

Wenn ich das **gewusst hätte,** hätte ich die Autobahn genommen.	nicht realisierte Möglichkeit in der Vergangenheit (sie hat es nicht gewusst): Konjunktiv II Vergangenheit
Wenn er nicht so **getrödelt hätte**, wäre er jetzt schon fertig.	*hätte/wäre* + Partizip II
Wäre er vorsichtiger **gefahren**, wäre der Unfall nicht passiert.	ohne *wenn*: konjugiertes Verb auf Position 1
Der Student **wäre** von der Firma **eingestellt worden**, wenn er seinen Bachelor schon gehabt hätte.	Passiv: *wäre* + Partizip II + *worden*
Eigentlich **hätte** ich viel länger **tanzen können**, aber mein Freund war schon müde.	mit Modalverb: *hätte* + Infinitiv + Infinitiv Modalverb
Ich weiß, dass ich das nicht **hätte tun sollen**.	im Nebensatz: *hätte* vor den Infinitiven

Das sagt man oft:
Wenn ich das **gewusst hätte**! Wenn er das **geahnt hätte**! **Hättest** du doch was **gesagt**!

Vergleichssätze mit *als ob*

Es scheint, **als ob** er zu Hause **ist**.	er ist wahrscheinlich zu Hause (Präsens)
Er tut so, **als ob** er sich nicht dafür **interessieren würde**.	er interessiert sich aber dafür ⎫ „irrealer" Vergleich
Er spielt Tennis, **als ob** er 30 **wäre**.	er ist aber schon 50 ⎭ → **Konjunktiv II**
Er spielt Tennis, **als wäre** er 30.	auch ohne *ob*
Die Wiese sah aus, **als hätte** es Tag und Nacht **geregnet**.	Konjunktiv II Vergangenheit: *hätte/wäre* + Partizip II

Vergleichssätze ohne Konjunktiv → **77**

1 Zwei Freunde – verschiedene Ansichten

1. ● Wir sind vorigen Sommer im Urlaub nach Grönland gefahren. Was?   ● Dahin *wäre ich nie gefahren.*

2. ● Ich habe Hanna von unserem Abenteuer in der Wildnis erzählt.   ● Das ... meiner Freundin ...

3. ● Wir haben uns eine Wohnung in dem neuen Hochhaus gekauft.   ● Ich an deiner Stelle ...

4. ● Ich habe den Job bei der Sicherheitsfirma angenommen.   ● Tatsächlich? Den Job ... ich ...

2 Autobiografie

1. Ich bin mein ganzes Leben Beamter gewesen.

   Am liebsten *wäre ich allerdings Schriftsteller geworden.* | Schriftsteller werden

2. Wir haben die meiste Zeit in der Stadt gelebt. Am liebsten ... | auch mal auf dem Land

3. Wir sind nie ins Ausland gezogen. Am liebsten ... | für ein paar Jahre nach Italien

4. Wir hatten immer genug zum Leben. Natürlich ... | auch gern wohlhabend sein

3 Was wäre gewesen, wenn ...

1. Mateo hat sich keine Mütze angezogen. Jetzt hat er Ohrenschmerzen.

   Wenn Mateo sich eine Mütze angezogen hätte, hätte er jetzt keine Ohrenschmerzen.

2. Vor vielen Jahren arbeitete sie für ihre Firma im Ausland. Dort lernte sie Juan kennen.

3. Der See war leider nicht zugefroren. Deshalb konnten wir nicht Schlittschuh laufen.

4 Das wäre gemacht worden. Formulieren Sie im Passiv.

1. Wenn er anruft, wird er abgeholt. *Wenn er angerufen hätte, wäre er abgeholt worden.*

2. Wenn sie besser tanzen, werden sie noch einmal engagiert.

3. Wenn die Bürger sich beim Bürgermeister beschweren, werden die Straßen repariert.

4. Wenn die Kranke zu Hause bleibt, wird sie von den Familienangehörigen gepflegt.

5 Er tut, als wäre nichts geschehen.

1. Herr Neureich macht ein teilnahmsloses Gesicht. *Er tut so, als wäre nichts geschehen.* (nichts ist geschehen)

2. Nora macht erstaunte Augen. Sie tut, als ob sie _____ (sie hat das nicht gewusst)

3. Jonas spielt sich immer so auf, als ob _____ (der Chef sein)

4. Felix ist gar nicht so arm. Aber er tut immer so, als _____ (kein Geld haben)

6 Kennen Sie das?

1. Man ist traurig, aber *man tut so, als wäre alles in Ordnung.* _____ (alles ist in Ordnung)

2. Man möchte etwas haben, aber man tut so, als _____ (kein Interesse haben)

3. Man hat Angst, aber _____ (...)

4. Man ist enttäuscht, aber _____ (...)

7 Erzählen Sie.

1. In welcher Zeit hätten Sie gern gelebt? Warum?

2. Gibt es einen Moment in Ihrem Leben, in dem Sie anders hätten entscheiden sollen?

Wenn Ben doch endlich käme! Der Zug fährt in zehn Minuten ab.

Konjunktiv II: Wunschsätze

> Die Modalpartikeln *doch, nur* und *bloß* machen den Wunsch intensiver.

Modalpartikeln → 50, 51

Wenn sie doch mal **anrufen würde**!	Mit dem **Konjunktiv II** kann man Wünsche ausdrücken. meist: *würde* + Infinitiv des Verbs
Wenn er doch endlich **käme**! **Wenn** wir doch gestern **mitgefahren wären**! **Wenn** ich doch besser Deutsch **sprechen könnte**!	bei *sein, haben* und *werden* sowie bei den Modalverben und bei häufigen unregelmäßigen Verben meist Konjunktiv II: *wäre, hätte, würde; könnte, sollte, wollte, dürfte, müsste; käme, ginge, ließe, …*
Käme er doch endlich! **Wäre** er doch schon hier!	ohne *wenn* → konjugiertes Verb auf Position 1: *wäre, hätte, würde*

Das sagt man oft:
Wenn ich das bloß **wüsste**!
Hättest du mir das doch gleich **gesagt**!
Wenn doch schon Freitagabend **wär**'!

Modalverben im Konjunktiv II: Vermutungen

Er **dürfte** morgen fertig **werden**. So **dürfte** es gewesen sein.	vorsichtige Vermutung: wahrscheinlich wird er fertig
Er **könnte** morgen fertig **werden**. Das **könnte** er gesagt haben.	Feststellung einer Möglichkeit: möglicherweise wird er fertig
Er **müsste** morgen fertig **werden**.	stärkere Vermutung, es gibt Indizien, dass er fertig wird

1 **Wünsche. Benutzen Sie Konjunktiv II und die Modalpartikeln *doch* und *nur*.**

1. Ich wünsche, dass schon Freitagnachmittag ist. *Wenn doch schon Freitagnachmittag wäre!*

2. Ich wünsche, dass ich Chinesisch sprechen kann. *Könnte ich ...*

3. Ich wünsche, dass ich mehr Zeit für meine Hobbys habe.

4. Ich wünsche, dass mein Freund anruft.

2 **Das wäre gut gewesen. Formulieren Sie mit dem Konjunktiv II der Vergangenheit.**

1. Mein Freund hat nicht angerufen. *Wenn mein Freund doch angerufen hätte!*

2. Du hast es mir nicht rechtzeitig gesagt.

3. Ben hat nicht auf seine Eltern gehört.

4. Wir haben das nicht gewusst.

3 **Ein verpatzter Urlaub**

Familie Unger hat sich auf ihren Urlaub im Ausland nicht gut vorbereitet: (1) Sie verstehen die Sprache des Landes nicht, denn sie haben keinen Sprachkurs besucht. (2) Sie haben sich vorher nicht über wichtige Sehenswürdigkeiten informiert. (3) Sie haben keine Hotels gebucht und (4) haben auch die Kreditkarte nicht eingesteckt . (5) Sie wussten nichts über das Klima und haben nicht genug warme Kleidung dabei. Frau Unger denkt: (1) *Wenn wir doch einen Sprachkurs besucht hätten! (2) Und wenn wir uns nur ...*

4 **Was hätten Sie besser machen können? Formulieren Sie irreale Wünsche in der Vergangenheit.**

1. Sie sind zu spät zu einem Treffpunkt gekommen, und ihr Bekannter ist schon weg.

 Wenn ich doch bloß rechtzeitig aus dem Haus gegangen wäre!

2. Sie sind in einem Restaurant, aber die Bedienung ist unfreundlich und das Essen ist schlecht.

3. Sie schreiben eine Deutschprüfung und können sich an viele Vokabeln nicht mehr erinnern.

5 **Lisa formuliert vorsichtig.**

1. Freundin Mila: ● Ich brauche mein Buch wieder. Hast du es bis morgen ausgelesen?

 Lisa (hat nur noch ein paar Seiten zu lesen): ● *Ja, ich dürfte morgen damit fertig sein.*

2. Tochter Eva: ● Ich muss heute Abend noch weg. Ist das Essen um 7 Uhr fertig?

 Lisa (hält das für möglich): ● *Ja, es*

3. Mann Julian: ● Glaubst du, dass es ein schönes Fest wird morgen?

 Lisa (hat alles gut vorbereitet): ● *So wie es aussieht,*

6 **So wäre das Leben leichter! Formulieren Sie Wünsche.**

Wäre das Leben leichter oder angenehmer für Sie, wenn Sie … großzügiger / sparsamer wären? mehr Zeit für sich selbst / mehr Zeit für Ihre Freunde / mehr Zeit für Ihre Kinder (oder Eltern) hätten? mehr Geld / ein Auto hätten? den Beruf wechseln könnten? nettere Nachbarn / Kollegen hätten? einen Garten hätten?

 Wenn ich doch etwas sparsamer wäre! Dann ...

Der Regierungssprecher sagt:
„Ich weiß nichts von Steuererhöhungen."

Indirekte Rede in formellen Kontexten

Der Regierungssprecher sagte, er **wisse** nichts von Steuererhöhungen.	Der Sprecher / die Sprecherin gibt wieder, was ein anderer gesagt hat: **Konjunktiv I** (formeller Stil, z. B. Zeitungstexte, Literatur)
Der Regierungssprecher <u>sagte</u>, **dass** er davon nichts **wisse**. Der Regierungssprecher <u>behauptete</u>, er **wisse** davon nichts. Der Autor <u>behauptet</u>, **dass** die Handlung auf einer wahren Begebenheit **beruhe**. Der Filmkritiker wurde <u>gefragt</u>, **ob** ihm der neueste Film des Regisseurs **gefalle**.	Die indirekte Rede folgt auf ein Verb des Sagens im Hauptsatz. Sie kann die Form eines Nebensatzes (*dass, ob*) oder eines Hauptsatzes haben.
Der Firmenchef sagt: „**Ich** muss das überprüfen." Die Journalistin: „Der Firmenchef sagt, **er** müsse das überprüfen." Der Bankensprecher sagte: „**Wir** sind mit der Reform bald fertig." Der Journalist schreibt: „Der Bankensprecher behauptet, **sie** seien mit der Reform bald fertig."	Oft ändern sich die Personalpronomen. Hier: ich → er \qquad wir → sie (Der Konjunktiv I signalisiert hier auch Distanz zum Gesagten.)
Der Minister: „Die Einkommen liegen höher als im Vorjahr. Die Statistiken zeigen das." Reporter: „Der Minister sagte, die Einkommen **lägen** höher als im Vorjahr. Die Statistiken **würden** das **zeigen**."	Bei gleichen Formen in Konjunktiv I und Präsens: Konjunktiv II oder *würde + Infinitiv* *liegen → lägen* *zeigen → würden zeigen*
Max: „Ich **komme** gleich!" Maria: „Max sagt, **er kommt** gleich." Oder: „Max sagt, **dass er** gleich **kommt**."	In der Umgangssprache benutzt man den Konjunktiv I selten.

Formen des Konjunktiv I

	gehen	wissen	haben	sein	werden	lassen	wollen	müssen
ich	–	w**iss-e**	–	sei	–	–	woll-e	müss-e
du	–	–	–	sei-**st**	–	–	–	–
er / es / sie	geh-**e**	w**iss**-e	hab-**e**	sei	werd-**e**	lass-**e**	woll-**e**	müss-**e**
wir	–	–	–	sei-**en**	–	–	–	–
ihr	–	–	–	–	–	–	–	–
sie / Sie	–	–	–	sei-**en**	–	–	–	–

Die Formen des Konjunktiv I sind vom Infinitiv abgeleitet. Es gibt keine Vokaländerung: *er gehe, er fahre, er nehme, …*

Die oben stehenden Formen des Konjunktiv I werden in der indirekten Rede benutzt. Die anderen Formen sind mit dem Indikativ identisch (*wir gehen, wissen, …*). Sie werden durch den Konjunktiv II (*wir gingen, wir wüssten, …*) oder *würde + Infinitiv* ersetzt (*er würde gehen, kommen, …*).

(1) **E-Mail an einen Kollegen. Wie kann man diese Sätze auch anders formulieren?**

1. Der Buchhändler sagte uns, das Buch habe er leider nicht.

   Der Buchhändler sagte uns, dass er das Buch leider nicht habe.

2. Er erklärte uns, das Buch sei schon lange vergriffen. *Er erklärte uns, ...*

3. Der Verlag denke wohl auch nicht an eine Neuauflage. *Er glaube auch nicht, ...*

(2) **Eine Erzählung. Schreiben Sie den dazu passenden Dialog.**

Am Nachmittag rief Julian Mila an und fragte, ob sie am Abend Zeit hätte.

Mila meinte, sie sei gerade mit dem Artikel für die Sonntagszeitung fertig. Also ja.

Julian fragte, ob sie dann mit ihm abendessen könne.

Mila sagte sofort, dass sie gern komme. Was sie ihm denn mitbringen solle?

Julian meinte, das sei gar nicht nötig. Er habe nämlich selbst gekocht.

Mila sagte noch kurz, dass sie sich sehr auf ihn freue und dass sie sich dann also bald sehen würden.

● Julian: *Hast du heute Abend Zeit?*　　　　　● Mila: *Ich ...*

● Julian:　...

(3) **Drücken Sie die direkte Rede in indirekter Rede aus.**

1. Die Ministerin: „Ich kenne die Gesetzesvorlage gar nicht so genau."

   Der Zeitungsbericht: *Die Ministerin behauptete, sie kenne die Gesetzesvorlage gar nicht so genau.*

2. Ein Abgeordneter: „Die Umwelt muss uns wichtiger sein als der wirtschaftliche Gewinn. Deshalb dürfen die

   Bäume in dem Park nicht gefällt werden. Außerdem sind die Bäume wichtig für die Vögel und Insekten."

   Der Zeitungsbericht: *Ein Abgeordneter meldete sich zu Wort und forderte, ...*

(4) **Ein Interview**

Reporter:　Frau Orth, Sie haben gerade einen Preis im Eiskunstlauf gewonnen. Freuen Sie sich?

Frau Orth:　Ja, natürlich, sehr. Nach so viel Training und Spannung ist das eine schöne Belohnung.

Reporter:　Was ist denn das Wichtigste am Eiskunstlaufen?

Frau Orth:　Na ja, natürlich ist am wichtigsten, dass man jeden Tag mehrere Stunden lang trainiert. Auch auf die

　　　　　　Ernährung muss man sehr achten. Wenn ich zu viel wiege, kann ich nicht mehr so gut springen.

Reporter:　Wie viele Stunden am Tag trainieren Sie denn?

Frau Orth:　Also zuerst kommt mal die tägliche Gymnastik, das machen wir in der Gruppe. Danach gehen wir

　　　　　　noch mal vier bis fünf Stunden aufs Eis, vor einem Wettkampf sogar länger.

Reporter:　Ist Ihre Familie erleichtert, dass jetzt das ganz intensive Training erst mal vorbei ist?

Frau Orth:　Oh ja. Besonders meine kleine Tochter ist froh, dass ich wieder mehr mit ihr spielen kann.

Reporter:　Frau Orth, wir danken für das Gespräch.

In die Zeitung kommt eine Zusammenfassung des Interviews. Schreiben Sie die Zusammenfassung weiter.

Denken Sie daran, dass manchmal Verben des Sagens in den Text eingefügt werden müssen:

wir fragten, . . . sie antwortete, . . . sie fuhr fort, . . .

　Gestern haben wir die Eiskunstläuferin Hedwig Orth interviewt. Auf unsere Frage, ob sie sich über den Preis

　freue, antwortete sie, dass sie sich natürlich ...

> *Ich habe von der Sache nichts gewusst.*

Akten manipuliert!

Der Minister wiederholte heute, dass er von der ganzen Angelegenheit nichts gewusst habe. Das werde er auch vor dem Untersuchungsausschuss aussagen.

Indirekte Rede: Vergangenheit und Zukunft

Minister:	„Ich habe davon nichts gewusst."	**Vergangenheit**
Zeitungsartikel:	Der Minister sagte, er **habe** davon nichts **gewusst**.	Bezug auf etwas Vergangenes: **Konjunktiv I Perfekt**
Minister:	„Ich werde das vor dem Untersuchungsausschuss aussagen. Die Ermittlungen werden auch nichts anderes ergeben."	**Zukunft**
Zeitungsartikel:	Der Minister sagte, er **werde** das vor dem Untersuchungsausschuss **aussagen**. Die Ermittlungen **würden** sicher auch nichts anderes **ergeben**.	Bezug auf etwas Zukünftiges: **Konjunktiv I Futur** Oft: *würde* + Infinitiv

Zeitpunkt des Sprechens

Er sagt,	er **wisse** nichts davon.	Bezug auf einen gegenwärtigen Zeitp
Er sagte,	er **habe** nichts davon **gewusst**.	Bezug auf einen vergangenen Zeitpur
Er hat gesagt,	er **werde** das auch wieder **aussagen**.	Bezug auf einen zukünftigen Zeitpunk

Der Zeitpunkt des Sprechens ist <u>unabhängig</u> von der Zeit in der indirekten Rede.

Temporalangaben → 61, 62

> Die Zeitadverbien ändern sich in der indirekten Rede in der Vergangenheit:
> gestern → am Tag davor, am vorigen Tag
> heute → am gleichen Tag
> morgen → am nächsten Tag

Zeitadverbien in der indirekten Rede

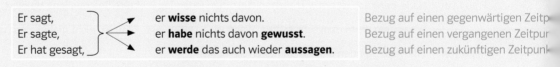

Minister: „Ich bin erst <u>gestern</u> aus Rom zurückgekommen. Ich werde aber noch <u>heute</u> vor dem Ausschuss aussagen. <u>Morgen</u> muss ich allerdings schon wieder nach Berlin fliegen."
Der Minister sagte gestern auf der Pressekonferenz, er sei erst **am Tag davor** aus Rom zurückgekommen. Er werde aber noch **am gleichen Tag** vor dem Ausschuss aussagen. Allerdings müsse er schon **am nächsten Tag** wieder nach Berlin fliegen.

1 **Kim beschreibt ihr neues Leben. Setzen Sie folgende Verben in der passenden Zeitform ein:**

gehen, haben, können, sein, unterstützen.

Kim schreibt ihrem Cousin, dass sie jetzt wieder arbeiten ___*gehe*___ . Sie meint, dass es gar nicht

so einfach _____ 1, nach so vielen Jahren wieder anzufangen. Sie _____ 2

aber stolz darauf, dass sie sich ohne weiteres wieder in ihre Arbeit _____ 3 einarbeiten

_____ 4. Sie _____ 5 vorher alles mit ihrem Mann und ihren Kindern besprochen,

und ihre Familie _____ 6 sie voll. Alle _____ 7 jetzt insgesamt viel zufriedener und

_____ 8 sich interessantere Dinge zu erzählen.

2 **Konjunktiv II in der indirekten Rede: Welche Verben brauchen einen Konjunktiv II statt des Konjunktiv I? Geben Sie auch den Grund dafür an.**

1. Jana und Mohammed: Sie <u>haben</u> in Mexiko in einem Restaurant Affen gesehen.

   Jana und Mohammed behaupten, sie hätten in Mexiko in einem Restaurant Affen gesehen.

   (Grund: haben → hätten, da Konjunktiv I gleich ist wie Indikativ)

2. Sie erzählen: Die Affen sind direkt an die Tische der Gäste gekommen und haben um Futter gebettelt.

3. Obwohl besonders Jana am Anfang etwas Angst gehabt hat, haben sie sich am dritten Tag dann schon an die ungewohnten Gäste gewöhnt.

3 **Was haben sie gesagt? Drücken Sie die indirekte Rede in direkter Rede aus. Achten Sie dabei besonders auf die Zeitangaben.**

1. Der Angeklagte behauptete, er hätte sich wegen des Lärms von der Baustelle gar nicht konzentrieren können.

   Der Angeklagte behauptete: „Ich habe mich wegen des Lärms von der Baustelle gar nicht konzentrieren können."

2. Leon versprach seiner Freundin, er werde noch am selben Tag die Bewerbung an die Firma schicken.

3. Die Gäste sagten, sie müssten jetzt gehen, weil ihre Kinder zu Hause alleine seien. Sie würden aber am nächsten Tag gern wieder kommen.

4 **Drücken Sie die direkte Rede in indirekter Rede aus.**

1. Hanna erzählte: „Wir durften abends nicht mehr weggehen."

   Hanna erzählte, sie hätten abends nicht mehr weggehen dürfen.

2. Alex erklärte: „Ich konnte mir das einfach nicht erklären."

3. Lea erzählt: „Ich habe eine Fachschule für Erzieherinnen besucht. Im letzten Jahr mussten alle ein zweimonatiges Praktikum machen. Nun werde ich wahrscheinlich erst mal in einem Kindergarten arbeiten."

5 **Wann haben sie was gesagt?**

1a. David sagt immer: „Ich habe kein Kleingeld dabei." → *Er sagt immer, er habe kein Kleingeld dabei.*

1b. Auch gestern, am Parkscheinautomaten, sagte er wieder: „Tut mir Leid! Ich habe kein Kleingeld dabei."

   → Auch gestern sagte er wieder, *es tue ihm leid, aber er* _____

2a. Lina sagt oft: „Das weiß ich doch schon seit Langem." → Lina sagt oft, dass _____

2b. Auch gestern sagte sie ständig: „Das habe ich doch schon immer gewusst." → Auch gestern sagte sie ständig, dass _____

Eins, zwei, drei ...

> **!**
> **1 = eins**, aber: **ein** Baum,
> **eine** Pflanze: Endungen wie
> indefiniter Artikel!

Indefiniter Artikel → 9

Ordinalzahlen, Datum → 95

0 – 9		10 – 19		20 – 29		30 – 90	
null	0	**zehn**	10	**zwanzig**	20		
eins	1	**elf**	11	**ein**undzwanzig	21		
zwei	2	**zwölf**	12	**zwei**undzwanzig	22		
drei	3	**drei**zehn	13	**drei**undzwanzig	23	**drei**ßig	30
vier	4	**vier**zehn	14	**vier**undzwanzig	24	**vier**zig	40
fünf	5	**fünf**zehn	15	**fünf**undzwanzig	25	**fünf**zig	50
sechs	6	**sech**zehn	16	**sechs**undzwanzig	26	**sech**zig	60
sieben	7	**sieb**zehn	17	**sieben**undzwanzig	27	**sieb**zig	70
acht	8	**acht**zehn	18	**acht**undzwanzig	28	**acht**zig	80
neun	9	**neun**zehn	19	**neun**undzwanzig	29	**neun**zig	90

35
fünfund**dreißig**

Einfache Zahlen (1, 2, 3 ...) und Zahlen mit zwei Silben (14, 20, 100 ...) schreibt man meist als Wörter: eins, zwei, drei, vierzehn, zwanzig, hundert ...

beide: Sie streckt **beide** Hände aus. – Er hat zwei Schwestern. **Beide** studieren. (es gibt genau zwei)

> Es gab **tausend** Zuschauer.
> (genau 1000)
> Jedes Jahr kommen
> **Tausende / tausende** von
> Besuchern. (Schätzung,
> ~ 3000 – 9000)

100 – 900		1 000 – 1 000 000		Kombinationen	
(ein)hundert	100	**(ein)tausend**	1 000	210	zweihundert(und)zehn
zweihundert	200	**zwei**tausend	2 000	1 654	(ein)tausendsechshundert(und)
dreihundert	300	**drei**tausend	3 000		vierundfünfzig
vierhundert	400	**zehn**tausend	10 000	11 314	elftausenddreihundertvierzehn
fünfhundert	500	**elf**tausend	11 000		
sechshundert	600	**zwanzig**tausend	20 000	420 933	vierhundertzwanzigtausend(und)
siebenhundert	700	**hundert**tausend	100 000		neunhundertdreiunddreißig
achthundert	800	**zweihundert**tausend	200 000		
neunhundert	900	**eine Million**	1 000 000	1 300 000	eine Million dreihunderttausend

Fragewörter

Wie viel kostet die Tasche? – 25 Euro.

Wie vie<u>l</u>e Schüler sind in der Klasse? – Dreißig.

1 6 5 4
eintausendsechshundert<u>vier</u>und<u>fünfzig</u>

Mathematik und Geld

2 + 2 = 4	Zwei plus zwei ist (gleich) vier.	(addieren)
3 x 3 = 9	Drei mal drei ist (gleich) neun.	(multiplizieren)
9 – 4 = 5	Neun minus vier ist (gleich) fünf.	(subtrahieren)
12 : 3 = 4	Zwölf (dividiert) durch drei ist vier.	(dividieren)
0,5; 1,7	null Komma fünf; eins Komma sieben	
½; 1½	ein halb; eineinhalb (anderthalb), die Hälfte von ...	
⅓; ¼	ein Drittel; ein Viertel (Bruchzahlen)	
⅛	ein Achtel	
1/20	ein Zwanzigstel	

€ 18	achtzehn Euro (EUR), in Deutschland und Österreich
€ 1500	eintausendfünfhundert Euro oder fünfzehnhundert Euro
€ 3,45	drei Euro fünfundvierzig
€ 0,01	1 Cent
€ 0,50	50 Cent
Fr. 1,-	ein (Schweizer) Franken (CHF), in der Schweiz
Fr. 1,90	ein Franken neunzig (Rappen)

1 **Schreiben Sie die Zahlen.**

1. 49 *neunundvierzig*

2. 37 _____

3. 98 _____

4. 66 _____

5. 15 _____

6. 24 _____

7. 711 _____

8. 691 _____

9. 1073 _____

2 **Schreiben Sie und rechnen Sie.**

1. *Elf plus einunddreißig ist zweiundvierzig.* 11 + 31 = *42*

2. _____ 3 + 14 = _____

3. _____ 204 − 3 = _____

4. _____ 12 × 3 = _____

5. _____ 16 : 2 = _____

3 **Währungen. Suchen Sie im Internet**

In Deutschland kostet das Tablet 193,98 Euro. Das sind _____ US Dollar (USD)

oder_____ Schweizer Franken (CHF).

4 **Telefonnummern. Wie sagt man das?**

11 49 23 „eins eins – vier neun – zwei drei" oder „elf neunundvierzig dreiundzwanzig"

359 21 38 „drei fünf neun – zwei eins – drei acht" oder „drei fünf neun einundzwanzig achtunddreißig"

Wie ist Ihre Telefonnummer? Wie sagen Sie die Nummer?

_____   _____

(Zahl)   (Wort)

Fragen Sie Ihren Partner / Ihre Partnerin: „Wie ist deine / Ihre Telefonnummer?"

_____   _____

5 **Wichtige Telefonnummern. Suchen Sie im Telefonbuch (dastelefonbuch.de) wichtige Telefonnummern.**

Diktieren Sie die Nummern Ihrem Partner / Ihrer Partnerin.

Polizei: _____   _____

Feuerwehr: _____   _____

Krankenhaus / Ambulanz: _____   _____

Vorwahl für Deutschland: _____   + 49 _____

Vorwahl für Österreich: _____   + _____

Vorwahl für die Schweiz: _____   + _____

Vorwahl für Berlin: _____   + 49 *30* 12345678

Vorwahl für Köln: _____   + 49 ____ 12345678

Vorwahl für München: _____   + 49 ____ 12345678

Wann fängt der Film an?

Um Viertel nach acht.

Die Uhrzeit: Wie spät ist es? Wie viel Uhr ist es?

	Im Radio, im Fernsehen, am Flughafen … formell (24 Stunden)	Im Gespräch informell (12 Stunden)
	Es ist 20.00 Uhr. (Es ist zwanzig Uhr.)	Es ist acht Uhr.
	Es ist 20.10 Uhr. (Es ist zwanzig Uhr zehn.)	Es ist zehn nach acht.
	Es ist 20.15 Uhr. (Es ist zwanzig Uhr fünfzehn.)	Es ist Viertel nach acht. Regional auch: „viertel neun"
	Es ist 20.25 Uhr. (Es ist zwanzig Uhr fünfundzwanzig.)	Es ist fünf vor halb neun.
	Es ist 20.30 Uhr. (Es ist zwanzig Uhr dreißig.)	Es ist halb neun.
	Es ist 20.35 Uhr. (Es ist zwanzig Uhr fünfunddreißig.)	Es ist fünf nach halb neun.
	Es ist 20.40 Uhr. (Es ist zwanzig Uhr vierzig.)	Es ist zwanzig vor neun.
	Es ist 20.45 Uhr. (Es ist zwanzig Uhr fünfundvierzig.)	Es ist Viertel vor neun. Regional auch: „drei viertel neun"

Temporalangaben → **61, 62**

- **Wann / um wie viel Uhr** kommt der Zug an?
- Der Zug aus Köln kommt **um** 16.30 Uhr an.

informell: ● Der Zug kommt **um** halb fünf an.

Gewichte, Maße

1 kg = ein Kilo(gramm) (= 1000 Gramm)

1 Pfd. = 1 Pfund (= 500 Gramm / 500 g)

100 g = hundert Gramm

10 g = zehn Gramm

1 dag = ein Deka(gramm) = 10 Gramm (österr.)

1 cm = ein Zentimeter

1 m = ein Meter

1 mm = ein Millimeter

1 km = ein Kilometer

1 km / h = ein Stundenkilometer, ein Kilometer pro Stunde

4 m² = vier Quadratmeter

10 m³ = zehn Kubikmeter

75 l = fünfundsiebzig Liter

15° = fünfzehn Grad (Celsius)

1 **Wie sagt man die Uhrzeit im Gespräch?**

5.15   1. *Es ist Viertel nach fünf. /*
      Es ist Viertel sechs.

3.30   2. _____

3.20   3. _____

9.50   4. _____

11.45   5. _____

7.55   6. _____

8.25   7. _____

16.40   8. _____

2 **Ein Telefongespräch. Ergänzen Sie die Uhrzeiten in Worten.**

● Guten Tag, ich habe noch ein paar Fragen zu meinem Flug. ___*Wann*___ fliege ich in Graz los?

● Gern. Der Flug geht um 17.15 Uhr. ___*Um siebzehn Uhr fünfzehn*___ .

● Und _____ 1 komme ich in Wien an?

● (17.55) _____ 2 .

● Aha. Das geht ja schnell. Und _____ 3 geht es weiter nach Johannesburg?

● (21.35) _____ 4 .

● Vielen Dank. Auf Wiederhören.

Die Person erzählt ihrem Partner die Flugzeiten in informellem Stil:

Also, hör mal, Alex. Mein Flug geht um ___*Viertel nach fünf*___ in Graz los, und ich komme um

_____ 5 in Wien an. Dann geht es um _____ 6 weiter

nach Johannesburg. Das ist gut, dann kann ich am Wiener Flughafen etwas essen.

3 **Die neue Wohnung. Schreiben Sie die Maße und Preise aus der E-Mail in Worten.**

Hallo Paul,

die neue Wohnung hier in Berlin ist prima! Wir haben jetzt drei Zimmer: Das Schlafzimmer ist ziemlich groß,

es hat __*17 m²*__ 1. Das Kinderzimmer ist auch okay. Nur das Wohnzimmer ist   *siebzehn Quadratmeter*

ziemlich klein __*12 m²*__ 2! Natürlich ist die Miete hier in Berlin viel höher: _____

__*1500 €*__ 3 im Monat. Aber jetzt haben wir auch Platz für Besuch – komm _____

doch mal nach Berlin!

LG, Claudia

4 **Die Einkaufsliste. Schreiben Sie oder diktieren Sie Ihrem Partner / Ihrer Partnerin.**

„Schreib bitte mal auf, heute brauchen wir: drei Kilogramm Kartoffeln,

eineinhalb Pfund Karotten, zwei Liter Milch, ein Pfund Butter, drei-

hundert Gramm Käse, fünfzig Gramm Oliven und einen Liter Olivenöl."

Einkaufsliste:
3 kg Kartoffeln
...

Frankfurter Goethe-Haus

Johann Wolfgang von Goethe wurde am 28. August 1749 in Frankfurt am Main geboren.

Das Datum

9.4.2021	Heute ist **der** neun**te** April 2021.
28.8.1749	Goethe ist **am** achtundzwanzigs**ten** August 1749 geboren.
3.1.2000	Sie hat **am** dritt**en** Januar 2000 Geburtstag.
Weimar, 23.4.1790	Weimar, **den** dreiundzwanzigs**ten** Vier**ten** siebzehnhundertneunzig
München, 1.2.02	München, **den** ers**ten** Zwei**ten** null zwei (oder zweitausendzwei)
Zürich, den 3.7.2021	Zürich, **den** dritt**en** Sieb**ten** zweitausendeinundzwanzig (in Briefen)

Jahreszahlen im Text: **Im Jahr 2020** gab es eine Pandemie. / **2020** gab es eine Pandemie.
(Nicht: ~~In 2020 …~~)

Form der Ordinalzahlen

Als Ziffer schreibt man Ordinalzahlen mit einem Punkt: 1.   2.   3.

	Zahl + **-te**	1. – 19.	Zahl + **-ste**	ab **20.**
der, das, die	**erste** …	1.	zwanzig**ste** …	**20.**
	zwei**te** …	2.	einundzwanzig**ste** …	**21.**
	dritte …	3.	zweiundzwanzig**ste** …	**22.**
	vier**te** …	4.		
	fünf**te** …	5.	hundert**ste** …	**100.**
	sechs**te** …	6.	hundert**erste** …	**101.**
			hundertzwei**te** …	**102.**
	zehn**te** …	10.	hundertdreißig**ste** …	**130.**
	neunzehn**te** …	19.	tausend**ste** …	**1000.**

Zahlen → 93

Adjektivendungen → 26, 27

Ordinalzahlen sind Adjektive. Sie haben Adjektivendungen:
der erst**e** Versuch – ein zehn**ter** Versuch
das dritt**e** Haus – ein viert**es** Beispiel
die zwanzigst**e** Reihe – eine zweit**e** Gelegenheit

Ordinalzahlen als Pronomen:
der Erste / **e**in Erst**er**, der Zweite, der Dritte … der Letzte (Großschreibung!)
Zahladverbien:
ersten**s**, zweiten**s**, dritten**s**, vierten**s**, fünften**s**, sechsten**s**, siebten**s**, achten**s**, … (geschrieben: 1., 2., 3.)

Das sagt man oft:
Ich versuche das jetzt schon **zum dritten Mal**. **Am ersten Januar** ist hier Feiertag.
Erstens habe ich keine Lust und **zweitens** haben wir zu wenig Zeit.
Das Gehalt wird an **jedem Ersten** (des Monats) überwiesen. (immer am Ersten des Monats)

(1) Feste Feiertage in Deutschland.

1. der 1. Januar _der erste Januar_   3. der 3. Oktober _____

   = Neujahr   = Tag der deutschen Einheit

2. der 31. Dezember _____   4. der 25. Dezember _____

   = Silvester   = Erster Weihnachtsfeiertag

(2) Einige interessante Daten. Lesen Sie die Zahlen laut und schreiben Sie sie in Worten.

1291 _____ Gründung der Schweiz

1871 _____ Gründung des Deutschen Reiches

1918 _____ Gründung der Republik Österreich

1939–1945 _____ Zweiter Weltkrieg

1989 _____ Fall der Berliner Mauer

(3) Setzen Sie die Ordinalzahlen ein.

1. Sie haben drei Versuche. Einen _____ _vierten_ _____ Versuch gibt es nicht.

2. Felix geht schon in die _____ (11.) Klasse!

3. Neunzehn Mal war alles gut gegangen – beim _____ Mal wurden die Einbrecher erwischt.

4. Im _____ (19.) Jahrhundert begann in Deutschland die industrielle Revolution.

(4) Terminsorgen. Sprechen Sie die Ordinalzahlen laut und schreiben Sie sie als Wort.

    Achten Sie auf die Endung!

● Also Frau Sikurek, das tut mir wirklich leid, aber am 15.10. _am fünfzehnten zehnten_

   geht es wirklich nicht – wie wäre es denn mit dem 15.11., da _____ 1

   habe ich noch Zeit.

● Nein, nein, Herr Berger, der 15.11. passt mir leider nicht. _____ 2

   Was ist denn mit dem 23.? _____ 3

● Nein, da bin ich den ganzen Tag in Bochum. Und wie ist es

   eine Woche später, am 30.? _____ 4

● Ja, der 30.11. passt mir – na also, das war aber schwierig! _____ 5

(5) Ungeduldig. Schreiben Sie die Zahladverbien.

Aber Herr Wolters, das habe ich Ihnen doch schon lang und breit erklärt: _Erstens_ (1.) habe ich keine Zeit

für das Projekt, _____ (2.) ist jetzt ein sehr ungünstiger Zeitpunkt dafür, _____ (3.) ist das nicht

Ihr Aufgabenbereich, und _____ (4.) muss ich mich jetzt dringend um was anderes kümmern – bitte

seien Sie nicht böse, aber es geht nun mal nicht!

(6) Lauter Sieger! Setzen Sie die Ordinalzahlen als Pronomen ein. Achten Sie auf Kasus und Artikel.

1. Elias ist neulich beim Wettlauf _Erster_ (1.) geworden – und Michael _____ (2.)!

2. Meine Tochter ist bei den Frauen auch _____ (1.) geworden.

3. Bei den Leichtathletik-Europameisterschaften wurde die deutsche Meisterin leider nur _____ (10.).

> Wir suchen eine/n Mitarbeiter/-in (m/w/d) für die Verwaltung. Wenn Sie schon viel Erfahrung haben, schicken Sie Ihre Bewerbung an …

m/w/d bedeutet: männlich, weiblich, divers (divers: keinem typischen Geschlecht zugeordnet)

Suffixe sind Elemente, mit denen man neue Wörter bildet. Sie stehen am Ende vom Wort.

Nomen mit Suffixen

Man kann mit Suffixen neue Nomen bilden. Das Suffix legt das Genus (*der, das, die*) des ganzen Wortes fest:
-er: maskulin → der Mitarbeit<u>er</u>; *-chen*: neutral → das Kind<u>chen</u>; *-ung*: feminin → die Verwalt<u>ung</u>

Feminine Suffixe

-ung	die Erfahr**ung** (<u>erfahren</u>)	die Hoffn**ung** (<u>hoffen</u>)	Verbstamm + *-ung*
-e	die Red**e** (<u>reden</u>) die Sprach**e** (<u>sprechen</u>)	die Such**e** (<u>suchen</u>) die Lieb**e** (<u>lieben</u>)	Verbstamm + *-e* (auch Vokal-Änderung)
-t	die Fahr**t** (<u>fahren</u>)	die Sich**t** (<u>sehen</u>)	Verbstamm + *-t*
-schaft	die Feind**schaft** (der Feind) die Lehrer**schaft** (der Lehrer)	die Freund**schaft** (der Freund) die Mann**schaft** (der Mann)	Nomen + *-schaft* (Beziehungen, Gruppen)
-heit / -keit	die Schön**heit** (schön) die Möglich**keit** (möglich)	die Dumm**heit** (dumm) die Menschlich**keit** (menschlich)	Adjektiv + *-heit / -keit* (oft Eigenschaften)

Manchmal gibt es kleine Änderungen beim Wortstamm:
hoffen → Hoff+n+ung;
sammeln → Samm-l-ung

-in	die Italiener**in** (der Italiener), die Lehrer**in** (der Lehrer), die Ärzt**in** (der Arzt)	Nomen + *-in* Heute schreibt man oft so: der / die Künstler/-in, ein/e Mitarbeiter/-in

Manchmal sieht man auch diese Formen:
der*die Leiter*in / der_die Leiter_in, der:die Leiter:in. Diese Schreibweisen sollen genderneutral sein. Sie werden noch nicht überall akzeptiert.

Maskuline Suffixe

-er	der Lehr**er** (<u>lehren</u>) der Bohr**er** (<u>bohren</u>) der Musik**er** (die Musik)	der Fahr**er** (<u>fahren</u>) der Zähl**er** (<u>zählen</u>) der Länder**er** (England)	Verbstamm + *-er* (Personen, Instrumente) Nomen + *-er* (Personen)
-ler	der Künst**ler** (die Kunst)	der Sport**ler** (der Sport)	Nomen + *-ler* (Personen)

Neutrale Suffixe

-chen **-lein**	das Kind**chen** (das Kind) das Vög**lein** (der Vogel)	das Häus**chen** (das Haus) das Büch**lein** (das Buch)	Nomen + *-chen / -lein* *ein kleines Haus / Buch / …*
-tum	das Beamten**tum** (der Beamte)	das Christen**tum** (der Christ)	(meist) Nomen + *-tum*

Aber: **der** Reichtum, **der** Irrtum (maskulin)

1 **Welches Genus?**

Fremdheit • Maler • Wählerschaft •
Renovierung • Künstlertum • Gesundheit •
Ausnahme • Bächlein • Chefin •
Schrift • Höflichkeit • Mixer •
Wissenschaftler • Boxer •
Rede • Flüsschen • Bewegung

| 1. Feminine Nomen: *die Fremdheit,*

|

|

| 2. Maskuline Nomen:

|

| 3. Neutrale Nomen:

|

2 **Woraus bestehen die Nomen?**

1. *eil(en) + -e*   die Eile
2. *der Freund + -in*   die Freundin
3. die Lösung
4. die Klarheit
5. das Bürgertum

6. das Wäldchen
7. die Wahrscheinlichkeit
8. der Wähler
9. die Macht
10. die Ordnung

3 **Was fehlt in der Reihe? Wenn Sie bestimmte Wörter nicht kennen, schauen Sie in einem Lexikon nach.**

1. die Sprache   *der Sprecher*   sprechen
2. _____ der Lehrer _____
3. die Fahrt _____ _____
4. die Schrift _____ schreiben

5. die Kunst   *der Künstler*   die Künstlerin
6. _____ der Sportler _____
7. die Wissenschaft _____ _____
8. Italien   der _____

4 **Eine Person die …**

1. Eine Person, die liest → *ein Leser / eine Leserin*
2. Eine Person, die zuhört → _____
3. Eine Person, die spricht → _____
4. Eine Person, die (jemanden) besucht → _____
5. Eine Person, die dichtet → _____
6. Eine Person, die berät → _____

5 **Ein Gerät, mit dem man …**

1. Ein Gerät, mit dem man bohrt → *ein Bohrer*
2. Ein Gerät, mit dem man (etwas) schaltet → _____
3. Ein Gerät, mit dem man Geschirr spült → *ein Geschirr…*
4. Ein Gerät, mit dem man Schrauben zieht → *ein Schrauben…*

6 **Bei den Zwergen. Schreiben Sie den Text neu und verwenden Sie -chen dort, wo es passt.**

Schneewittchen wachte auf. Da war sie sehr überrascht: Alles war viel kleiner, als sie es gewohnt war: Die Zwerge saßen auf kleinen Stühlen an kleinen Tischen, sie aßen von kleinen Tellern und benutzten kleine Messer und Löffel. In den Zimmern sah es ähnlich aus: Dort standen kleine Betten, man schaute in kleine Spiegel und setzte sich auf kleine Sessel. Wie sollte Schneewittchen in dieser Welt nur zurechtkommen?

Die Zwerge saßen auf kleinen Stühlchen …

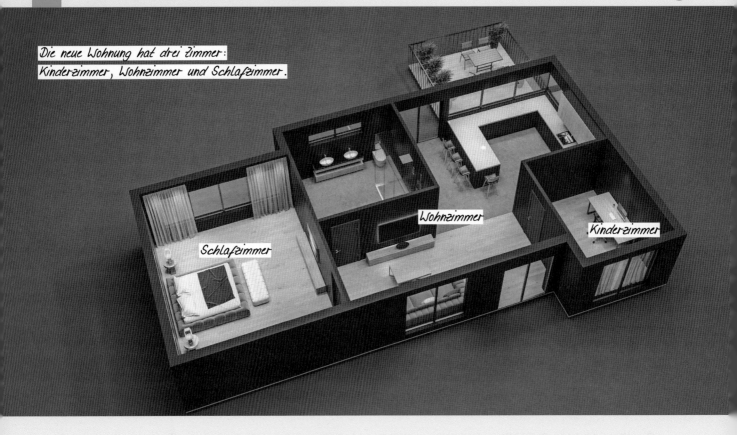

Die neue Wohnung hat drei Zimmer:
Kinderzimmer, Wohnzimmer und Schlafzimmer.

Schlafzimmer

Wohnzimmer

Kinderzimmer

Nominalkomposita

Nominalkomposita bestehen aus zwei Teilen. Man schreibt sie meistens als ein Wort:
die Kinder + das Zimmer → das Kinderzimmer
wohnen + das Zimmer → Wohnzimmer
schlafen + das Zimmer → das Schlafzimmer

> Im Deutschen verwendet man sehr häufig Komposita. Man versteht sie am besten, wenn man ihre Teile erkennt: Straßenbahnhaltestelle – Haltestelle der Straßenbahn; Universitätsbibliothek – Bibliothek der Universität.

Erster Teil	Nominalkomposita	
Nomen	**Dach**zimmer	Das erste Element kann ein Nomen, ein Verb, ein Adjektiv
Verb	**Bohr**maschine	oder ein anderes Wort sein. Das zweite Element ist immer ein
Adjektiv	**Schnell**straße	Nomen.
Präposition	**Um**weg	

Das Genus des Nomens erkennt man am zweiten Teil: **das Zimmer** → **das** Arbeits**zimmer**

> **!**
> Achten Sie auf den Kontext – er hilft oft beim Verständnis des Kompositums.

Manche Komposita haben ein „Scharnier" in der Mitte: Arbeit-**s**-zimmer, Essen-**s**-zeit, Liebe-**s**-geschichte
-**s**- steht immer nach -ung, -heit / -keit, -schaft, -tum, -ion, -ität, -thek: Ordnung**s**liebe, Information**s**blatt ...

Der zweite Teil legt die Grundbedeutung fest: ein Arbeits**zimmer** ist ein **Zimmer**
Der erste Teil des Kompositums gibt genauere Angaben: Was für ein Zimmer?
Arbeitszimmer → ein Zimmer **für die Arbeit** = ein Zimmer, in dem man normalerweise **arbeitet**

Einige typische Bedeutungen von Komposita:

Sparmaßnahme; **Kinder**zimmer	Maßnahme zum Sparen; Zimmer für Kinder **(wofür? für wen?)**
Dachzimmer; **Mond**rakete	Zimmer unter dem Dach (wo?); Rakete zum Mond **(wohin?)**
Mittagsschlaf; **Sommer**urlaub	Schlaf am Mittag; Urlaub im Sommer **(wann?)**
Brechtgedicht; **Sturm**schaden	Gedicht von Brecht; Schaden durch einen Sturm **(von wem? wodurch?)**
Holzkiste; **Erdbeer**torte	Kiste aus Holz; Torte mit Erdbeeren **(woraus? womit?)**
Tierbuch; **Wetter**bericht	Buch über Tiere; Bericht über das Wetter **(worüber?)**
Ölheizung; **Wasser**kraftwerk	Heizung, die mit Öl funktioniert; ... **(funktioniert womit?)**
Warmwasser; **Alt**papier	warmes Wasser; altes Papier **(wie?)**

① Woraus bestehen die Nomen?

1. _das Haus + die Tür_____ die Haustür

2. _____ der Ledersessel

3. _____ die Fahrbahn

4. _____ der Abschlusstest

5. _____ der Fußballspieler

6. _____ die Augenärztin

7. _____ das Rotlicht

8. _____ die Sprachschulleiterin

9. _____ der Hängeschrank

10. _____ die Jugendarbeitslosigkeit

② Was für Geschichten mögen Sie? Fragen Sie auch Ihren Partner / Ihre Partnerin.

| Liebe(s) • Abenteuer • Spionage •
Reise • Katze(n) • Urlaub(s) •
Pferd(e) • Kriminal • Internat(s) | _Ich mag am liebsten Liebesgeschichten._

Lesen Sie auch gerne Liebesgeschichten? | Geschichte
Roman
Film |

③ Dinge und Zeiten. Was passt zusammen? Es gibt meistens mehr als eine Möglichkeit.

| Abend- • Bade- •
Sommer- •
Ski- • Mittag(s)- •
Schönheit(s)- •
Winter- • kurz- •
Woche(n)- | _die Abendnachrichten,_ _____

_____

_____

_____

_____ | Schlaf
Urlaub
Nachrichten
Gewitter
Zeit
Ende |

④ Verb + Nomen. Erklären Sie die Bedeutung.

1. Bohrmaschine = _eine Maschine, mit der man bohrt_

2. Schlafzimmer = _ein Zimmer, ..._

3. Waschbecken = _____

4. Unterrichtsstunde = _____

5. Esstisch = _____

6. Spielplatz = _____

⑤ Ordnen Sie nach der Bedeutung.

wofür / für wen?	wo / wohin?	wann?	von wem?	woraus?	worüber?	funktioniert mit?
				Holzhaus		

Holzhaus • Windkraftrad • Sportplatz • Dichterlesung • Abendspaziergang • Bergtour • Heizöl •
Wartezimmer • Waldweg • Vollkornbrot • Umweltdiskussion • Expertenvortrag • Handcreme

*Die weiteren Aussichten:
winterlich kalt, aber sonnig.
An der Küste stürmisch.*

Adjektive mit Suffixen

> Suffixe sind Elemente, mit denen man neue Wörter bildet. Sie stehen am Ende vom Wort.

Viele Adjektive bestehen aus einem Grundwort und einem Adjektivsuffix. So kann man z. B. aus Nomen und Verben Adjektive bilden.

-lich

winterliches Wetter (der Winter)	ein **sprachliches** Problem (die Sprache)	Nomen + -lich
persönlich anrufen (die Person)	**monatlich** zahlen (der Monat)	
verständlich sprechen (verstehen)	das ist **erklärlich** (erklären)	Verbstamm + -lich

> Manchmal fällt die Endung des Grundworts weg:
> Sprache + -lich → sprachlich
> Sonne + -ig: sonnig
> Schatten + -ig → schattig

Manche Adjektive haben Umlaut: m**ä**nnlich (der Mann), pers**ö**nlich (die Person), m**ü**ndlich (der Mund)

-ig

sonniges Wetter (die Sonne)	ein **schattiger** Platz (der Schatten)	Nomen + -ig
breitschultrige Männer (breite Schultern)	**langstielige** Rosen (langer Stiel)	Adjektiv + Nomen + -
ein **wackeliger** Stuhl (wackeln)	ein **kratziger** Pulli (kratzen)	Verbstamm + -ig
das **dortige** Restaurant (dort)	das **heutige** Konzert (heute)	Adverb + -ig

-isch

> **!** kindisch: „Sei nicht so **kindisch**!" (negativ)
> kindlich: Nein-Sagen ist ein wichtiger Schritt in der **kindlichen** Entwicklung. (neutral)

die **amerikanische** Politik (Amerika)	**kindisches** Verhalten (das Kind)	Nomen + -isch
regnerisches Wetter (regnen)	ein **wählerischer** Mensch (wählen)	Verbstamm + -erisch

-haft

> -bar → **85**

die **meisterhafte** Vorstellung (der Meister)	ein **fehlerhafter** Text (der Fehler)	Nomen + -haft
wohnhaft in Berlin (wohnen) (der Wohnsitz ist in Berlin)		Verb + -haft

-los

> Vor -los steht oft das „Scharnier"-**s**, vor allem nach -ung, -schaft, -tum, -ion:
> wohnung-**s**-los,
> leidenschaft-**s**-los

ein **emotionsloser** Mensch (die Emotion)	eine **schlaflose** Nacht (der Schlaf)	Nomen + -los
jemand ist **arbeitslos** (die Arbeit)	etwas ist **hoffnungslos** (die Hoffnung)	Bedeutung: ohne

1 Woher kommen die Adjektive?

1. *der Fels(en) + -ig*   felsig   5. _____ dauerhaft

2. _____ feindlich   6. _____ fachmännisch

3. _____ orientierungslos   7. _____ morgig

4. _____ jetzig   8. _____ menschlich

2 Landschaft und Wetter. Bilden Sie Adjektive mit *-ig* und *-los*. Benutzen Sie immer den Singular.

1. *eine bergige Gegend*   eine Gegend mit vielen Bergen

2. _____ eine Landschaft ohne Bäume

3. _____ eine Gegend mit vielen Hügeln

4. _____ ein Tag mit viel Sonne

5. _____ eine Nacht ohne Sterne

3 Zugehörigkeit

1. *die amerikanische Politik*   →   die Politik von (den Vereinigten Staaten von) Amerika

2. die sozialistische Ideologie   →   *die Ideologie des* _____

3. das europäische Zeitalter   →   _____

4. _____ →   eine Theorie in der Philosophie

5. _____ →   Fragen der Theologie

4 Was passt? Manchmal gibt es mehrere Möglichkeiten.

freundlich • kindisch • sprachlos • verständlich • verantwortlich • heftig • fleißig • indisch	*freundlich grüßen,* _____	dastehen • kochen • grüßen • handeln • sich verhalten • schreiben • arbeiten • reagieren

5 Hoffnungslos? Ergänzen Sie die passenden Adjektive. Nicht alle Adjektive passen!

ideenlos • rücksichtslos • aussichtslos • <u>hoffnungslos</u> • skrupellos • mutlos • arbeitslos • wirkungslos

1. Das schaffen wir nie – das ist einfach *hoffnungslos* _____!

2. Manchen Menschen kann man nicht vertrauen – sie sind _____.

3. Diese Inszenierung war aber sehr blass – richtig _____!

4. Sei nicht immer so _____ – vielleicht gibt es ja doch noch eine Lösung!

5. Mein Chef ist wirklich sehr _____ – er macht nur, was er will.

6 Wetterbericht. Beschreiben Sie, wie das Wetter zur Zeit bei Ihnen ist.

sonnig, regnerisch, stürmisch, eisig, windig, heiß,   in den Bergen / Tälern, im Flachland,

wolkig / bewölkt, sommerlich warm, herbstlich, frühlingshaft, …   an der Küste; nachts, tagsüber, …

Heute Morgen war es sonnig, aber jetzt ist es bewölkt und regnerisch. / … aber jetzt regnet es. _____

*Wer hat unsere Katze gesehen?
Sie hat dunkelgrüne Augen
und tiefschwarzes Fell.
Bitte melden bei Karl Kovacz,
Handy 0177 1122334455.*

Adjektivkomposita

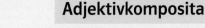

> Im Deutschen werden ständig neue Adjektivkomposita gebildet, besonders in der Werbung.

Adjektivkomposita bestehen aus zwei Teilen. Der zweite Teil ist immer ein Adjektiv.

Der erste Teil modifiziert den zweiten Teil des Kompositums:

dunkelgrün = ein dunkles Grün; tiefschwarzes Fell = sehr schwarzes Fell (tiefes Schwarz = sehr dunkles Schwarz)

Die häufigsten Typen von Adjektivkomposita:

Farben

dunkelgrün – **hell**grün, **dunkel**blau – **hell**blau, … **tief**schwarz, **zart**rosa, **knall**rot	dunkles / helles Grün, dunkles / helles Blau, … sehr schwarz, zartes Rosa, knalliges Rot
grasgrün, **himmel**blau, **blut**rot, **zitronen**gelb **pech**schwarz, **schnee**weiß	grün wie Gras, blau wie der Himmel, rot wie Blut, … schwarz wie Pech (sehr schwarz), …

Vergleiche und Verstärkungen

etwas **blitz**schnell machen, eine **bild**schöne Vase	schnell wie der Blitz, schön wie ein Bild
etwas ist **glas**klar, jemand ist **bären**stark	klar wie Glas (sehr klar), stark wie ein Bär
steinhartes Brot, ein **eis**kaltes Zimmer	hart wie ein Stein, kalt wie Eis

Der erste Teil spezifiziert den zweiten Teil des Kompositums

fettarme Milch, **kalorien**armer Käse **angst**freies Spielen, **salz**freies Essen	arm an Fett, arm an Kalorien (wenig Fett / Kalorien) frei von Angst, frei von Salz (ohne Angst / Salz)
liebevolle Eltern, **baum**reiche Gegend **umwelt**schonendes Auto, **verkehrs**beruhigte Zone	mit viel Liebe, mit vielen Bäumen der Verkehr ist beruhigt / es gibt wenig Verkehr

> Präfixe sind Elemente, mit denen man neue Wörter bildet. Sie stehen am Anfang vom Wort. Das Präfix *un-* macht ein Adjektiv negativ: freundlich – **un**freundlich

Präfix *un-*

ein **un**freundlicher Mensch, ein **un**ordentliches Zimmer	nicht freundlich, nicht ordentlich
das ist **un**möglich, ein **un**lösbares Problem	(gar) nicht möglich, nicht lösbar

1 Was passt zusammen?

1. blitz-   4. kern-   7. kinder-   a. -wach   d. -weiß   g. -traurig

2. glas-   5. eisen-   8. tod-   b. -schnell   e. -gesund   h. -klar

3. hell-   6. schnee-   c. -hart   f. -leicht

1b: blitzschnell, _____

2 Welche Farben kann man gut kombinieren? Schreiben Sie Ihre Lieblingskombinationen auf oder fragen Sie Ihren Partner / Ihre Partnerin.

dunkelgrün – hellgrün, dunkelrot – knallrot – hellrot,

dunkelblau – königsblau – himmelblau – hellblau,

zitronengelb, … (… -grau, … -rosa, … -braun, … -schwarz)

● *Ich finde, man kann dunkelgrün und hellrot gut kombinieren.*

● *Das gefällt mir auch. / Ich finde, …*

3 Das Land der Superlative

Hoch im Norden liegt das Land der Superlative. Die Natur ist rau – aber

die Menschen dort sind *liebevoll* und _____ 1.

In den _____ 2 Wintern sind die Nächte _____ 3 und die Tage sind kurz. Wenn

kurz vor Mittag die Sonne über der _____ 4 Berglandschaft aufgeht, gehen die Menschen auf

Fischfang. Man muss _____ 5 sein, um in dem eisigen Wasser etwas zu fangen. Die Kälte strengt

die Menschen an: Abends fallen sie _____ 6 ins Bett.

> schneeweiß • blitzschnell •
> erfindungsreich • eiskalt •
> liebevoll • pechschwarz •
> todmüde

4 Bilden Sie Adjektive.

1. Dieser Saft ist reich an Vitaminen.   *Dies ist ein vitaminreicher Saft.*

2. Dieser Käse enthält wenig Fett.   _____

3. Dieser Text enthält keine Fehler.   _____

4. Diese Dichterin ist voller Fantasie.   _____

5. Dieser Patient ist endlich frei von Schmerzen!   _____

5 Umwelt und Gesundheit. Nicht alle Adjektive passen!

Weltweit machen sich immer mehr Leute Sorgen um die Umwelt und ihre Gesundheit.

Viele wollen nur noch in *verkehrsberuhigten* Gegenden wohnen,

haben Angst vor _____ 1 Lebensmitteln und benutzen

_____ 2 Verkehrsmittel. Man will fit und gesund bleiben,

darum gibt es _____ 3 produzierte Lebensmittel, und

viele Leute halten sich mit _____ 4 Fitnessgeräten in Form.

> schadstoffbelastet
> energiesparend
> computergesteuert
> stressfrei
> unfallversichert
> verkehrsberuhigt
> umweltfreundlich

6 Schlechtes Zeugnis. Schreiben Sie das Gegenteil.

Herr Wieser ist ein sehr ordentlicher, höflicher und angenehmer Mensch. Er hat ein sicheres

Auftreten und ist äußerst kooperativ. Mit allen technischen Dingen geht er sehr geschickt, aber

vorsichtig um, dabei erledigt er alles selbstständig und auf unkomplizierte Art.

Herr Wieser ist ein sehr unordentlicher … _____

Unregelmäßige Verben

Die unregelmäßigen Verben sind nach ihren Vokaländerungen in drei Gruppen geordnet (siehe Kapitel 56). Wir geben die Infinitivformen und die dritte Person Singular im Präsens, Präteritum und Perfekt an.

A → B → A

fahren		fuhr		gefahren

Infinitiv	Präsens	Präteritum	Perfekt	
abfahren	fährt ab	fuhr ab	ist	abgefahren
abgeben	gibt ab	gab ab	hat	abgegeben
abwaschen	wäscht ab	wusch ab	hat	abgewaschen
anfangen	fängt an	fing an	hat	angefangen
ankommen	kommt an	kam an	ist	angekommen
anrufen	ruft an	rief an	hat	angerufen
ansehen	sieht an	sah an	hat	angesehen
aufgeben	gibt auf	gab auf	hat	aufgegeben
ausgeben	gibt aus	gab aus	hat	ausgegeben
aussehen	sieht aus	sah aus	hat	ausgesehen
beraten	berät	beriet	hat	beraten
betragen	beträgt	betrug	hat	betragen
einfallen	fällt ein	fiel ein	ist	eingefallen
einladen	lädt ein	lud ein	hat	eingeladen
einschlafen	schläft ein	schlief ein	ist	eingeschlafen
enthalten	enthält	enthielt	hat	enthalten
entlassen	entlässt	entließ	hat	entlassen
erfahren	erfährt	erfuhr	hat	erfahren
erhalten	erhält	erhielt	hat	erhalten
essen	isst	aß	hat	gegessen
fahren	fährt	fuhr	ist	gefahren
fallen	fällt	fiel	ist	gefallen
fangen	fängt	fing	hat	gefangen
festhalten	hält fest	hielt fest	hat	festgehalten
fressen	frisst	fraß	hat	gefressen
geben	gibt	gab	hat	gegeben
gefallen	gefällt	gefiel	hat	gefallen
geschehen	geschieht	geschah	ist	geschehen
halten	hält	hielt	hat	gehalten
heißen	heißt	hieß	hat	geheißen
kommen	kommt	kam	ist	gekommen
laufen	läuft	lief	ist	gelaufen
lassen	lässt	ließ	hat	gelassen
lesen	liest	las	hat	gelesen
messen	misst	maß	hat	gemessen
nachschlagen	schlägt nach	schlug nach	hat	nachgeschlagen
raten	rät	riet	hat	geraten
rufen	ruft	rief	hat	gerufen
schlafen	schläft	schlief	hat	geschlafen
schlagen	schlägt	schlug	hat	geschlagen

Infinitiv	Präsens	Präteritum	Perfekt	
tragen	trägt	trug	hat	getragen
überfahren	überfährt	überfuhr	hat	überfahren
sich unterhalten	unterhält sich	unterhielt sich	hat	sich unterhalten
vergessen	vergisst	vergaß	hat	vergessen
sich verhalten	verhält sich	verhielt sich	hat	sich verhalten
verlassen	verlässt	verließ	hat	verlassen
verraten	verrät	verriet	hat	verraten
vertreten	vertritt	vertrat	hat	vertreten
vorschlagen	schlägt vor	schlug vor	hat	vorgeschlagen
wachsen	wächst	wuchs	ist	gewachsen
waschen	wäscht	wusch	hat	gewaschen

A → B → B

bleiben		blieb		geblieben

Infinitiv	Präsens	Präteritum	Perfekt	
abbiegen	biegt ab	bog ab	ist	abgebogen
abfliegen	fliegt ab	flog ab	ist	abgeflogen
abheben	hebt ab	hob ab	hat	abgehoben
abschließen	schließt ab	schloss ab	hat	abgeschlossen
anbieten	bietet an	bot an	hat	angeboten
angreifen	greift an	griff an	hat	angegriffen
anziehen	zieht an	zog an	hat	angezogen
aufheben	hebt auf	hob auf	hat	aufgehoben
aufstehen	steht auf	stand auf	ist	aufgestanden
ausschließen	schließt aus	schloss aus	hat	ausgeschlossen
aussteigen	steigt aus	stieg aus	ist	ausgestiegen
anziehen	zieht an	zog an	hat	angezogen
beißen	beißt	biss	hat	gebissen
belügen	belügt	belog	hat	belogen
beschließen	beschließt	beschloss	hat	beschlossen
beschreiben	beschreibt	beschrieb	hat	beschrieben
bestehen	besteht	bestand	hat	bestanden
betrügen	betrügt	betrog	hat	betrogen
beweisen	beweist	bewies	hat	bewiesen
beziehen	bezieht	bezog	hat	bezogen
biegen	biegt	bog	hat	gebogen
bieten	bietet	bot	hat	geboten
bleiben	bleibt	blieb	ist	geblieben
bringen	bringt	brachte	hat	gebracht
denken	denkt	dachte	hat	gedacht
einsteigen	steigt ein	stieg ein	ist	eingestiegen
einziehen	zieht ein	zog ein	ist	eingezogen
entscheiden	entscheidet	entschied	hat	entschieden
entstehen	entsteht	entstand	ist	entstanden
erkennen	erkennt	erkannte	hat	erkannt
erscheinen	erscheint	erschien	ist	erschienen
erziehen	erzieht	erzog	hat	erzogen
fliegen	fliegt	flog	ist	geflogen

fließen	fließt	floss	ist	geflossen
frieren	friert	fror	hat	gefroren
genießen	genießt	genoss	hat	genossen
gießen	gießt	goss	hat	gegossen
greifen	greift	griff	hat	gegriffen
heben	hebt	hob	hat	gehoben
kennen	kennt	kannte	hat	gekannt
leiden	leidet	litt	hat	gelitten
leihen	leiht	lieh	hat	geliehen
lügen	lügt	log	hat	gelogen
missverstehen	missversteht	missverstand	hat	missverstanden
nennen	nennt	nannte	hat	genannt
pfeifen	pfeift	pfiff	hat	gepfiffen
scheiden	scheidet	schied	hat	geschieden
schieben	schiebt	schob	hat	geschoben
schließen	schließt	schloss	hat	geschlossen
schneiden	schneidet	schnitt	hat	geschnitten
schreiben	schreibt	schrieb	hat	geschrieben
schreien	schreit	schrie	hat	geschrien
schweigen	schweigt	schwieg	hat	geschwiegen
stehen	steht	stand	hat / ist	gestanden
steigen	steigt	stieg	ist	gestiegen
streichen	streicht	strich	hat	gestrichen
streiten	streitet	stritt	hat	gestritten
treiben	treibt	trieb	hat	getrieben
tun	tut	tat	hat	getan
überweisen	überweist	überwies	hat	überwiesen
umsteigen	steigt um	stieg um	ist	umgestiegen
umziehen	zieht um	zog um	ist	umgezogen
unterscheiden	unterscheidet	unterschied	hat	unterschieden
verbieten	verbietet	verbot	hat	verboten
verbringen	verbringt	verbrachte	hat	verbracht
vergleichen	vergleicht	verglich	hat	verglichen
verlieren	verliert	verlor	hat	verloren
verschreiben	verschreibt	verschrieb	hat	verschrieben
verstehen	versteht	verstand	hat	verstanden
verzeihen	verzeiht	verzieh	hat	verziehen
vorziehen	zieht vor	zog vor	hat	vorgezogen
wehtun	tut weh	tat weh	hat	wehgetan
wiegen	wiegt	wog	hat	gewogen
wissen	weiß	wusste	hat	gewusst
ziehen	zieht	zog	hat	gezogen

A → B → C

finden		fand	gefunden

Infinitiv	Präsens	Präteritum	Perfekt
abhängen	hängt ab	hing ab	hat abgehangen
angehen	geht an	ging an	ist angegangen
annehmen	nimmt an	nahm an	hat angenommen
aufnehmen	nimmt auf	nahm auf	hat aufgenommen
ausgehen	geht aus	ging aus	ist ausgegangen
aussprechen	spricht aus	sprach aus	hat ausgesprochen
befehlen	befiehlt	befahl	hat befohlen
beginnen	beginnt	begann	hat begonnen
besitzen	besitzt	besaß	hat besessen
binden	bindet	band	hat gebunden
bitten	bittet	bat	hat gebeten
blasen	bläst	blies	hat geblasen
brechen	bricht	brach	hat gebrochen
empfehlen	empfiehlt	empfahl	hat empfohlen
entsprechen	entspricht	entsprach	hat entsprochen
erfinden	erfindet	erfand	hat erfunden
erschrecken	erschrickt	erschrak	ist erschrocken
finden	findet	fand	hat gefunden
gehen	geht	ging	ist gegangen
gelingen	gelingt	gelang	ist gelungen
gelten	gilt	galt	hat gegolten
gewinnen	gewinnt	gewann	hat gewonnen
hängen	hängt	hing	hat gehangen
helfen	hilft	half	hat geholfen
liegen	liegt	lag	hat gelegen
nehmen	nimmt	nahm	hat genommen
schwimmen	schwimmt	schwamm	ist geschwommen
singen	singt	sang	hat gesungen
sinken	sinkt	sank	ist gesunken
sitzen	sitzt	saß	hat/ist gesessen
sprechen	spricht	sprach	hat gesprochen
springen	springt	sprang	ist gesprungen
stehlen	stiehlt	stahl	hat gestohlen
sterben	stirbt	starb	ist gestorben
stinken	stinkt	stank	hat gestunken
teilnehmen	nimmt teil	nahm teil	hat teilgenommen
treffen	trifft	traf	hat getroffen
trinken	trinkt	trank	hat getrunken
übernehmen	übernimmt	übernahm	hat übernommen
verbinden	verbindet	verband	hat verbunden
versprechen	verspricht	versprach	hat versprochen
werden	wird	wurde	ist geworden
werfen	wirft	warf	hat geworfen
widersprechen	widerspricht	widersprach	hat widersprochen
zunehmen	nimmt zu	nahm zu	hat zugenommen
zwingen	zwingt	zwang	hat gezwungen

Verben mit Dativ- und Akkusativobjekt

Verb	Beispiel	Objekt
abnehmen	Ich nehme ihr den Koffer ab.	Dativ + Akkusativ
abtrocknen	Kannst du bitte mal das Geschirr abtrocknen?	Akkusativ
anbieten	Sie bietet mir Tee und Gebäck an.	Dativ + Akkusativ
annehmen	Er nimmt das Geld sofort an.	Akkusativ
anrufen	Gestern hat mich meine Mutter im Büro angerufen.	Akkusativ
anschauen	Er schaute das Beispiel genau an.	Akkusativ
ansehen	Er sieht sie fragend an.	Akkusativ
anstrengen	Diese Arbeit strengt mich zu sehr an.	Akkusativ
antworten	Die Lehrerin antwortet dem Schüler.	Dativ
anzünden	Am Abend zünden wir oft eine Kerze an.	Akkusativ
auffallen	Das ist mir nicht aufgefallen.	Dativ
aufgeben	Hast du den verrückten Plan endlich aufgegeben?	Akkusativ
aufheben	Sie hebt das Papier vom Boden auf.	Akkusativ
aufmachen	Könnten Sie bitte das Fenster aufmachen?	Akkusativ
aufnehmen	Die Schule muss alle Kinder aufnehmen.	Akkusativ
auspacken	Sie packt das Paket schnell aus.	Akkusativ
ausschalten	Er schaltet den Fernseher sofort aus, wenn sie kommt.	Akkusativ
aussprechen	Wie spricht man dieses Wort aus?	Akkusativ
aussuchen	Sie sucht die Geschenke für ihre Eltern sorgfältig aus.	Akkusativ
ausweichen	Das rote Auto ist dem blauen Auto ausgewichen.	Dativ
ausziehen	Zieh bitte sofort die Schuhe aus, wenn du reinkommst!	Akkusativ
backen	Jeden Samstag backt der Vater einen Kuchen.	Akkusativ
bauen	Der Architekt baut ein Haus für seine Kunden.	Akkusativ
beachten	Hast du das Verfallsdatum auf dem Joghurt beachtet?	Akkusativ
beantragen	Er beantragt eine Aufenthaltserlaubnis.	Akkusativ
beantworten	Beantworte (mir) bitte die Frage!	(Dativ +) Akkusativ
bedienen	Der Kellner bedient den Gast.	Akkusativ
begegnen	Wir sind ihm im Park begegnet.	Dativ
beginnen	Wann hast du den Klavierunterricht begonnen?	Akkusativ
begründen	Er konnte seine Entscheidung nicht begründen.	Akkusativ
begrüßen	Die Gastgeber begrüßen ihre Gäste an der Tür.	Akkusativ
behalten	Sie behält das Buch noch bis morgen.	Akkusativ
bemerken	Wir bemerkten den Fehler zuerst nicht.	Akkusativ
benachrichtigen	Bitte benachrichtigen Sie mich rechtzeitig.	Akkusativ
benutzen	Kann man diesen Topf noch benutzen?	Akkusativ
beraten	Der Experte berät den Händler.	Akkusativ
berücksichtigen	Bei ihren Plänen berücksichtigt sie ihn nur wenig.	Akkusativ
beruhigen	Die Mutter beruhigt ihr weinendes Kind.	Akkusativ
besichtigen	Die Touristen besichtigen zuerst den Dom.	Akkusativ
besitzen	Seit kurzem besitzt sie einen Sportwagen.	Akkusativ
bestimmen	Er bestimmt die Pläne für den nächsten Tag.	Akkusativ
besuchen	Die Studenten besuchen ihren kranken Kommilitonen.	Akkusativ
betrügen	Der Händler betrügt seinen Kunden nie.	Akkusativ
beweisen	Beweis (mir) deine Unschuld!	(Dativ +) Akkusativ
bezahlen	Der Gast bezahlt den Kaffee.	Akkusativ
bieten	Dieses Hotel bietet (uns) den besten Service.	(Dativ +) Akkusativ

brauchen	Ich brauche dringend den Wagen!	Akkusativ
bringen	Wir bringen unserem Freund viele Bücher ins Krankenhaus.	Dativ + Akkusativ
dienen	Dieser Keller dient der Jazz-Band als Proberaum.	Dativ
drehen	Diesen Knopf muss man nach rechts drehen.	Akkusativ
drücken	Drücken Sie bitte die Klingel!	Akkusativ
drucken	Der Verlag druckt das Buch noch in diesem Jahr.	Akkusativ
ehren	Die Präsidentin ehrt den Nobelpreisträger.	Akkusativ
einfallen	Die Idee ist mir gestern eingefallen.	Dativ
einkaufen	Den ganzen Nachmittag hat sie Kleidung eingekauft.	Akkusativ
einladen	Sie möchte auch gern ihren Klavierlehrer einladen.	Akkusativ
einpacken	Soll ich Ihnen den Anzug einpacken?	Akkusativ
empfehlen	Kann ich Ihnen etwas zum Essen empfehlen?	Dativ + Akkusativ
enthalten	Der Aufsatz enthält wichtige Informationen.	Akkusativ
entlassen	Das Krankenhaus hat ihn frühzeitig entlassen.	Akkusativ
erfahren	Ich habe das erst sehr spät erfahren.	Akkusativ
erfinden	Wer hat eigentlich den Computer erfunden?	Akkusativ
erfüllen	Diesen Wunsch kann ich (dir) leicht erfüllen.	(Dativ +) Akkusativ
erhalten	Haben Sie den Brief schon erhalten?	Akkusativ
erhöhen	Die Tankstellen haben den Benzinpreis erhöht.	Akkusativ
erkennen	Ich habe dich nicht gleich erkannt!	Akkusativ
erklären	Sie erklärte ihm immer wieder die Aufgabe.	Dativ + Akkusativ
erledigen	Sie erledigt wichtige Aufgaben immer sofort.	Akkusativ
eröffnen	Die Präsidentin eröffnet die Ausstellung.	Akkusativ
erreichen	Sie hat ihr Ziel endlich erreicht.	Akkusativ
erschrecken	Der Junge erschreckt gern seine Freunde.	Akkusativ
erwarten	Dieses Ende des Romans habe ich nicht erwartet.	Akkusativ
erzählen	Habe ich Ihnen schon das Neueste erzählt?	Dativ + Akkusativ
erziehen	Die Eltern erziehen ihr Kind mit viel Liebe.	Akkusativ
fehlen	Du fehlst mir sehr!	Dativ
feiern	Er feiert seinen Geburtstag immer im Restaurant.	Akkusativ
finden	Endlich habe ich meinen Schlüssel gefunden!	Akkusativ
folgen	Folgen Sie mir!	Dativ
fordern	Die Gewerkschaften fordern mehr Lohn.	Akkusativ
fragen	Hast du mich gefragt oder ihn?	Akkusativ
fühlen	Ich habe die Kälte kaum gefühlt.	Akkusativ
führen	Führen Sie ihn bitte in das Zimmer!	Akkusativ
geben	Hat er dir den Schlüssel schon gegeben?	Dativ + Akkusativ
gefallen	Das Kleid gefällt mir.	Dativ
gehören	Der Ball gehört mir.	Dativ
gelingen	Dieser Kuchen gelingt mir nicht immer.	Dativ
gewinnen	Er hat den ersten Preis gewonnen.	Akkusativ
gratulieren	Ich gratuliere dir zum Geburtstag.	Dativ
gründen	2019 gründeten sie einen neuen Verein.	Akkusativ
grüßen	Sie grüßt ihn immer sehr höflich.	Akkusativ
hassen	Sie hasst ihre neue Arbeit.	Akkusativ
heben	Kannst du diesen Stein heben?	Akkusativ
heizen	Im Winter heizen wir nur einen Raum.	Akkusativ
helfen	Wir helfen unseren Freunden gern.	Dativ
herstellen	Die Fabrik stellt nur noch Kleinfahrzeuge her.	Akkusativ
holen	Bitte hol (mir) doch ein Stück Kuchen beim Bäcker.	(Dativ +) Akkusativ

hören	Die Nachbarn können den Streit deutlich hören.	Akkusativ
kennen	Kennen Sie diesen Mann?	Akkusativ
klagen	Er klagt uns sein Leid.	Dativ + Akkusativ
kochen	Heute hat Mateo das Essen gekocht.	Akkusativ
korrigieren	Den Grammatikfehler habe ich noch nicht korrigiert.	Akkusativ
kündigen	Die Firma kündigt dem Angestellten.	Dativ
küssen	Sie küsst ihn und er küsst sie.	Akkusativ
lassen	Lass mir doch den Spaß!	Dativ + Akkusativ
leihen	Leihst du mir dein Fahrrad?	Dativ + Akkusativ
leiten	Sie leitet die Abteilung seit drei Jahren.	Akkusativ
lernen	Heute lernen wir den Akkusativ.	Akkusativ
lesen	Hast du diesen Roman schon gelesen?	Akkusativ
lieben	Die Kinder lieben ihren Großvater sehr.	Akkusativ
liefern	Der Händler liefert uns die Möbel.	Dativ + Akkusativ
loben	Der Vater lobt das Kind: „Das hast du gut gemacht!"	Akkusativ
lösen	Wir können das Problem auch nicht lösen.	Akkusativ
machen	Hast du den Kuchen selbst gemacht?	Akkusativ
malen	Sie malt immer zuerst einen Entwurf.	Akkusativ
markieren	Bitte markieren Sie die Nomen!	Akkusativ
melden	Sie meldet der Polizei den Unfall.	Dativ + Akkusativ
merken	Er war nervös. Hast du das auch gemerkt?	Akkusativ
messen	Ich muss das Sofa erst messen, bevor ich es kaufe.	Akkusativ
mieten	Können wir den Wagen heute noch mieten?	Akkusativ
mitteilen	Ich habe ihm die Neuigkeiten mitgeteilt.	Dativ + Akkusativ
nehmen	Nehmen Sie noch ein Stück Kuchen?	Akkusativ
nennen	Bitte nennen Sie ein Beispiel.	Akkusativ
nutzen	Er nutzt die Möglichkeiten des Computers.	Akkusativ
nützen	Deine Hilfe nützt mir sehr.	Dativ
passen	Die Schuhe passen mir.	Dativ
pflegen	Sie pflegt ihre Mutter, die krank im Bett liegt.	Akkusativ
prüfen	Prüf bitte mal die Schraube. Sitzt sie richtig?	Akkusativ
putzen	Am Samstag putzen wir die ganze Wohnung!	Akkusativ
reichen	Reich mir mal den Kuchen, bitte.	Dativ + Akkusativ
reparieren	Wir können den Wagen leider erst morgen reparieren.	Akkusativ
reservieren	Kann ich bitte für heute Abend einen Tisch reservieren?	Akkusativ
riechen	Riechst du den Rauch? Hoffentlich brennt nichts.	Akkusativ
sammeln	Er sammelt alles, was glitzert und glänzt.	Akkusativ
schaden	Diese Arbeit schadet dir.	Dativ
schenken	Er hat mir seinen alten Computer geschenkt.	Dativ + Akkusativ
schlagen	Er schlägt den Nagel in die Wand.	Akkusativ
schließen	Schließen Sie bitte das Fenster!	Akkusativ
schmecken	Schmeckst du den Curry in der Soße?	Akkusativ
schmecken	Schmeckt dir der Salat?	Dativ
schneiden	Tante Else schneidet den Kuchen in 12 Teile.	Akkusativ
schreiben	Sie schreibt (ihm) immer sehr lange Briefe.	(Dativ +) Akkusativ
schreiben	Jeden Sonntag schreibt sie ihrer Mutter (eine Nachricht).	Dativ (+ Akkusativ)
sehen	Siehst du den Abendstern?	Akkusativ
senden	Sende ihm bitte herzliche Grüße von mir!	Dativ + Akkusativ
sparen	Theresa spart jede Woche mindestens einen Euro.	Akkusativ
spielen	Heute Abend spielen wir mal ein Kartenspiel.	Akkusativ

spülen	Wer spült heute das Geschirr?	Akkusativ
starten	Im Winter ist es manchmal schwer, den Wagen zu starten.	Akkusativ
stehlen	Die Diebe haben der Frau alle ihre Schlüssel gestohlen.	Dativ + Akkusativ
stoppen	Bitte stoppt diesen Unsinn!	Akkusativ
stören	Stör ihn bitte nicht! Er muss sich konzentrieren.	Akkusativ
studieren	Sie studiert Politische Wissenschaften.	Akkusativ
suchen	Er sucht schon den ganzen Tag seinen Autoschlüssel.	Akkusativ
teilen	Die Mutter versucht das Dessert gerecht zu teilen.	Akkusativ
tippen	Die Tastatur ist neu, ich kann den Text nicht so schnell tippen.	Akkusativ
töten	Penicillin tötet Bakterien.	Akkusativ
tragen	So einen kurzen Mantel könnte ich nicht tragen!	Akkusativ
transportieren	Das Blut transportiert den Sauerstoff im Körper.	Akkusativ
treffen	Ich habe ihn gestern im Kino getroffen.	Akkusativ
trinken	Jetzt möchte ich erst mal einen Kaffee trinken!	Akkusativ
trocknen	Die Sonne trocknet die Wäsche.	Akkusativ
überfahren	Das Auto hätte mich beinahe überfahren.	Akkusativ
überholen	Er hat den Wagen rechts überholt.	Akkusativ
übernehmen	Welche Aufgabe können Sie übernehmen?	Akkusativ
überqueren	Schau nach beiden Seiten, bevor du die Straße überquerst!	Akkusativ
überraschen	Sie hat ihn mit der Geburtstagsparty sehr überrascht.	Akkusativ
überreden	Er versucht sie zu überreden, doch noch mitzukommen.	Akkusativ
übersetzen	Es ist sehr schwer, einen Haiku zu übersetzen.	Akkusativ
überweisen	Ich habe (dir) das Geld schon letzte Woche überwiesen.	(Dativ +) Akkusativ
überzeugen	Die Idee ist toll! Du hast mich überzeugt.	Akkusativ
umtauschen	Kann ich hier kanadische Dollar in Euro umtauschen?	Akkusativ
unterrichten	Frau Bartmann unterrichtet hier Deutsch.	Akkusativ
unterschreiben	Wir haben den Vertrag sofort unterschrieben.	Akkusativ
unterstützen	Diesen Plan können wir voll und ganz unterstützen.	Akkusativ
untersuchen	Der Arzt untersuchte den Patienten sehr genau.	Akkusativ
verändern	Bitte verändern Sie keinen einzigen Satz in dem Text.	Akkusativ
verbieten	Du kannst mir das Tanzen nicht verbieten.	Dativ + Akkusativ
verbrauchen	Wie viel Benzin verbraucht der Wagen?	Akkusativ
verdächtigen	Der Detektiv verdächtigte sofort den Gärtner.	Akkusativ
vergessen	Er hatte sie nach all den Jahren noch nicht vergessen.	Akkusativ
vergleichen	Vor dem Einkauf sollte man die Preise vergleichen.	Akkusativ
vergrößern	Dieses Foto ist sehr gut. Wir sollten es vergrößern lassen.	Akkusativ
verhaften	Die Polizei verhaftete den Einbrecher auf der Stelle.	Akkusativ
verheimlichen	Verheimlichst du (mir) etwas?	(Dativ +) Akkusativ
verhindern	Er konnte den Unfall nicht mehr verhindern.	Akkusativ
verkaufen	Wann hat er sein Auto verkauft?	Akkusativ
verlängern	Ich wünschte, wir könnten das Wochenende verlängern!	Akkusativ
verlassen	Sie hat ihren Mann nach 30 Jahren Ehe verlassen.	Akkusativ
verlieren	Ich habe beim Spielen meinen Ring verloren.	Akkusativ
vermieten	Schulzes vermieten ihr Haus und machen eine Weltreise.	Akkusativ
verpassen	Das ist die letzte Chance. Verpasse sie nicht!	Akkusativ
verraten	Kannst du mir dein Geheimnis verraten?	Dativ + Akkusativ
verschreiben	Der Arzt hat mir ein Medikament verschrieben.	Dativ + Akkusativ
versichern	Der Angeklagte versicherte (dem Richter) seine Unschuld.	(Dativ +) Akkusativ
versprechen	Er hat mir ein Geschenk versprochen.	Dativ + Akkusativ
verstecken	Der Hund versteckt seinen Knochen.	Akkusativ

verstehen	Jetzt verstehe ich den Text endlich!	Akkusativ
verteilen	Nach dem Unglück hat die Regierung Lebensmittel verteilt.	Akkusativ
vertrauen	Vertrau mir! Ich werde das schon schaffen!	Dativ
vertreten	Der Lehrer ist krank, ein Kollege vertritt ihn.	Akkusativ
verursachen	Alkohol am Steuer verursacht viele Unfälle.	Akkusativ
verwenden	Kann man diese alten Werkzeuge noch verwenden?	Akkusativ
verzeihen	Bitte verzeih mir meine Ungeduld.	Dativ + Akkusativ
vorbereiten	Sie hat das Geburtstagsfest tagelang vorbereitet.	Akkusativ
vorlesen	Liest du mir ein Märchen vor?	Dativ + Akkusativ
vorschlagen	Ich schlage dir eine andere Strategie vor.	Dativ + Akkusativ
vorstellen	Wir haben unseren Eltern den neuen Mitbewohner vorgestellt.	Dativ + Akkusativ
warnen	Ich habe dich gewarnt! Er fährt immer zu schnell.	Akkusativ
waschen	Hast du den Pullover schon gewaschen?	Akkusativ
wechseln	Nach 45 Minuten wechseln die Fußball-Teams die Seite.	Akkusativ
wecken	Kannst du mich bitte um 6 Uhr wecken?	Akkusativ
werfen	Wirf den Ball nicht so weit!	Akkusativ
widersprechen	Der Junge widerspricht seinen Eltern ständig.	Dativ
wiederholen	Wiederholen Sie den Satz bitte noch einmal!	Akkusativ
wiegen	Die junge Mutter wiegt ihr Baby jeden Tag.	Akkusativ
winken	Er winkt ihr noch einmal, bevor der Zug verschwindet.	Dativ
wissen	Ob sie morgen kommt? – Das weiß ich nicht genau.	Akkusativ
wünschen	Wir wünschen dir einen guten Anfang im neuen Beruf!	Dativ + Akkusativ
zählen	Er zählte sein Geld: Er hatte nur noch 7 Euro 50.	Akkusativ
zahlen	Er hat mir sogar den Kaffee gezahlt!	Dativ + Akkusativ
zeichnen	Der Architekt zeichnet zuerst einen Plan vom Haus.	Akkusativ
zeigen	Hanna zeigt der Freundin ihren neuen Mantel.	Dativ + Akkusativ
zerstören	Das Kind baut einen Turm und zerstört ihn wieder.	Akkusativ
zuhören	Hörst du mir überhaupt zu? Was habe ich gerade gesagt?	Dativ
zumachen	Es zieht! Mach bitte die Tür zu!	Akkusativ
zusammenfassen	Wir wollen alle Ideen noch einmal zusammenfassen.	Akkusativ
zuschauen	Sie schaute ihm immer gern zu.	Dativ
zusehen	Sie sah ihm immer gern zu.	Dativ

Reflexive Verben	**Beispiel**	**Objekt**
sich begrüßen	Wir begrüßen uns voller Freude.	Akkusativ
sich duschen	Ich dusche mich jeden Morgen.	Akkusativ
sich leisten	Ich kann mir diesen Luxus wirklich nicht leisten!	Dativ + Akkusativ
sich merken	Hast du dir die Adresse gemerkt?	Dativ + Akkusativ
sich trocknen	Trocknest du dir die Haare immer mit dem Föhn?	Dativ + Akkusativ
sich verletzen	Ich habe mich beim Sport verletzt.	Akkusativ
	Ich habe mir aber nur den Finger leicht verletzt.	Dativ + Akkusativ
sich waschen	Du wäschst dich immer sehr gründlich.	Akkusativ
	Ich wasche mir am Samstag die Haare.	Dativ + Akkusativ

Verben mit festen Präpositionen

Verb	Präposition + Kasus		Beispiel
abhängen	von	+ Dativ	„Geht ihr mit ins Kino?"– „Das hängt ganz vom Film ab!"
achten	auf	+ Akkusativ	Sie achtet sehr auf eine gesunde Ernährung.
anfangen	mit	+ Dativ	Komm bitte, wir wollen mit dem Essen anfangen!
ankommen	auf	+ Akkusativ	Es kommt besonders auf Ihre Hilfe an!
antworten	auf	+ Akkusativ	Ich kann doch nicht auf jede Frage antworten!
sich ärgern	über	+ Akkusativ	Man ärgert sich zu oft über Dinge, die man nicht ändern kann!
aufhören	mit	+ Dativ	Ich bin so müde – ich höre jetzt mit dieser Arbeit auf!
aufpassen	auf	+ Akkusativ	Können Sie bitte kurz auf meine Tasche aufpassen?
sich aufregen	über	+ Akkusativ	Manche Leute regen sich über jede Kleinigkeit auf.
ausgeben	für	+ Akkusativ	Für teure Kleidung gebe ich kein Geld aus.
sich bedanken	bei	+ Dativ	Hast du dich schon bei Simone und Mario für das tolle
	für	+ Akkusativ	Geschenk bedankt?
sich bemühen	um	+ Akkusativ	Ich bemühe mich um einen Termin bei Herrn Malz.
berichten	über	+ Akkusativ	Danach berichtete Frau Maier über die Konferenz in Köln.
sich beschäftigen	mit	+ Dativ	Mit finanziellen Dingen beschäftige ich mich nicht gern.
sich beschweren	bei	+ Dativ	Beschweren Sie sich doch beim Direktor über die
	über	+ Akkusativ	ungerechte Behandlung!
bestehen	aus	+ Dativ	Das „Zertifikat B1 Deutsch" besteht aus einer mündlichen und einer
			schriftlichen Prüfung.
sich beteiligen	an	+ Dativ	Frau Liedke beteiligt sich immer sehr aktiv am Unterricht.
sich bewerben	um	+ Akkusativ	Bewerben Sie sich doch um ein Stipendium!
sich beziehen	auf	+ Akkusativ	Wir beziehen uns auf unser Gespräch von letzter Woche.
bitten	um	+ Akkusativ	Herr Lauterbach bat mich um meine Meinung.
denken	an	+ Akkusativ	Ich denke schon immerzu an den nächsten Urlaub.
diskutieren	über	+ Akkusativ	Ich diskutiere gerne über Politik.
einladen	zu	+ Dativ	Ich würde Sie gerne zu meinem Fest am Samstag einladen.
sich entscheiden	für	+ Akkusativ	Haben Sie sich schon für ein bestimmtes Kleid entschieden?
sich entschließen	zu	+ Dativ	Wir haben uns zur Heirat entschlossen.
sich entschuldigen	bei	+ Dativ	Der Direktor wird sich bei mir nicht für die ungerechte
	für	+ Akkusativ	Behandlung entschuldigen, da bin ich mir sicher.
erfahren	von	+ Dativ	Warum erfahre ich erst jetzt von dieser Sache?
sich erholen	von	+ Dativ	Hier im Urlaub erhole ich mich von dem ganzen Stress!
sich erinnern	an	+ Akkusativ	Erinnern Sie sich noch an mich? Es ist lange her …
erkennen	an	+ Dativ	Norddeutsche erkennt man an der Intonation.
sich erkundigen	nach	+ Dativ	Ich erkundige mich mal nach meiner alten Freundin.
erschrecken	über	+ Akkusativ	Erschrick bitte nicht über meine neue Frisur.
erzählen	über	+ Akkusativ	Erzählen Sie uns doch mal etwas über Ihr Land.
	von	+ Dativ	Habe ich Ihnen schon von meinem Pech gestern erzählt?
fragen	nach	+ Dativ	Auf dem Amt fragen Sie am besten nach Herrn Fröhlich.
sich freuen	auf	+ Akkusativ	Ich freue mich schon so auf den nächsten Urlaub.
	über	+ Akkusativ	Ich habe mich sehr über Ihren Besuch gefreut.

217

gehen	um	+ Akkusativ	Darf ich kurz stören – es geht um eine wichtige Sache.
gehören	zu	+ Dativ	Bulgarien gehört seit 2007 zur Europäischen Union.
sich gewöhnen	an	+ Akkusativ	An das Essen hier habe ich mich schnell gewöhnt.
glauben	an	+ Akkusativ	Ich glaube an ein Leben nach dem Tod.
gratulieren	zu	+ Dativ	Ich gratuliere dir herzlich zu deinem Geburtstag!
halten	für	+ Akkusativ	Ich halte ihn für einen kompetenten Mitarbeiter.
sich handeln	um	+ Akkusativ	Es handelt sich um eine vertrauliche Angelegenheit.
handeln	von	+ Dativ	Dieser Roman handelt von einem rätselhaften Mord.
helfen	bei	+ Dativ	Simon hilft mir immer beim Vokabellernen.
hindern	an	+ Dativ	Der Lärm hindert mich an der Arbeit.
hoffen	auf	+ Akkusativ	Hoffe nicht auf bessere Zeiten – unternimm lieber was!
hören	von	+ Dativ	Ich habe schon lange nichts mehr von dir gehört.
sich informieren	über	+ Akkusativ	Informieren Sie sich genau über die Details!
sich interessieren	für	+ Akkusativ	Sie interessiert sich sehr für klassische Musik.
interessiert sein	an	+ Dativ	Wären Sie an einer kostenlosen Beratung interessiert?
klagen	über	+ Akkusativ	Sie klagt immer über die schlechte Zugverbindung.
kämpfen	für	+ Akkusativ	Die Minderheit kämpft für gleiche Rechte.
kommen	zu	+ Dativ	Ich bin nicht zur Bearbeitung Ihrer Akte gekommen, ich hatte einfach keine Zeit.
sich kümmern	um	+ Akkusativ	Bitte kümmern Sie sich auch um die Akte meiner Frau!
lachen	über	+ Akkusativ	Ich lache gerne über lustige Geschichten.
leiden	an	+ Dativ	Er leidet an einer seltenen Krankheit.
	unter	+ Dativ	Ich leide sehr unter dem feuchten Klima.
nachdenken	über	+ Akkusativ	Denken Sie noch einmal über unser Angebot nach!
protestieren	gegen	+ Akkusativ	Die Arbeiter protestieren gegen die Schließung der Fabrik.
rechnen	mit	+ Dativ	Wir rechnen mit einer Fahrzeit von drei Stunden.
reden	über	+ Akkusativ	Reden wir doch nicht immer über die Arbeit!
	von	+ Dativ	Er redet die ganze Zeit von einer unbekannten Frau.
riechen	nach	+ Dativ	Ich glaube, hier riecht es nach Gas. Das ist gefährlich!
sagen	über	+ Akkusativ	Hat er etwas über mich gesagt? Findet er mich nett?
	zu	+ Dativ	Tut mir Leid, zu diesem Thema sage ich nichts.
schicken	an	+ Akkusativ	Schicken Sie das doch an meine Münchner Adresse!
	zu	+ Dativ	Schick deine Kinder doch zu uns – da können sie spielen!
schimpfen	über	+ Akkusativ	Schimpf nicht immer über andere Autofahrer!
schmecken	nach	+ Dativ	Die Schokolade schmeckt nach Erdbeeren!
schreiben	an	+ Akkusativ	Ich schreibe gerade eine Nachricht an meine Eltern.
sehen	von	+ Dativ	Sieht man noch etwas von dem Kaffeefleck?
sein	für	+ Akkusativ	Die Regierung ist für die europäische Integration,
	gegen	+ Akkusativ	aber gegen die Einführung des Euro.
sorgen	für	+ Akkusativ	Seit er so krank ist, sorge ich für meinen alten Vater.
sprechen	mit	+ Dativ	Ich möchte gerne mit Ihnen über Ihr neuestes Buch sprechen.
	über	+ Akkusativ	
sterben	an	+ Dativ	Er starb an einem Gehirntumor.

streiten	mit	+ Dativ	Streitest du auch immer mit deinen Eltern über Politik?
	über	+ Akkusativ	
teilnehmen	an	+ Dativ	Nehmen Sie auch an der Konferenz nächste Woche teil?
telefonieren	mit	+ Dativ	Haben Sie schon mit Frau Özdemir telefoniert?
sich treffen	mit	+ Dativ	Ich treffe mich heute Abend mit meiner Freundin.
	zu	+ Dativ	Nachher treffen wir uns zu einem kurzen Gespräch.
sich trennen	von	+ Dativ	Sie hat sich letztes Jahr von ihrem Mann getrennt.
sich überzeugen	von	+ Dativ	Überzeugen Sie sich selbst von der Qualität des Produkts!
sich unterhalten	mit	+ Dativ	Mit dir unterhalte ich mich gerne über Kunst.
	über	+ Akkusativ	
sich unterscheiden	von	+ Dativ	Das Leben auf dem Land unterscheidet sich sehr vom Leben in der Stadt.
sich verabreden	mit	+ Dativ	Heute Abend bin ich mit einem Kollegen verabredet.
sich verabschieden	von	+ Dativ	Wir müssen uns jetzt von Ihnen verabschieden, es ist schon spät!
vergessen	auf	+ Akkusativ	Ich habe auf seinen Geburtstag vergessen. (österreich. Standard)
vergleichen	mit	+ Dativ	Vergleichen wir einmal den Akkusativ mit dem Dativ.
sich verlassen	auf	+ Akkusativ	Ich verlasse mich auf Ihren Rat!
sich verlieben	in	+ Akkusativ	Der Frosch verliebte sich in eine Prinzessin.
sich verstehen	mit	+ Dativ	Ich verstehe mich gut mit meinen Kollegen.
verstehen	von	+ Dativ	Er ist Computerexperte, aber er versteht auch viel von Kunst.
sich etwas vorstellen	unter	+ Dativ	Kannst du dir etwas unter dem Begriff „Dekonstruktion" vorstellen?
sich vorbereiten	auf	+ Akkusativ	Bereiten wir uns gemeinsam auf die Prüfung vor?
warnen	vor	+ Dativ	Er hat mich vor dieser gefährlichen Gegend gewarnt.
warten	auf	+ Akkusativ	Wartet bitte auf mich, ich komme gleich!
werden	zu	+ Dativ	Er ist zu einem richtigen Computerexperten geworden.
wissen	von	+ Dativ	„Ich weiß nichts von einer Krise", sagte der Präsident.
sich wundern	über	+ Akkusativ	Sie wundern sich über das gute U-Bahnsystem in Hamburg.
zuschauen	bei	+ Dativ	Sie schaut ihm beim Zeichnen zu.
zusehen	bei	+ Dativ	Er sieht ihr beim Fußballspielen zu.
zweifeln	an	+ Dativ	Ehrlich gesagt, zweifle ich an ihrer Version der Geschichte.

Adjektive und Nomen mit festen Präpositionen

Hinweis: Oft gibt es zu einem Adjektiv ein entsprechendes Nomen mit Präposition. Oft gibt es auch entsprechende Verben, zum Beispiel: *die Antwort auf – antworten auf* (siehe Liste von „Verben mit festen Präpositionen"). Die entsprechenden Adjektive, Nomen und Verben können aber verschiedene Präpositionen bei sich haben. Manchmal gibt es auch nur das Adjektiv oder nur das Nomen.

Adjektive			Nomen		
abhängig von	+	Dativ	die Abhängigkeit von	+	Dativ
			die Angst vor	+	Dativ
			die Antwort auf	+	Akkusativ
ärgerlich über	+	Akkusativ	der Ärger über	+	Akkusativ
arm an	+	Dativ	die Armut an	+	Dativ
aufmerksam auf	+	Akkusativ			
befreundet mit	+	Dativ	die Freundschaft mit	+	Dativ
begeistert von	+	Dativ	die Begeisterung für	+	Akkusativ
begeistert über	+	Akkusativ	die Begeisterung über	+	Akkusativ
behilflich bei	+	Dativ	die Hilfe bei	+	Dativ
bekannt mit	+	Dativ	die Bekanntschaft mit	+	Dativ
beliebt bei	+	Dativ	die Beliebtheit bei	+	Dativ
bereit zu	+	Dativ	die Bereitschaft zu	+	Dativ
berühmt für	+	Akkusativ			
besorgt um	+	Akkusativ	die Sorge um	+	Akkusativ
blass vor	+	Dativ			
böse zu	+	Dativ			
dankbar für	+	Akkusativ	die Dankbarkeit für	+	Akkusativ
eifersüchtig auf	+	Akkusativ	die Eifersucht auf	+	Akkusativ
einverstanden mit	+	Dativ	das Einverständnis mit	+	Dativ
entschlossen zu	+	Dativ	die Entschlossenheit zu	+	Dativ
fähig zu	+	Dativ	die Fähigkeit zu	+	Dativ
fertig mit	+	Dativ			
frei von	+	Dativ	die Freiheit von	+	Dativ
			die Freude an	+	Dativ
			die Freude auf	+	Akkusativ
			die Freude über	+	Akkusativ
freundlich zu	+	Dativ	die Freundlichkeit gegenüber	+	Dativ
froh über	+	Akkusativ			
geeignet für	+	Akkusativ	die Eignung für	+	Akkusativ
geeignet zu	+	Dativ	die Eignung zu	+	Dativ
genug für	+	Akkusativ			
gespannt auf	+	Akkusativ			
gleichgültig gegenüber	+	Dativ	die Gleichgültigkeit gegenüber	+	Dativ
glücklich über	+	Akkusativ			
			die Hoffnung auf	+	Akkusativ
höflich zu	+	Dativ	die Höflichkeit zu	+	Dativ

leicht für	+	Akkusativ			
lieb zu	+	Dativ	die Liebe zu	+	Dativ
			die Lust auf	+	Akkusativ
misstrauisch gegenüber	+	Dativ	das Misstrauen gegenüber	+	Dativ
neidisch auf	+	Akkusativ	der Neid auf	+	Akkusativ
nett zu	+	Dativ	die Nettigkeit gegenüber	+	Dativ
neugierig auf	+	Akkusativ	die Neugier auf	+	Akkusativ
nützlich für	+	Akkusativ	der Nutzen für	+	Akkusativ
reich an	+	Dativ	der Reichtum an	+	Dativ
schädlich für	+	Akkusativ	die Schädlichkeit für	+	Akkusativ
schuld an	+	Dativ	die Schuld an	+	Dativ
schwierig für	+	Akkusativ	die Schwierigkeit für	+	Akkusativ
sicher vor	+	Dativ	die Sicherheit vor	+	Dativ
stolz auf	+	Akkusativ	der Stolz auf	+	Akkusativ
traurig über	+	Akkusativ	die Trauer über	+	Akkusativ
typisch für	+	Akkusativ			
überzeugt von	+	Dativ			
			der Unterschied zwischen	+	Dativ
verheiratet mit	+	Dativ	die Heirat mit	+	Dativ
verlobt mit	+	Dativ	die Verlobung mit	+	Dativ
verschieden von	+	Dativ			
verwandt mit	+	Dativ	die Verwandtschaft mit	+	Dativ
voll von	+	Dativ			
wütend auf	+	Akkusativ	die Wut auf	+	Akkusativ
wütend über	+	Akkusativ	die Wut über	+	Akkusativ
zufrieden mit	+	Dativ	die Zufriedenheit mit	+	Dativ
zuständig für	+	Akkusativ	die Zuständigkeit für	+	Akkusativ

Verben mit *zu* + Infinitiv

Hinweis: Vor die Infinitiv-Konstruktion kann man ein Komma setzen. Manchmal wird der Sinn dadurch deutlicher: *Klara bot ihm an(,) ihn nach Hause zu bringen.*

Gruppe 1: <u>Subjekt</u> = Handelnder in der Infinitiv-Konstruktion:
<u>Er</u> bietet mir an: <u>Er</u> will mir helfen. → Er bietet mir an, mir zu helfen.

anbieten	Er bietet mir an, mir bei der Arbeit zu helfen.
anfangen	Fangen Sie bitte an zu lesen!
aufhören	Es hört auf zu regnen.
beabsichtigen	Die Regierung beabsichtigt die Steuern zu erhöhen.
beginnen	Er beginnt zu arbeiten.
sich bemühen	Bemüht euch bitte leise zu sein – meine Mutter schläft!
beschließen	Lukas beschloss sie gleich anzurufen.
denken an	Denk daran, die Kassette mitzubringen.
sich entschließen	Paul hat sich entschlossen den Beruf zu wechseln.
sich freuen (auf)	Wir freuen uns (darauf), Sie bald wiederzusehen.
fürchten	Viele Menschen fürchten arbeitslos zu werden.
sich gewöhnen an	Ich habe mich daran gewöhnt, immer einen Regenschirm mitzunehmen.
gelingen	Hoffentlich gelingt es der Polizei, die Einbrecher zu verhaften.
glauben	Der Forscher glaubt, das Problem bald lösen zu können.
hoffen	Wir hoffen Sie bald wiederzusehen.
meinen	Er meint, immer im Recht zu sein.
planen	Jakob und Anna planen, im Mai zu heiraten.
scheinen	Ich rede und rede – aber er scheint nichts zu verstehen.
vergessen	Ich habe vergessen mein Fahrrad abzuschließen.
sich verlassen auf	Ich verlasse mich darauf, das Geld zurückzubekommen.
versprechen	Herr Deckert hat versprochen, das morgen zu machen.
versuchen	Ich versuche Sie morgen anzurufen.
vorhaben	Jana und Matti haben vor, im nächsten Monat umzuziehen.
sich weigern	Der Angeklagte weigert sich die Namen seiner Komplizen zu nennen.

Gruppe 2: <u>Objekt</u> = Handelnder in der Infinitiv-Konstruktion:
Die Opposition fordert <u>die Regierung</u> auf: <u>Die Regierung</u> soll zurücktreten. → Die Opposition fordert die Regierung auf zurückzutreten.

anbieten	Er bot mir an, bei ihm mitzuarbeiten.
auffordern (zu)	Die Opposition forderte die Regierung (dazu) auf zurückzutreten.
befehlen	Mein Chef kann mir nicht befehlen noch länger hierzubleiben.
bitten	Darf ich Sie bitten, mir kurz zu helfen?
bringen zu	Meine Freundin hat mich dazu gebracht, nicht mehr zu rauchen.
einladen	Wir würden Sie gerne einladen, Weihnachten bei uns zu verbringen.
empfehlen	Die Lehrerin empfahl ihren Schülern mit Musik zu lernen.
erinnern (an)	Bitte erinnere mich (daran), die Tabletten zu nehmen!
erlauben	Seine Eltern erlauben ihm nicht, viel fernzusehen.
ermöglichen	Sein Vater ermöglichte ihm, ein Jahr in den USA zu studieren.
helfen	Vielleicht kann ich dir helfen einen Job zu finden.
hindern an	Ich konnte ihn gerade noch daran hindern, ihr alles zu erzählen.
leicht fallen	Es fällt ihm leicht, schwierige mathematische Aufgaben zu lösen.
raten	Mein Arzt hat mir geraten mehr Sport zu treiben.
schwer fallen	Heute fällt es mir sehr schwer, mich zu konzentrieren.
überreden (zu)	Meine Kinder haben mich (dazu) überredet, ihnen ein Eis zu kaufen.
verbieten	Niemand kann mir verbieten dich zu treffen!
warnen vor	Ich warne dich davor, ihr alles zu glauben.

Adjektive und Partizipien mit *zu* + Infinitiv

bereit (zu)	Sind Sie (dazu) bereit, jetzt mit der Aufgabe anzufangen?
entschlossen (zu)	Ich bin fest (dazu) entschlossen, das heute noch fertig zu machen.
erlaubt / verboten	Es ist hier erlaubt / verboten, Fußball zu spielen.
erfreut (über)	Moritz war sehr erfreut (darüber), sie zu treffen.
erstaunt	Ich bin erstaunt Sie hier zu sehen!
gesund / ungesund	Es ist gesund / ungesund, ins Fitness-Studio zu gehen.
gewohnt	Ich bin es gewohnt, viel zu arbeiten.
gut / schlecht	Sie findet es gut / schlecht, sich über private Dinge zu unterhalten.
höflich / unhöflich	Es ist höflich / unhöflich, 15 Minuten zu früh zu kommen.
interessant / uninteressant	Es ist interessant / uninteressant, sich Reise-Bilder anzuschauen.
leicht / schwer	Ich finde es leicht / schwer, diesen Text zu verstehen.
nötig / unnötig	Ich finde es nötig / unnötig, hier mal aufzuräumen.
praktisch / unpraktisch	Anna findet es praktisch / unpraktisch, mit dem Fahrrad einzukaufen.
stolz (auf)	Sie ist stolz (darauf), so eine gute Note bekommen zu haben.
richtig / falsch	Wir finden es richtig / falsch, sehr kritisch zu sein.
überzeugt (von)	Die Firma ist überzeugt (davon), den besten Service zu bieten.
wichtig / unwichtig	Es ist wichtig / unwichtig für sie, eine gute Note zu bekommen.

Nomen mit *zu* + Infinitiv

die Absicht	Herr Gammel hat die Absicht, für längere Zeit zu verreisen.
die Angst (vor)	Wir haben Angst (davor), die Geduld zu verlieren.
die Freude	Es ist mir eine große Freude, Sie bei uns begrüßen zu können.
die Gelegenheit	Gibt es eine Gelegenheit, kurz mit Ihnen zu sprechen?
der Grund (für)	Es gibt keinen Grund (dafür), jetzt schon aufzuhören.
die Lust	Ich habe Lust etwas spazieren zu gehen.
die Möglichkeit	Auf dem Rückflug haben Sie die Möglichkeit zollfrei einzukaufen.
die Mühe	Es macht mir große Mühe, alles unter Kontrolle zu behalten.
das Problem	Ich hatte kein Problem, mich mit allem zurechtzufinden.
die Schwierigkeiten (Plural)	Haben Sie Schwierigkeiten, den Text zu verstehen?
der Spaß	Es macht mir Spaß, darüber nachzudenken.
die Zeit	Es ist jetzt Zeit, nach Hause zu gehen.

Präpositionen und Kasus

Mit Dativ	**Mit Akkusativ**	**Mit Dativ oder Akkusativ**	**Mit Genitiv**
ab, aus, außer, bei, gegenüber, mit, nach, seit, von, wegen, zu	bis, durch, entlang, für, gegen, ohne, um	an, auf, hinter, in, neben, über, unter, vor, zwischen	aufgrund, außerhalb, entlang, innerhalb, (an)statt, trotz, während, wegen

ab	+	Dativ	Ab nächster Woche soll das Wetter besser werden.
an	+	Akkusativ	Er hat einen Brief an seine Mutter geschrieben.
	+	Dativ	Jeden Morgen warten viele Menschen an der Bushaltestelle.
(an)statt	+	Genitiv	Kauf doch einen Strauß Blumen statt der Süßigkeiten!
auf	+	Akkusativ	Leg die Schlüssel einfach auf den Tisch!
	+	Dativ	Auf dem Bett sitzt eine Katze.
aufgrund	+	Genitiv	Aufgrund des Fußballspiels kommt es überall zu Verkehrsstaus.
aus	+	Dativ	Ich hole schnell den Käse aus dem Kühlschrank.
außer	+	Dativ	Außer deiner Kreditkarte musst du nichts mitnehmen.
außerhalb	+	Genitiv	Unsere Wohnung liegt außerhalb des Dorfes.
bei	+	Dativ	Ich bin bei einer Freundin gewesen.
bis	+	Akkusativ	Wir bleiben bis nächsten Montag in Frankfurt.
bis	+	andere Präposition	Ich fahre bis zum Zentrum. Der Weg geht bis an den See.
durch	+	Akkusativ	Wir mussten sehr lange durch den Wald laufen.
entlang	+	Akkusativ	Er geht die Straße entlang. (Position nach dem Nomen)
	+	Genitiv	Entlang des Baches stehen hohe Bäume. (Position vor dem Nomen)
für	+	Akkusativ	Ich habe eine Überraschung für dich.
gegen	+	Akkusativ	Wir sind gegen diesen Beschluss.
gegenüber	+	Dativ	Die Bäckerei befindet sich gegenüber der Kirche. Der Mann stand genau mir gegenüber. (nach dem Personalpronomen)
hinter	+	Akkusativ	Die Maus lief hinter den Schrank.
	+	Dativ	Hinter dem Haus ist der Garten.
in	+	Akkusativ	Ich lege meine Kleider in den Koffer.
	+	Dativ	In unserem Haus wohnen mehrere Familien.
innerhalb	+	Genitiv	Innerhalb weniger Tage wirst du wieder gesund sein.
mit	+	Dativ	Ich gehe heute mit meiner Kollegin ins Kino.
nach	+	Dativ	Nach dem Mittagessen wollen wir einen Ausflug machen.
neben	+	Akkusativ	Im Zug setzte sich ein unsympathischer Mann neben mich.
	+	Dativ	Unser Klavier steht neben dem Fenster.
ohne	+	Akkusativ	Ohne deine Hilfe hätte ich das nie geschafft.
seit	+	Dativ	Seit meinem Urlaub bin ich erkältet.
trotz	+	Genitiv	Trotz des Staus bin ich heute zur Arbeit gekommen.
	+	Dativ	Trotz meinem Husten gehe ich in die Arbeit.
über	+	Akkusativ	Geh bitte vorsichtig über die Straße!
	+	Dativ	Die neue Lampe hängt über dem Sofa.
um	+	Akkusativ	Du musst dir keine Sorgen um uns machen.
unter	+	Akkusativ	Komm doch zu mir unter den Regenschirm!
	+	Dativ	Ich lag unter dem Baum und schaute in den Himmel.
von	+	Dativ	Dieses Buch habe ich von einem Freund geliehen.
vor	+	Akkusativ	Er hat ihr einen Blumenstrauß vor die Tür gelegt.
	+	Dativ	Wir treffen uns heute Abend vor dem Theater.
während	+	Genitiv	Während meines Studiums habe ich viele Leute kennengelernt.
	+	Dativ	Bitte schau während dem Essen nicht auf dein Handy! (umgangssprachlich)
wegen	+	Genitiv	Wegen ihrer Krankheit musste sie heute zu Hause bleiben.
	+	Dativ	Wegen dir konnte ich nicht ins Kino gehen! (vor allem bei Personalpronomen)
zu	+	Dativ	Er fährt morgen zu seinem Bruder nach Berlin.
zwischen	+	Akkusativ	Hängen wir das Bild zwischen den Schrank und das Regal?
	+	Dativ	Siehst du das kleine Haus zwischen den beiden Geschäften?

1.

1) Machen Sie das?

2. Ja, ich arbeite viel. 3. Ja, ich lese gerne. 4. Ja klar, ich komme heute. 5. Ja, wir hören gerne Musik.

2) Im Zug München – Hamburg

2. Fahren Sie 3. Wohnen Sie 4. Arbeiten Sie

3) Sophie fragt und fragt.

2. Papa, lesen wir jetzt? 3. Papa, kochen wir Spaghetti? 4. Papa, essen wir jetzt? 5. Papa, fahren wir gleich?

4) Hobbys am Wochenende

1. spiele 2. lese 3. höre 4. male 5. esse

5) Fragen Sie und antworten Sie frei.

Beispiele: Kochen Sie gerne? – Ja, ich koche gerne. Kochen Sie oft? – Nein, ich koche nie!

Lesen Sie manchmal? – Ja, ich lese heute.

2.

1) Wer …? Wo …? Was …? Ordnen Sie zu.

2 e, 3 f, 4 b, 5 d, 6 a

2) Ein Dialog im Zug

1. nach 2. woher 3. Aus 4. in 5. in 6. was 7. in

3) Fragen Sie.

1. Was machst du? 2. Wann fahren Sie? 3. Fahrt ihr nach Hamburg? 4. Wer kommt mit? 6. Wo wohnen Sie?

4) Bürokratie. Fragen und antworten Sie.

Beispiele: 1. Wie heißen Sie? – Ich heiße Matthias. 2. Woher kommen Sie? – Ich komme aus Göppingen. 3. Wo wohnen Sie? – Ich wohne in Kassel. 4. Was studieren Sie? – Ich studiere Kunst. 5. Wohin fahren Sie? – Ich fahre nach Paris.

3.

1) Kombinieren Sie.

Beispiele: du spielst, du gehst, er macht, er wohnt, ihr macht, ihr wohnt, sie macht, es wohnt, es macht, wir fahren, wir machen, sie fahren, sie machen, Sie fahren, sie machen, ich komme

2) Wir gehen los – und ihr?

1. gehe 2. Arbeiten – sehen 3. macht – spielen 4. kommt – wohnt 5. fahren – kommt

3) Einladung zum Essen

1. Wir fahr<u>en</u> nach Hause. 2. Was mach<u>t</u> <u>ihr</u> denn da? 3. <u>Wir</u> koch<u>en</u> und dann ess<u>en</u> <u>wir</u>. 4. <u>Wir</u> komm<u>en</u> gleich. Klaus, koch<u>st</u> <u>du</u>? Oder koch<u>t</u> Maria? 5. Klaus koch<u>t</u>. Was trink<u>t</u> <u>ihr</u>? 6. <u>Wir</u> trink<u>en</u> gerne Saft.

4) Fragen Sie Freunde.

2. Wann stehst du normalerweise auf? 3. Was macht ihr morgens? 4. Was spielt ihr gerne? 5. Wo wohnst du zurzeit?

5) *er, es* oder *sie*?

2. er 3. sie 4. Sie 5. Er

6) *Sie* oder *sie*?

2. Was machen sie? 3. Kommen Sie mit? 4. …, sie kommt nicht mit. 5. …, fahren Sie ins Zentrum? – …, steigen Sie ein!

4.

1) Kombinieren Sie.

1. *Beispiele*: du siehst, du läufst, du liest, ihr sprecht, ihr wisst, ihr schlaft, ihr lauft, …

2) Ergänzen Sie.

2. klingle 3. schläft – liest 4. heißt – weiß

3) Fragen Sie einen Freund oder eine Freundin.

2. Reist du gern? 3. Wartest du schon lange? 4. Nimmst du Zucker? 5. Was liest du gerade? 6. Sprichst du Russisch?

4) Im Flugzeug

1. startet 2. fährt 3. sieht 4. liest 5. kommt 6. spricht 7. isst 8. schläft 9. essen 10. fragt 11. antwortet 12. weiß 13. schläfst 14. liest 15. schläft

5) Finden Sie Reime.

1. er schlägt 2. du liest 3. du beißt, du weißt 3. ihr steht, ihr dreht

5.

1) Wie ist …? Ergänzen Sie.

Mögliche Lösungen: 2. Wir <u>sind</u> aus München. München <u>ist</u> <u>schick</u>. 3. Was, ihr <u>seid</u> aus Paris? Paris <u>ist</u> <u>romatisch</u>. 4. Aha, Sie <u>sind</u> aus London. London <u>ist</u> <u>kosmopolitisch</u>. 5. Marta und Eva <u>sind</u> aus Rom. Rom <u>ist</u> <u>sonnig</u>.

2) Müde oder fit?

1. bin, bin 2. Sind – sind 3. Ist – ist 4. Ist – ist 5. Seid – sind

3) Berufe

2. <u>Sind</u> Sie Direktor? – Nein, ich <u>bin</u> <u>Vize-Direktor</u> 3. <u>Bist</u> du Franzose? – Nein, ich <u>bin</u> <u>Argentinier</u>. 4. <u>Sind</u> Likas und Marco Lehrer? – Nein, sie <u>sind</u> <u>Künstler</u>.

4) *haben*

1. habe 2. Hast – habe, habe 3. Habt, hat, hat

5) Schlechte Laune: *haben* oder *sein*

1. ist 2. ist 3. habe 4. habe 5. habe 6. Ist 7. ist 8. Ist

6) Ist das …?

b) Das ist der Eiffelturm. Er ist in Paris. c) Das ist der Big Ben. Er ist in London. d) Das ist das Brandenburger Tor. Es ist in Berlin. e) Das ist das Empire State Building. Es ist in New York. f) Das ist der Stephansdom. Er ist in Wien.

6.

1) Reisetipps für Ihren Freund / Ihre Freundin

1. Achte 2. Mach 3. iss 4. trink 5. Hab 6. sei

2) Bitten Sie einen Fremden / eine Fremde.

2. Wiederholen Sie das bitte! 3. Erklären Sie das bitte! 4. Hören Sie bitte genau zu!

3) Liebe Kinder …

1. Trinkt 2. spielt 3. streitet 4. Geht 5. putzt 6. Schlaft 7. träumt

4) Delegieren Sie!

2. Frau Petrow, telefonieren Sie bitte mit der Firma in Jena! 3. Lukas und Klaus, bringt das in Ordnung! 4. Frau Blau, fahren Sie bitte nach Wien!

5) Bitten Sie höflich.

2. Arbeite bitte nicht so lange, … 3. Sei bitte pünktlich, … 4. Habt bitte etwas Geduld, …

6) Der Chef ist krank. Ergänzen Sie die E-Mail.

1. berichten Sie 2. Warten Sie 3. reagieren Sie 4. Kaufen Sie
5. Telefonieren Sie 6. Seien Sie 7. Haben Sie 8. erklären Sie

7.

1) Unterstreichen Sie die trennbaren Verben.

Heute <u>räume</u> ich mal <u>auf</u>. Die Wohnung <u>sieht</u> chaotisch <u>aus</u>!
Wie <u>fange</u> ich nur <u>an</u>? Vielleicht <u>wasche</u> ich zuerst das Geschirr
<u>ab</u>. Dann putze ich die Fenster. Da klingelt das Telefon. Wer <u>ruft</u>
denn jetzt <u>an</u>? Da <u>hört</u> das Klingeln wieder <u>auf</u>. Zu dumm! Ich
sauge, wische, <u>trockne ab</u>, poliere… Am Schluss bin ich sehr
müde!

2) Ein Albtraum. Ergänzen Sie.

1. fliegen … los 2. schauen her 3. macht … auf 4. fliegen los
5. komme … mit 6. fliegen … zurück 7. hören … zu
8. wache … auf

3) Karla und Paul bereiten eine Reise vor. Ergänzen Sie.

1. räum … auf 2. wasch … ab 3. steck … ein 4. kaufe Proviant
ein 5. packe alles ein 6. schließe … ab 7. fahren … los

4) Ergänzen Sie die trennbaren Präfixe.

1. ein 2. mit 3. rein 4. los

5) Vergnügungen. Fragen Sie einen Kollegen oder eine Kollegin.

2. Frühstückst du auch gerne so lang? 3. Gehst du auch so gerne
spazieren? 4. Kaufst du auch so gerne ein? 5. Rufst du auch so
gerne Freunde an? 6. Siehst du auch so gerne fern? 7. Hörst du
auch so gerne Musik? 8. Schläfst du auch so gerne früh ein?

8.

1) Die Sonne scheint! Unterstreichen Sie das Subjekt.

Heute ist <u>Herr Maier</u> froh. <u>Der Chef</u> ist nicht da, <u>die Arbeit</u> ist
leicht, und <u>die Sonne</u> scheint. <u>Er</u> überlegt: „Was mache <u>ich</u>
heute Abend? Fahre <u>ich</u> nach Hause oder gehe <u>ich</u> spazieren?"
Da ruft <u>Anna</u> an und fragt: „Gehen <u>wir</u> heute Abend essen?"
Aber <u>der Chef</u> kommt früh zurück. <u>Er</u> hat schlechte Laune:
„Was machen <u>Sie</u> da, Herr Maier? Rufen <u>Sie</u> bitte sofort in
Stuttgart an! <u>Es</u> ist dringend! <u>Wir</u> warten und warten und <u>die</u>
<u>Datei</u> ist immer noch nicht da. Ach ja: <u>Die Kunden</u> aus Hamburg
kommen gleich. Heute Abend gehen <u>wir</u> alle essen – <u>Sie</u>
kommen bitte mit!"

2) Eine Einladung: Was passt? Ordnen Sie zu.

1. Bist du fertig? Es ist schon spät! – d. Was? Müssen wir schon
los? – 2. Ja, du weißt doch, Magda und Vinzent warten nicht
gerne! Mach bitte schnell! – c. Ja ja, ich komme ja schon. Wo
ist das Geld? – 3. Ich habe es. Was nehmen wir mit? Wein?
Blumen? Schokolade? – a. Wein und Blumen. Schokolade finde
ich kindisch. – 4. Okay, dann gehen wir jetzt los! – b. Ja. Aber ich
habe gar keine Lust!

3) Formulieren Sie die Bitten als Fragen.

2. Hörst du jetzt bitte auf? 3. Rufst du mich bitte nachher an?
4. Kochst du bitte heute Abend?

4) Ergänzen Sie die Fragen.

Beispiele: 2. Schläfst du? – Nein, ich lese. 3. Wer ist das? – Das
ist Frau Lohse, die Lehrerin. 4. Was machst du? – Ich lese gerade
ein Buch.

5) Kombinieren Sie Sätze.

Mögliche Kombinationen: 2. Ich gehe gerne spazieren, aber
(denn) ich schwimme nicht gern. 3. Endlich ist Urlaub! Was
meinst du? Fahren wir nach Italien oder (fahren wir) nach
Frankreich? 4. Nein, ich komme heute nicht, denn ich habe viel
Arbeit und schlechte Laune. 5. Der Tag ist stressig, aber (und)
Anton ist glücklich, denn Anna kommt heute Abend.

9.

1) Was passt hier zusammen? Bilden Sie Sätze.

Mögliche Lösungen: 1. David hat heute gute Ideen.
2. Angelika macht oft (einen) Fehler. 3. Dort drüben ist ein Taxi /
ein Frisör. 4. Hoffentlich findest du bald ein Taxi / eine
Wohnung / einen Frisör / (einen) Fehler. 5. Wir suchen eine
Wohnung / (einen) Fehler / einen Frisör. 6. Sabine isst gern
Birnen.

2) Im Geschäft. Ergänzen Sie *ein, einen, eine.*

1. ein 2. (einen) 3. einen 4. ein 5. einen 6. eine 7. Ein 8. eine
9. einen

3) Gibt es hier …?

eine Schule, ein Rathaus, einen Eissalon, eine Bank, ein Kino,
einen Bahnhof, ein Einkaufszentrum

4) Zeitausdrücke

2. Einen 3. eine

5) Sebastian ist zufrieden. Ergänzen Sie.

ein, einen, ein

6) Ein Ausflug. Ergänzen Sie.

1. eine 2. eine 3. eine 4. Ein 5. ein 6. einen 7. ein

7) Im Restaurant. Ergänzen Sie den Dialog.

2. ein 3. ein, einen 4. eine, eine

10.

1) Wer? Wen? Was?

2. Der Vater. 3. Den Bruder. 4. Das Buch. 5. Die Briefe

2) Wie bitte? Wen siehst du?

1. Was 2. Wen 3. Was 4. Was

3) Herr Lopez hat heute Kopfschmerzen. Er versteht den Lehrer
nicht.

1. den 2. die 3. die 4. den

4) Im Kurs: Was passt? Es gibt mehrere Möglichkeiten.

2. die Wörter 3. den Text 4. die Überschrift 5. die Fragen 6. die
Übungen

5) Subjekt (S) oder Objekt (O)?

2. Der Mann = S 3. Den Dieb = O 4. Die Ampel = O

6) Wo ist der Akkusativ? Unterstreichen Sie.

2. <u>Die zwei Brüder</u> begrüßt das Kind sofort, aber nicht <u>den</u>
<u>Onkel</u>. 3. <u>Den Mann</u> auf dem Foto kennt die Frau nicht. 4. <u>Die</u>
<u>Frau</u> liebt der Mann wirklich sehr. 5. <u>Das Land in Asien</u> kennt die
Frau gut. 6. Der Junge kennt <u>die Frau</u> gut.

11.

1) Stadt – Land – Fluss

2. ein Land 3. eine Stadt 4. eine Stadt 5. ein Schloss

2) Geografie. Ergänzen Sie.

2. das 3. Der 4. Das

3) Marias Familie. Ergänzen Sie den indefiniten oder den definiten Artikel.

1. einen 2. einen 3. Die 4. der 5. Eine 6. Der 7. einen 8. ein 9. ein 10. Das 11. ein

4) Indefiniter Artikel, definiter Artikel oder kein Artikel?

1. eine 2. der 3. ein 4. der 5. Eine, die 6. Eine – Eine, eine 7. –, – 8. einen 9. eine 10. den

5) Was sind die Personen von Beruf?

1. Lehrerin 2. Student 3. Professor (in Österreich: Universitäts-Professor) 4. Sekretärin

12.

1) Wo ist der Dativ? Unterstreichen Sie.

2. <u>Der Freundin</u> schreibt sie nie einen Brief. 3. Heute schickt sie <u>der Mutter</u> ein Paket zum Muttertag.

4. Dorothea Schlegel begegnet <u>Goethe</u> zum ersten Mal 1799.

5. Ich habe keinen Mantel. <u>Mir</u> ist kalt. 6. Gern zeigen die Leute <u>den Touristen</u> den Weg.

2) Besitz. Ergänzen Sie.

2. der – dem 3. dem – dem

3) Was stiehlt der Dieb wem?

1. das 2. Dem 3. die 4. den 5. die 6. der 7. die

4) Ferien in einem fernen Land. Ergänzen Sie.

1. der 2. dem 3. der

5) Was passt hier? Ergänzen Sie das Verb.

2. Gefällt 3. schmeckt 4. Antwortet 5. gratulieren

6) Geschenke zu Weihnachten

Mögliche Lösungen: … und <u>dem Vater einen Schal</u>. Er schenkt <u>den Großeltern ein Smartphone</u>. <u>Dem Onkel</u> schenkt er <u>ein Buch</u>. Außerdem schenkt er <u>der Schwester eine Tasche</u> und <u>dem Bruder einen Rucksack</u>. Und was bekommt er? <u>Eine Armbanduhr!</u>

13.

1) Identifizieren Sie die Pluralsignale.

2. ¨ (Br<u>ü</u>der) 3. -n (Tant<u>en</u>) 4. – (Onkel) 5. ¨ e (S<u>ö</u>hne) 6. ¨ (T<u>ö</u>chter) 7. ¨ er (B<u>ü</u>ch<u>er</u>) 8. -nen (Freundinn<u>en</u>)

9. -s (Büro<u>s</u>) 10. -en (Wohnung<u>en</u>) 11. ¨ e (W<u>ä</u>nde) 12. -en (Mensch<u>en</u>) 13. ¨ e (Z<u>ü</u>ge) 14. -n (Regel<u>n</u>) 15. -er (Bil<u>der</u>)

2) Beim Einkaufen. Ergänzen Sie die Pluralformen.

1. Äpfel 2. Pflaumen 3. Taschentücher 4. Eier 5. Oliven 6. Nudeln 7. Süßigkeiten

3) Das Urlaubsparadies. Ergänzen Sie die Pluralformen.

1. Wälder 2. Ebenen 3. Strände 4. Hotels 5. Fische 6. Vögel 7. Kinder 8. Großväter 9. Großmütter

4) Bilden Sie Reime.

1. die Räume 2. die Äste, die Reste 3. die Hände 4. die Flüge 5. die Ränder, die Länder 6. die Dosen, die Hosen

6) Sprachvergleich

Nomen ohne Plural (Beispiele): der Käse, die Marmelade, der Honig, das Bier, der Wein, …

Nomen ohne Singular (Beispiele): die Ferien, die Leute, …

14.

1) Ergänzen Sie die richtige Form des Nomens.

1. Ehefrau 2. Freunde 3. Parks 4. Kindern 5. Vater

2) Endung oder nicht?

2. den Jung<u>en</u> 3. den Praktikant<u>en</u> 4. der Löwe, der Tiere 5. des Mensch<u>en</u> 6. Herr<u>n</u> Oculi 7. Optimist<u>en</u>, Pessimist<u>en</u>

3) Ergänzen Sie Nomen im Genitiv. Achten Sie auf den Artikel. Manche Wörter passen mehrmals.

1. der Anfang des Films / der Liebe 2. das Ende des Films / der Liebe 3. das Büro des Chefs / des Kollegen 4. das Gehalt des Kollegen / des Chefs 5. die Abfahrt des Zuges 6. die Meinung des Chefs / der Kollegen / der Leute 7. die Stimme des Herzens

4) Nachbarschaft. Ergänzen Sie die Wörter und – wenn nötig – die Endung.

1. Herrn 2. Franzose 3. Affen 4. Affe 5. Menschen

15.

1) Wessen Sachen sind das?

Beispiele Frau: ihr Buch, ihre Tasche, ihr Föhn, ihre Zeitschrift, ihre Jeans, ihr Tablet, ihr Auto, ihr Handy

Beispiele Mann: seine Shorts, sein Handy, sein Laptop, sein Regenschirm, sein Rasierapparat, seine Zeitschrift

2) Was passt zusammen?

2e, 3c, 4a, 5d

3) Kennen Sie diese Filme? Ordnen Sie zu.

1c, 2d, 3a, 5b

4) Ergänzen Sie in der richtigen Form.

2. meine 3. sein 4. ihre 5. Unsere 6. Wessen 7. Ihren 8. Ihrer 9. eure

5) Fragen Sie beim Job-Interview. Ergänzen Sie den possessiven Artikel.

2. Ihre 3. Meiner / unserer 4. Ihren

5) Das ist meine Familie. Ergänzen Sie.

1. meine 2. meine 3. meiner 4. seine 5. meines 6. mein

16.

1) Ergänzen Sie die Endungen. Achten Sie auf das Genus.

1. ein, irgendein 2. manch<u>en</u>, ein<u>e</u> 3. ein, dies<u>em</u>, ein, Jed<u>e</u>, irgendwelche, dies<u>en</u> 4. Dieses, all<u>er</u>, unser<u>e</u>, unser, Ihr

2) Ergänzen Sie die Artikelwörter *was für ein, welcher, ein, der / das / die*. Achten Sie auf Genus und Kasus.

2. Welches, den 3. was für – 4. welcher, Der

3) Psychologische Beratung an der Uni. Setzen Sie die Artikelwörter ein. Achten Sie auf Genus und Kasus.

1. keinen 2. welchen 3. dieses 4. jedes 5. was für ein 6. irgendwelche

17.

1) Am Bahnhof. Markieren Sie: <u>Subjekt</u> <u>Akkusativobjekt</u> <u>Dativobjekt</u>

<u>Der Zug</u> kommt in Köln an. <u>Matti</u> steigt aus. <u>Er</u> hat <u>Hunger</u> und sucht <u>ein Restaurant</u>. Da sieht <u>er</u> am Zeitungskiosk <u>eine Kollegin</u>. Schnell geht <u>er</u> hin und begrüßt <u>sie</u>: „Guten Tag, Frau Korte. Was machen <u>Sie</u> denn hier? Darf <u>ich</u> <u>Sie</u> zu einem Kaffee einladen?" <u>Frau Korte</u> nimmt <u>die Einladung</u> an. Beim Bäcker holt <u>er</u> <u>ihr</u> <u>eine Tasse Kaffee</u> und <u>sie</u> bietet <u>ihm</u> <u>Schokolade</u> an. Fast eine Stunde unterhalten <u>sie</u> sich. Dann fährt <u>ihr Zug</u> ab und <u>Matti</u> liest <u>die Zeitung</u>.

2) Wohin gehören Dativ und Akkusativ? Ergänzen Sie die Sätze.
2. Nächste Woche besuche ich dich in London. 3. Er sagt es ihr noch nicht. 4. Wir schenken unseren Freunden einen Gutschein.

3) Formulieren Sie anders.
2. Jeden Abend sieht Omar die Nachrichten im Fernsehen.
3. Zwei Stunden regnet es nun schon! 4. Herr und Frau Lopez kommen heute leider nicht mit. 5. Immer wieder erklärt Miriam ihm das Problem.

4) Betonen Sie in den Antworten die Informationen in Klammern.
2. Bayern kenne ich gut, Schloss Neuschwanstein nicht.
3. Den Witz von der Ameise und dem Elefanten kenne ich noch nicht. (Den Witz kenne ich nicht.)

5) Was macht der Koch / der Lehrer / der Arzt? Schreiben Sie Sätze mit den Elementen.
2. Der Lehrer korrigiert am Mittwoch 45 Tests. Am Donnerstag erklärt er seinen Schülern noch einmal die Regel. 3. Der Arzt verschreibt dem Mann sofort ein Antibiotikum, denn er hat eine Lungenentzündung.

18.

1) Formulieren Sie negativ.
2. Das ist nicht nett von Ihnen! 3. Ich bleibe nicht hier. 4. Ich kenne sie nicht.

2) Fragen und Antworten
2. Doch, ich komme heute. 3. Doch, ich fahre gern Auto. 4. Kommen Sie nicht mit?

3) Was ist das Gegenteil?
2. noch – nicht mehr 3. sehr – gar nicht 4. schon – noch nicht
5. immer – nie 6. alles – nichts

4) Gespräch in der Arbeitsgruppe. Ergänzen Sie.
1. nicht mehr 2. leider nicht 3. nichts 4. auch nicht

5) Korrektur
2. Ali schenkt ihr nicht das Buch 3. Finn gibt das Buch nicht ihm
4. Angelika fährt nicht heute (nach Hause)

6) Erklären Sie.
2. Sie ist nicht reich. 3. Ich verstehe nichts. 4. Er schreibt nicht gern.

19.

1) *kein* oder *nicht*?
2. kein 3. keinen 4. kein 5. nicht 6. keinen

2) Wie ist das in Ihrem Land? Formulieren Sie wie im Beispiel.
Mögliche Lösungen: 2. In … gibt es nie Schnee / auch im Winter Schnee / nicht viel Schnee. 3. In … gibt es nur (1000-)Meter-Berge / sogar (5000-)Meter-Berge / auch 3000-Meter-Berge.
4. … hat nur (2) Hafenstädte / keine Hafenstadt. 5. … hat keine Meeresküsten / (3) Meeresküsten.

3) Bei mir ist alles anders!
2. Meine Familie sieht nie fern. 3. Wir haben keinen Hund. 4. Ich sehe Sitcoms nicht gern. 5. Wir spielen selten / nie Kartenspiele.

4) Sagen Sie das Gegenteil.
2. Er schreibt den Brief nicht. 3. Sie hat keine Zeit. 4. Sie hat nicht viel Zeit. 5. Das Café hat keinen guten Kuchen.

5) Was ist wahr? Formulieren Sie.
Beispiel: … er ist kein Sportler und nicht (sehr) schlank, sondern ziemlich dick. Er hat kein großes Auto und er spricht nur wenig Englisch. Er isst gerne Fleisch und trinkt oft Alkohol. Er ist nicht immer höflich und nett zu mir.

20.

1) Was sagen Sie? Ordnen Sie zu.
2b, 3d, 4a

2) Auf einer Party
2. Magst du sie? 3. Siehst du ihn? 4. Verstehst du sie?

3) Besitz. Ergänzen Sie.
2. mir 3. Wem 4. meinem

4) Wie geht es dir?
1. euch 2. mir

5) Anweisungen in einem Computerspiel. Formulieren Sie die Aufforderungen.
2. Nimm ihn dir! 3. Gib es ihm! 4. Hol sie dir!

6) Was passt hier?
2. ihn 3. sie, Wer 4. Sie uns 5. ihn

7) Beim Mittagessen
Beispiele: Gibst du mir bitte das Salz? – Ja bitte, hier hast du es. Geben Sie mir bitte den Zucker? – Ja bitte, hier ist er. Geben Sie mir bitte die Milch? – Ja bitte, hier ist sie.

21.

1) Ergänzen Sie das Reflexivpronomen.
1. dir 2. euch 3. sich 4. uns 5. dich 6. dir 7. dir

2) Wo fehlt etwas? Ergänzen Sie die Reflexivpronomen an der richtigen Stelle.
2. Jedes Jahr zu Silvester verletzen sich viele Menschen beim Feuerwerk. 3. Wir erkundigen uns nach den Preisen für einen Flug nach Kuba. 5. Wir fliegen in die Karibik und erholen uns nach der schweren Arbeit.

3) Felix und Nele
2. Sie sehen sich jeden Tag an der Bushaltestelle. 3. Sie begrüßen sich jedes Mal freundlich. 4. Sie setzen sich im Bus immer nebeneinander. 5. Während der Fahrt unterhalten sie

sich gut. 6. Am Ende der Busfahrt verabschieden sie sich. 7. Sie finden sich sehr sympathisch. 8. Aber: Sie treffen sich nie am Abend und besuchen sich nie zu Hause.

4) Ergänzen Sie aus der Perspektive von Felix.

3. Wir begrüßen uns jedes Mal freundlich. 4. Wir setzen uns im Bus immer nebeneinander. 5. Während der Fahrt unterhalten wir uns gut. 6. Am Ende der Busfahrt verabschieden wir uns. 7. Wir finden uns sehr sympathisch. 8. Aber: Wir treffen uns nie am Abend und besuchen uns nie zu Hause.

5) Eine andere Geschichte

Mögliche Lösung: … Nach dem Unterricht treffen sie sich oft. Sie verstehen sich gut, sie verlieben sich, sie streiten sich und sie vertragen sich wieder. Dann verloben sie sich und heiraten. Ist das ein Happy End?

22.

1) Kollegen und Kolleginnen. Verwenden Sie *einer, eine*.

1. einer 2. einer 3. Eine 4. eine 5. eine 6. einem 7. einen

2) Ergänzen Sie *der, das, die* als Pronomen. Achten Sie auf den Kasus.

2. die, denen 3. Der, das 4. Dem, der

3) Antworten Sie mit *einer, eins / eins, eine, welche* oder *keiner, keines, keine*.

1. keines 2. ich nehme gerne noch eine – keine 3. Eins / eines – keines 4. einen – keinen

4) Herr Braun ist Agent. Er ist sehr vorsichtig. Ergänzen Sie.

1. keinem 2. keinen 3. keiner 4. Keiner

5) Ergänzen Sie die passenden Pronomen.

1. die, die 2. das 3. Den

23.

1) Was passt?

2a, 3f, 4d, 5c, 6e

2) Unentschlossen. Setzen Sie *welcher* … oder *was für einer* … ein.

2. welcher 3. was für eine 4. welches 5. Welche

3) *Was für einer / Welcher?* Ergänzen Sie die Lücken und formulieren Sie Fragen.

2. ein – Was für eines denn? 3. seinem – Mit welchem denn? 4. ein – Was für eines denn?

4) Dieser hier? Ergänzen Sie in der richtigen Form.

2. diesen 3. Diese

5) Worauf bezieht sich *dieser*? Unterstreichen Sie.

2. Die Automatisierung ist eine Chance, aber auch eine Bedrohung. Dies war ein wichtiges Thema der Tagung. 3. Morgen habe ich noch eine Prüfung. Diese ist aber viel länger als die letzte.

24.

1) Lukas ist drei Jahre alt. Er denkt, dass alle Sachen ihm gehören. Ergänzen Sie.

2. meiner 3. meine 4. meine

2) Ist das Ihrer? Ergänzen Sie.

1. meiner 2. deiner 3. Ihren 4. eurer

3) Veränderungen. Ergänzen Sie.

1. alles 2. viele 3. einiges 4. manche

4) Geheimnisse. Setzen Sie *jeder* und *alles* ein.

1. jedem alles 2. alles, jeder

5) Formulieren Sie mit *derselbe, dasselbe, dieselbe*. Achten Sie auf den Kasus.

2. demselben 3. dasselbe 4. denselben

6) An manchen Tagen habe ich einfach Glück. Formulieren Sie mit *jeder*.

2. Im Büro verstehe ich mich mit jedem gut. 3. Auf dem Heimweg könnte ich jeden umarmen. 4. – deshalb habe ich jedem ein Geschenk mitgebracht.

25.

1) Das wünsche ich mir. Setzen Sie *jemand* ein. Achten Sie auf den Kasus.

2. jemand(en) 3. jemand(em) 4. jemand 5. jemand(em) 6. jemand(en)

2) Großzügigkeit. Ergänzen Sie.

2. einem, Man, man 3. Man, einen

3) Formulieren Sie mit *jemand* oder *niemand*.

1. niemand 2. jemand(en), niemand 3. niemand 4. niemand 5. Jemand

4) *etwas* und *nichts*. Ergänzen Sie.

2. nichts 3. nichts 4. etwas 5. etwas 6. nichts

5) Die moderne Zeit. Formulieren Sie mit *man, einen, einem*.

2. Man 3. Man, einem 4. einen 5. einem

26.

1) Die gute, alte Zeit. Was passt zusammen?

Beispiele: 2. Das süße, kleine Kind 3. Der strenge, alte, nette Herr 4. Die schönen, blauen, fröhlichen Augen 5. Der dynamische, junge, nette, fröhliche, strenge Chef 6. Die fröhliche, junge, schöne Ärztin 7. Die schlechten, guten Nachrichten 8. Das schwere Examen

2) Urlaub an der Nordsee. Ergänzen Sie die Adjektive.

2. … weite, blaue Meer? 3. … hohen Wellen! 4. … starken, kühlen Wind? 5. … frische Luft 6. … hellen, klaren Mond?

3) Das Geheimnis der alten Frau. Schreiben Sie interessante Zeitungsüberschriften.

Mögliche Lösungen: 2. Die Tränen des kleinen Mädchens / der jungen Eltern 3. Das tragische Schicksal der jungen Familie / des kleinen Mädchens 4. Der Stolz der erfolgreichen Forscher / der jungen Eltern 5. Das Pech des gefährlichen Verbrechers / der erfolgreichen Forscher 6. Das Glück der jungen Eltern / des erfolgreichen Forschers

4) Viele Aufgaben. Ergänzen Sie wie im Beispiel.

2. der heutigen Kundin 3. die wichtige E-Mail 4. den neuen Drucker aus! 5. die alte Rechnung, dem verantwortlichen Kollegen

27.

1) Unterstreichen Sie die Signalendungen.

Ein grau**er** Tag, leicht**er** Regen, ein kalt**er** Wind. Was soll man da machen? Die Arbeit ist auch stressig: Er muss einen schwierig**en** Brief schreiben, ein neu**es** Projekt starten, seiner Chefin helfen. Aber langsam, ganz langsam: Erstmal ein freundlich**es** Gesicht machen, allen Leuten „gut**en** Tag" sagen, stark**en** Kaffee kochen und alt**e** Mails beantworten. Dann kann der Tag richtig beginnen.

2) Schreiben Sie Ihre Assoziationen auf. Suchen Sie noch mehr Assoziationen.

Zum Beispiel: 1. London: moderne Gebäude, bekannter Fußballverein, spannendes Nachtleben, kaltes Klima 3. Berlin: lustige Leute, moderne Geschäfte, spannendes Nachtleben, …

4. München: nette Leute, erfolgreicher Fußballverein, bekannte Folklore, …

5. Rom: gutes Essen / schlechtes Essen, hektischer Verkehr, bekannte Gebäude, alte Gebäude, warmes Klima …

6. Moskau: kalte Winter, alte Gebäude, stressiger Verkehr, …

3) Ergänzen Sie.

1. schlechtem Wetter 2. starken Kaffee 3. langer Mühe

4) Entwicklungen. Ergänzen Sie.

2. Der einsame Rentner, ein glücklicher Millionär. 3. Das alte Gebäude, ein gutes Hotel. 4. Das kleine Dorf, eine große Stadt

5) Kompetente Mitarbeiter! Ergänzen Sie im Dativ.

1. guter Qualifikation 2. großem Fleiß 3. positiver Einstellung

28.

1) Aber das ist doch schon gemacht! Schreiben Sie die Antworten.

2. Aber die Küche ist doch schon aufgeräumt! 3. Aber die Korrespondenz ist doch schon erledigt! 4. Aber das Auto ist doch schon gewaschen!

2) Ergänzen Sie die Partizipien. Achten Sie auf die Endungen.

1. gedeckten 2. überrascht 3. geputzte 4. gewaschene 5. geschlossene

3) Schreckensvisionen. Was passt? Achten Sie auf die Endungen.

Beispiele: tropfende Wasserhähne, ein nervender Chef, überkochende Milch, strömender Regen, ein bellender Hund

4) Idylle. Formulieren Sie um wie im Beispiel.

grasende Kühe, eine strahlende Sonne, singende Vögel, ein plätschernder Bach, blühende Wiesen

5) Momentaufnahme. Setzen Sie die Partizipien an die passende Stelle.

Lösung a: (Partizip beim Verb ohne Endung)

Ein Motorrad fährt <u>knatternd</u> vorbei, eine Frau ruft <u>aufgeregt</u> aus einem Fenster im Nachbarhaus. Ein Flugzeug fliegt <u>donnernd</u> über sie hinweg. Ein Hund läuft <u>bellend</u> hinter einem anderen Hund her. Sie blicken sich <u>erschöpft</u> an: Es gibt nichts mehr zu sagen!

Lösung b: (Partizip als Adjektiv)

Ein <u>knatterndes</u> Motorrad fährt vorbei, eine <u>aufgeregte</u> Frau ruft aus einem Fenster im Nachbarhaus. Ein <u>donnerndes</u>

Flugzeug fliegt über sie hinweg. Ein <u>bellender</u> Hund läuft hinter einem anderen Hund her. <u>Erschöpft</u> blicken sie sich an: Es gibt nichts mehr zu sagen!

6) Wie heißen die Sprichwörter? Finden Sie die richtigen Paraphrasen zu den Sprichwörtern.

1. Schlafende Hunde soll man nicht wecken. 2. Aufgeschoben ist nicht aufgehoben. 3. Frisch gewagt ist halb gewonnen. 4. Die Ratten verlassen das sinkende Schiff.

Bedeutung: 2a, 3b, 4c

29.

1) Finden Sie die Verben und Adjektive zu den unterstrichenen Nomen.

2. neu 3. gut 4. studieren 5. Bekannt, verwandt

2) Setzen Sie die Adjektive und Partizipien als Nomen in den Text ein.

1. Fleißigen 2. Armen, Reichen 3. Fremder 4. Gutes, Schlechtes 5. Reisende

3) Nur Superlative. Ergänzen Sie die Nomen.

2. Wichtigste 3. schlimmsten, besten 4. Schlimmste, Beste

4) Ergänzen Sie die Nomen. Wandeln Sie die Verben in Partizipien I oder Partizipien II um.

1. Angestellten 2. Arbeitsloser 3. Kranken 4. Alten 5. Verheirateten 6. Alleinerziehenden 7. Jugendlichen

30.

1) Schreiben Sie den Komparativ und den Superlativ.

2. jung, jünger, am jüngsten 3. groß, größer, am größten 4. hoch, höher, am höchsten 6. teuer, teurer, am teuersten 7. gut, besser, am besten 8. gern, lieber, am liebsten

2) Etwas Geografie. Ergänzen Sie.

2. als 3. wie 4. als

3) Vergleichen Sie.

2. Elias ist nicht so <u>klug wie</u> er glaubt! 3. Das blaue Sofa sieht <u>bequemer</u> aus <u>als</u> das rote Sofa. 4. Thomas arbeitet viel <u>mehr als</u> sein Nachbar. 5. Ich interessiere mich sehr für Malerei, aber noch <u>mehr</u> für Theater. 6. Sind die Menschen heute <u>höflicher als</u> (<u>klüger als</u>) früher?

4) Meine Freundin und ich. Ergänzen Sie.

2. Sie geht gern Skilaufen, aber ich schwimme <u>lieber.</u>

3. Sie ist 5 cm <u>größer</u>, aber sie wiegt genauso <u>viel wie</u> ich.

4. Ihre Haare sind schwarz und etwas <u>länger (kürzer) als</u> meine.

Mögliche Lösungen: 5. Ich kenne viele Leute, aber sie kennt noch <u>mehr</u> Leute. 6. Ich lebe schon zwei Jahre hier, sie lebt <u>schon viel länger</u> hier. 7. Ich sehe viel fern, aber sie sieht <u>(noch) viel mehr</u> fern.

5) Viele Wünsche im Hotel. Ergänzen Sie die Komparative und Superlative.

2. ruhigeres 3. besten 4. weicheren 5. schöneres, freundlicheres

6) Eine Super-Familie

Mögliche Lösungen: 1. Wer in Ihrer Familie ist <u>am jüngsten</u>? 2. Mein Neffe ist <u>am jüngsten</u>. 1. Wer in Ihrer Familie ist <u>am fleißigsten</u>? 2. Meine Tante ist <u>am fleißigsten</u>.

31.

1) Ein toller Urlaub! Verstärken Sie die Aussagen mit *besonders, ganz, recht, sehr* oder *ziemlich*.
Mögliche Lösungen: 1. sehr / ziemlich / ganz 2. recht / sehr / besonders 3. sehr / ganz 4. sehr / ziemlich / besonders 5. etwas / ziemlich / recht 6. ganz / recht / sehr 7. sogar / auch / ziemlich / besonders 8. nur / sehr / ganz

2) Was passt wohin? Manchmal gibt es mehr als eine Lösung.
2. Das Museum ist interessant, aber das Interesse ist <u>nur</u> schwach. 3. Der neue Kollege ist <u>ganz</u> nett – manchmal aber auch <u>etwas</u> stressig. 4. Ich möchte nach Hause gehen – es ist <u>ziemlich</u> spät. – Okay, ich bin <u>auch</u> müde.

3) Formulieren Sie die Sätze mit *nur, auch, sogar*.
2. Hier haben Sie keinen Stress und keine Sorgen – <u>sogar</u> / <u>auch</u> Pessimisten fühlen sich wohl. 3. Die Inselbewohner freuen sich auf Sie – <u>nur</u> bei uns können Sie solche Gastfreundschaft finden. 4. Strände gibt es an vielen Orten – <u>nur</u> auf unserer Insel sind die Strände so weiß und sauber.

4) Sie berichten einem Freund / einer Freundin über einen schrecklichen Restaurant-Besuch. Beschreiben Sie das Restaurant mit den folgenden Adjektiven und verstärken Sie die Aussagen mit einem passenden Wort.
1. arrogant 3. scheußlich 3. ungemütlich 4. hoch

32.

1) Was passt hier zusammen? Schreiben Sie Sätze.
2. Das Foto liegt unter der Zeitung. 3. Der Schreibtisch steht am Fenster. 4. Das Bild hängt über dem Kamin.
5. Die Katze liegt im Korb. 6. Der Koffer liegt auf dem Schrank.

2) Was für ein Chaos! Ergänzen Sie die lokalen Objekte. Achten Sie auf das Genus!
1. im Regal 2. auf dem Stuhl 3. unter dem Tisch 4. auf dem Sofa 5. unter den Stühlen 6. an der Wand 7. über dem Kamin

3) Was passt? Ergänzen Sie die Präpositionen und Artikel.
2. Der Hut hängt <u>an der</u> Garderobe. 3. Such doch mal <u>in der</u> Schublade! 4. Ich sitze gerne im Schatten <u>unter dem / unter einem</u> Baum. 5. Bitte, Kinder, spielt <u>im</u> Garten, nicht <u>auf der</u> Straße. 6. Die Katze versteckt sich gern <u>unter</u> dem Bett. 7. Haben Sie auch eine Satellitenschüssel <u>auf dem</u> Dach? 8. <u>Über den</u> Wolken scheint immer die Sonne.

4) Lieber Florian,
1. liegen in der Schublade 2. stehen unter dem / im Regal 3. ist im Kühlschrank 4. hängt … im Schrank 5. Auf dem Wohnzimmertisch liegt 6. liegt in der Schublade 7. steckt 8. im Fahrradschloss

33.

2) Wer wohnt wo? Ergänzen Sie.
Mögliche Lösungen: 2. Das Ehepaar Atalay wohnt ganz rechts. 3. Frau Schröder und ihr Freund wohnen zwischen Familie Curic und dem Ehepaar Atalay. 4. Familie Curic wohnt rechts neben Familie Winkler. / … links neben Frau Schröder und ihrem Freund.

3) Das neue Haus. Ergänzen Sie Präposition und Artikel oder Adverb.
1. Unten 2. oben 3. zwischen unserem 4. dem 5. Unter dem 6. vor dem

4) Sitten. Formulieren Sie mit Präpositionen.
2. <u>Auf den Dächern</u> gibt es <u>viele Satellitenschüsseln</u>. 3. In vielen Städten gibt es <u>Radwege neben den Straßen</u>.

5) hängen, liegen, sitzen, stehen …?
2. Das Foto steht auf dem Schreibtisch. 3. Das Foto hängt an der Wand.

6) Ein Traum
1. auf dem 2. steht neben der 3. liegt auf dem 4. sitzt auf dem

34.

1) Was passt hier zusammen? Schreiben Sie Sätze.
2. Hängen Sie Ihren Mantel dort an den Haken! 3. Setz dich bitte hinter deine Mutter! 4. Ich stelle das Buch zwischen die Lexika / ins Regal. 5. Stell bitte den Tisch ans Fenster. 6. Hängen wir das Bild über den Kamin?

2) Fototermin. Ergänzen Sie die passenden Präpositionen und Artikel.
1. hinter deine 2. auf den 3. vor die 4. unter den

3) Wo …? Wohin …? Ergänzen Sie die Präpositionen und Artikel.
1. an den / zum 2. in die 3. an den 4. am 5. am 6. im 7. in den 8. in den / deinen 9. an das / ans 10. unter dem 11. ins

4) Jetzt räumen wir auf! Ergänzen Sie die passenden Verben und Nomen aus dem Kasten.
1. legt 2. in den Korb 3. legt 4. in die Kiste 5. Stellt 6. ins Regal 7. Hängt 8. an die Garderobe 9. Stellt 10. in die Garage 11. in den Garten

5) Wohin mit den Möbeln? Ergänzen Sie.
1. steht 2. Hängen 3. über den 4. über dem

35.

1) *zu, nach* oder *bei*?
1. bei 2. nach 3. zu 4. nach 5. nach 6. zu 7. bei

2) Ein perfekter Ausflug. Ergänzen Sie die Präpositionen und die Artikel.
1. von 2. nach 3. nach 4. ins 5. gegenüber 6. zum 7. nach 8. bei

3) Reisepläne. Fragen Sie Ihre Partnerin / Ihren Partner.
nach Genf, nach Graz, nach Istanbul, nach Jena, nach Kiew, nach Krakau, nach Mailand, nach Malmö, nach Prag, nach Rom, nach Seattle, nach Deutschland, nach Italien, nach Österreich, nach Polen, nach Schweden, in die Schweiz, nach Tschechien, in die Türkei, in die Ukraine, in die USA

4) Woher? Ergänzen Sie *aus* oder *von* und den Artikel.
2. aus dem 3. vom (von dem) 4. vom 5. aus der

5) Hobbys und Interessen. Ergänzen Sie die passende Präposition aus den Kapiteln 34 und 35 (und den Artikel wo nötig).
1. zu 2. bei 3. zu 4. Bei 5. bei 6. ins 7. in die 8. auf 9. durch 10. in die

36.

1) Was passt? Ergänzen Sie ein passendes Nomen in der korrekten Form. Manchmal passen mehrere Nomen.

1. die Stadt / die Friedrichstraße / das Kaufhaus 2. das Haus 3. die Friedrichstraße / den Fluss 4. Berlin 5. das Fenster 6. den Wald 7. die Stadt / den Wald 8. das Feuer

2) Wegbeschreibung. Ergänzen Sie die Präpositionen und Nomen.

1. bis zum Park 2. durch den Park 3. um die Baustelle herum 4. bis zur Königstraße 5. Die Königstraße entlang

3) Wegbeschreibung von Passau nach München. Ergänzen Sie *bis (zu), durch, entlang, um* und den Artikel (wo nötig).

1. durch 2. bis 3. entlang 4. Bis zum 5. um 6. bis zu 7. entlang 8. durch 9. bis zur

37.

1) Gegensätze. Ergänzen Sie.

2. da 3. nirgends / nirgendwo 4. drüben 5. draußen

2) Drehbuch für einen Krimi. Ergänzen Sie.

1. nirgends 2. dort oben 3. da drin 4. weg 5. da

3) Setzen Sie die Adverbien an die richtige Stelle.

2. Bringst du mir auch den Stift von da hinten? 3. Er liegt da draußen im Garten. 4. Es ist hier drinnen sehr heiß.

4) Finden Sie passende Lokaladverbien, auch in Kombinationen.

1. Dort oben 2. da / hier 3. hier 4. Überall 5. draußen 6. überall 7. nirgends / nirgendwo

5) Ein Mietshaus. Beschreiben Sie, wo die Familien wohnen. Kombinieren Sie.

Mögliche Lösungen: Familie Waczek wohnt vorne oben in der Mitte. Unter ihr wohnt Familie Eichinger. / Vorne unter Familie Eichinger wohnt Herr Klein. Familie Wiese wohnt rechts hinten.

38.

1) Ergänzen Sie Adverbien mit *her-* und *hin-*.

1. herein 2. hinauf 3. hinunter 4. hinauf 5. herunter

2) Eine Bergtour. Ergänzen Sie Lokal- und Direktionaladverbien.

1. herein 2. nach oben 3. Oben 4. aufwärts 5. nach links 6. nach rechts 7. geradeaus 8. hinunter 9. hinaufschauen 10. von oben 11. oben 12. herunter

3) In der Geisterbahn. Ordnen Sie die Wörter zu Sätzen.

2. Von links fasst mich eine kalte Hand an. 3. Ein Skelett lacht zu uns herunter. 4. Jetzt fahren wir nicht mehr vorwärts. 5. Er klettert zu uns herauf. 6. Wann fahren wir wieder aus der Geisterbahn hinaus?

4) Antworten Sie mit einem Lokal- oder Direktionaladverb.

2. Ja, aber wir gehen nicht rein, wir haben keine Zeit. 3. Ich sitze lieber draußen, drinnen ist es zu voll. 4. Aber Mami, von oben habe ich so eine schöne Sicht!

39.

1) Gründe. Schreiben Sie Sätze wie im Beispiel.

2c: Meine Schwester umarmt mich aus Mitleid. / 2d: … vor Freude … 3a: Die Durchfahrt ist wegen Bauarbeiten gesperrt. 4a: Alles verzögert sich wegen Bauarbeiten. / 4b: … wegen meiner Erkältung. / 4e: … durch den langen Streik. 5c: Sie hilft ihm aus Mitleid.

2) Schlechte Aussichten? Schreiben Sie Sätze.

2d: Das Klima erwärmt sich wegen der Abgase. / 2a: … wegen unseres Energiekonsums. 3e: Der Verkehr in den Städten nimmt trotz der vielen Staus zu. / 3c: … trotz der Umweltkonferenzen zu. 4a: Wegen unseres Energiekonsums werden die Rohstoffe knapp. / Die Rohstoffe werden wegen unseres Energiekonsums knapp. 5c: Trotz der Umweltkonferenzen sterben die Regenwälder. / Die Regenwälder sterben trotz der Umweltkonferenzen.

3) *für* oder *zu*? Ergänzen Sie die Präposition und das Nomen / Pronomen.

2. für mich 3. Für wen – für meinen Freund, zum Geburtstag. 4. für Ihren Abschied, für Sie, für Ihre Arbeit, Für Ihre Zukunft 5. zu Weihnachten, für euch

4) Eine Reise mit Hindernissen. Ergänzen Sie die Präpositionen. Manchmal gibt es mehrere Möglichkeiten.

1. Wegen eines Sturms 2. Wegen der Verzögerung 3. trotz meiner Verspätung 4. Vor Freude 5. vor Müdigkeit

40.

1) *mit* oder *ohne*?

1. Mit ihrem Auto 2. mit dem Bus und der Bahn 3. mit dem Fahrrad 4. mit dem Auto 5. Ohne Abgase 6. ohne den Kampf

2) Ergänzen Sie die Ausdrücke im Kasten. Ein Ausdruck passt nicht.

2. in Ruhe 3. nach Anleitung 4. Statt eines Geschenks 5. Ihrer Meinung nach

3) Sprachprobleme: *Spanisch* oder *auf Spanisch*?

1. auf Spanisch 2. Spanisch 3. auf Deutsch 4. Deutsch 5. Englisch

4) Sagen Sie das anders. Formulieren Sie mit Präpositionen und Nomen.

2. Meiner Meinung nach haben Sie vollkommen Recht! 3. Der Lift ist zurzeit außer Betrieb. 4. Er war immer pünktlich, außer am Montag. 5. Ohne Führerschein darfst du nicht fahren.

5) Altersunterschiede. Fragen Sie Ihren Partner / Ihre Partnerin.

Fragen: Wann ist man in Ihrem Land (in deinem Land) mit der Schule fertig? – Wann darf man wählen? – Wann dürfen junge Leute normalerweise heiraten? – Wann kommen die Kinder in die Schule? – Wann geht man in Rente?

41.

1) Was passt? Was passt nicht?

2a: Ich freue mich nicht auf Montag. 3e: Seit Tagen leide ich unter der Hitze. 4f: Ich spreche nicht gerne über Politik. 5c: Sie interessiert sich gar nicht für Fußball. 6b: Ich denke immer nur an ihn.

2) Lebensberatung. Ergänzen Sie die Präpositionen. Benutzen Sie die Liste im Anhang.

1. auf 2. über 3. für 4. an 5. über 6. mit

3) Gedanken an den nächsten Urlaub. Ergänzen Sie die Präpositionen und Artikel (wenn nötig).

1. auf die 2. an das 3. an den 4. über die 5. mit der 6. mit, über das

4) Sei vorsichtig! Geben Sie Ratschläge.

2. Erzähl Noah nicht von dem Unfall! 3. Erinnere Frau Wagner nicht an die Scheidung! 4. Träum in der Schule nicht vom Wochenende! 5. Vergiss den Geburtstag deiner Mutter nicht! / Vergiss nicht auf den Geburtstag deiner Mutter! (österreichisch)

5) Persönliche Vorlieben. Fragen Sie Ihren Partner / Ihre Partnerin.

Beispiele: Ärgern Sie sich über Unpünktlichkeit? Freuen Sie sich auf den Urlaub? Denken Sie oft an die Zukunft? Hoffen Sie auf Frieden? Leiden Sie unter dem Wetter? Unterhalten Sie sich gerne über Politik? Treffen Sie sich gerne mit Kollegen? Protestieren Sie gegen Unhöflichkeit?

42.

1) Ratschläge. Was passt?

2e, 3b, 4a, 5c

2) Stellen Sie Fragen.

2. Mit wem telefonierst du gerade? 3. Woran erinnerst du dich gerne? 4. Wovon träumst du oft?

3) Ergänzen Sie.

2. Darüber, dafür 3. an sie 4. Dazu 5. dazu 6. darüber 7. Damit 8. daran 9. auf ihn

4) Eine Freundschaft. Ergänzen Sie die fehlenden Wörter.

1. über 2. daran 3. darüber 4. dafür 5. an sie 6. darauf 7. darum 8. dazu 9. damit

5) Fragen Sie Ihren Partner / Ihre Partnerin.

Beispiele: Wovor haben Sie Angst? – Ich habe Angst vor meinem Chef. Worüber ärgerst du dich? – Ich ärgere mich über meinen Freund. Wovon träumst du? – Ich träume von der Arbeit. Worüber sprechen Sie oft? – Ich spreche oft über Geld. Worüber diskutierst du immer? – Ich diskutiere über Politik. Woran denken Sie oft? – Ich denke oft an meine Freundin. Woran glauben Sie? – Ich glaube an Gott. Wofür interessieren Sie sich? – Ich interessiere mich für Fußball.

43.

1) *müssen* oder *können*?

2. kann 3. muss 4. kann

2) Was passt?

2a, 3b, 4c

3) Eine Nachricht auf der Mailbox. Ergänzen Sie *wollen – können – müssen*.

1. Willst / Kannst 2. können / wollen 3. muss 4. können 5. will

4) Was fehlt hier? Markieren Sie in den Sätzen mit ||, wo ein Verb oder ein Modalverb fehlt, und notieren Sie es.

2. Er <u>kann</u> nicht allein aufstehen. 3. Am Sonntag kommt seine Freundin zu Besuch, aber sie <u>muss</u> schon bald gehen. 4. Sie will noch ihre Großeltern <u>besuchen</u>. 5. Herr Schmidt liest ein Buch, es ist sehr spannend; er <u>kann</u> / <u>möchte</u> / <u>will</u> es gar nicht mehr aus der Hand legen. 6. Um acht Uhr <u>will</u> er fernsehen, aber es gibt keinen guten Film.

5) Was muss man da machen?

2. Sie muss zuerst ein Formular ausfüllen. 3. Er muss zuerst seinen Führerschein machen.

6) Fragen Sie bitte höflich!

2. Können Sie bitte Ihren Namen buchstabieren? 3. Können Sie (mir) bitte Geld wechseln? / Können Sie mir bitte Kleingeld geben? / Können Sie mir bitte einen Euro / Cent (einen Euro / 50 Cent) geben (leihen)?

7) Was sagen Sie in dieser Situation?

1. Können Sie MS-Office benutzen? Können Sie Berichte schreiben? Können Sie Events organisieren? Können Sie Englisch? 2. Ich möchte zum Hauptbahnhof. Wo muss ich da aussteigen?

44.

1) Verkehrs-Quiz. Erklären Sie die Schilder wie im Beispiel.

1a: darf 4b: müssen 5c: darf 2d: müssen

2) Erziehung. Formulieren Sie das höflicher.

2. Ich möchte (bitte) heute schwimmen gehen. 3. Ich möchte (bitte) ein Eis.

3) Muss ich? Darf ich? Kann ich? Soll ich?

2. kann 3. muss

4) Was schreibt Florian?

1. soll ihn nicht vergessen 2. soll dir (euch) schöne Grüße

5) *sollen* oder *müssen*?

2. soll 3. müssen 4. sollen

45.

1) Was passt? Suchen Sie passende Antworten. Eine Antwort past nicht.

2a, 3e, 4b

2) Das Leben eines kleinen Jungen. Bitte ergänzen Sie *wollen – müssen – dürfen*.

1. darf 2. musst 3. will 4. darfst 5. darfst 6. darf 7. muss

3) Nichts ist ihr recht! Spielen Sie den Dialog mit Ihrem Partner / Ihrer Partnerin.

Beispiele: *Mutter*: Möchtest du vielleicht fernsehen? *Tochter*: Nein, ich möchte nicht fernsehen. *Mutter*: Wir können einen Kuchen zusammen backen. *Tochter*: Nein, ich möchte keinen Kuchen backen. *Mutter*: Vielleicht möchtest du spazieren gehen oder deine Freundinnen einladen oder ein Buch lesen … *Tochter*: Nein, ich möchte nicht spazieren gehen. Ich möchte auch meine Freundinnen nicht einladen und ich möchte kein Buch lesen. *Mutter*: Was willst du denn? *Tochter*: Ich will meine Ruhe!

4) Hausordnung. Was darf man (nicht)? Was muss man / soll man?

1. muss einmal die Woche die Treppe putzen. 2. darf man nach 22 Uhr nicht laute Musik machen. 3. muss die Miete pünktlich zahlen. 4. darf auf dem Balkon grillen 5. darf den Garten benutzen

46.

1) Haben Sie das auch gehört? Was glauben Sie?

2d, 3f, 4c, 5a

2) Modalverben: „objektiv" oder „subjektiv"?

2. objektiv 3. objektiv 4. subjektiv 5. subjektiv 6. objektiv 7. subjektiv

3) *können, müssen, sollen, werden, wollen, mögen*?

2. soll 3. wirst 4. muss 5. will 6. kann 7. mag / kann 8. soll

4) Drücken Sie die Aussagen mit Modalverben aus.

2. Die beste Reisezeit für Mexiko soll der Frühling sein. 3. Er will meine Warnung nicht gehört haben. 4. Das kann kein Grund für unhöfliches Benehmen sein.

5) Nichts als Vermutungen. Formulieren Sie den zweiten Satz mit subjektiven Modalverben.

2. Sie wird ganz fit sein. 3. Sie werden sich wieder vertragen haben. 4. Es wird (wohl) bald regnen. 5. Es wird hier in der Nähe sein.

47.

1) Vorlieben. Ergänzen Sie *mögen*.

1. mag 2. Mögen, mag 3. mögt, mögen

2) *mögen* oder *möchten*?

2. mögen 3. möchten 4. mag 5. Möchtest

3) Ergänzen Sie *kennen(lernen)*.

1. kenne 2. kennst 3. kennt 4. kennengelernt

4) Wissen Sie, …?

2. Wissen Sie, wo ich Fahrkarten kaufen kann? 3. Wissen Sie, wie viel ein Anruf nach Japan kostet? 4. Wissen Sie, wer hier verantwortlich ist?

5) *kennen* oder *wissen*?

1. weiß 2. kennen 3. wissen

6) Formulieren Sie mit *lassen*.

2. Lassen Sie das Kind doch Schokolade essen! 3. Ich lasse den Schlüssel hier. 4. Ich lasse die Kinder aufräumen. 5. Diese Frage lässt sich schnell klären.

48.

1) Bestimmen Sie die Berufe von Roza, Anton und Emilia.

1. Sie ist Pianistin. 2. Er ist Psychologe. 3. Sie ist Schauspielerin.

2) Welches Wort passt wo?

2. Der Vater schlägt vorsichtig einen Nagel in die Wand, der Sohn sieht neugierig zu. 3. Der Sohn spielt fantastisch Theater, der Vater schaut stolz zu.

3) Harry hat es eilig. Ordnen Sie die Wörter zu Sätzen.

2. Er wäscht sich nicht sorgfältig die Hände. 3. Er stellt die Teller nicht vorsichtig in den Schrank.

4) Das neue Projekt. Ergänzen Sie.

1. genau 2. pünktlich 3. Langsam 4. gern

5) Was machen Sie lieber? Schreiben Sie ganze Sätze.

2. Ins Kino gehe ich lieber am Nachmittag, da ist es nicht so teuer. 3. Im Urlaub fahre ich lieber (am liebsten) in den Süden, da scheint die Sonne! 4. In der Klasse sitze ich lieber (am liebsten) hinten, da sieht mich die Lehrerin nicht. / da kann ich ungestört schlafen (unter der Bank lesen) …

6) Was machen Sie gern in Ihrer Freizeit? Was nicht?

Beispiele: Ich treibe gern Sport und ich spiele besonders gern Fußball. / … aber ich spiele nicht gern Fußball. Ich höre gern Musik, aber ich höre nicht gern Jazz. …

49.

1) Was passt zusammen? Es gibt mehrere Möglichkeiten.

2b; 3g, a; 4d, c; 5c, a; 6e, f; 7a, b, c

2) *Leider, zum Glück* oder …? Ergänzen Sie passende Satzadverbien.

2. leider 3. Hoffentlich 4. Zum Glück 5. Vielleicht

3) Hoffnungen. Formulieren Sie Sätze.

2. Hoffentlich gibt es gutes Essen! 3. Hoffentlich lerne ich Mariams Freundin Renan besser kennen! 4. Hoffentlich gibt es nicht wieder so viel schmutziges Geschirr wie letztes Mal! 5. Hoffentlich wird das Wetter schön! Da können wir draußen grillen.

4) Vermutungen. Ergänzen Sie, was die Personen vermuten.

Mögliche Lösungen: 2. Wahrscheinlich warten wir noch auf Gäste. / ist das Essen noch nicht fertig. / braucht Mariam noch Hilfe. 3. Wahrscheinlich ist es noch zu früh am Abend. / sind noch nicht alle Gäste da. 4. Wahrscheinlich ist er wieder zu süß. / mögen viele Leute keine Sahne. / Wahrscheinlich sind alle schon satt. 5. Wahrscheinlich langweilen sie sich. / fühlen sie sich nicht wohl.

50.

1) Überrascht Sie das? Schreiben Sie Sätze.

Mögliche Lösungen: 2. Das Essen ist aber lecker! 3. Der neue Lehrer ist aber nett! 4. Der Kellner ist aber höflich!

5. Der Radfahrer ist aber schnell!

2) Noch mehr Überraschungen

2. Er redet aber schnell! 3. Ihr Name ist aber kompliziert! 4. Das ist aber noch weit!

3) Unterstreichen Sie die Modalpartikeln und ordnen Sie die Bedeutung zu.

2a: Arbeite doch nicht so lange! 3d: Der Stoff ist aber fein! 4c: Ich komme ja schon!

4) Welche Partikel passt? Ergänzen Sie. Eine Partikel passt nicht.

2. doch 3. mal 4. mal 5. doch 6. ja

5) Mach doch mal!

Kai, räum doch mal dein Zimmer auf! Hol doch mal die Post aus dem Briefkasten! Räum doch mal den Tisch ab! Schreib doch mal einen Brief an Tante Ulla!

6) Das weiß ich ja schon! Sie wollen einen Ausflug machen. Spielen Sie mit Ihrem Partner / Ihrer Partnerin. Nutzen Sie *ja* und *doch*.

Ich habe ja genug Geld dabei! – Der Schlüssel ist doch schon in der Tasche! – Ich mache ja schon schnell!

51.

1) Sprechen Sie mit einem Kursteilnehmer / einer Kursteilnehmerin. Fragen Sie interessiert mit *denn*.

2. Woher kommen Sie denn? 3. Wo wohnen Sie denn (hier)? 4. Warum lernen Sie denn Deutsch?

2) Kommst du mit in die Kneipe?

2. Eigentlich habe ich schon etwas anderes vor. 3. Eigentlich spiele ich nicht gern Ballspiele.

3) Was passt hier? Ergänzen Sie. Nicht alle Modalpartikeln passen.

2. denn 3. eben / halt 4. eigentlich

4) Dann nehme ich eben einen Kaffee! Formulieren Sie mit *eben* oder *halt*.

2. Dann warte ich eben. 3. Dann gehe ich eben / halt in die Bücherei. 4. Dann gehe ich eben / halt zu Fuß.

5) Am Telefon. Ergänzen Sie passende Modalpartikeln.

2. denn 4. eigentlich 5. doch 6. eigentlich 7. doch

6) Gespräche am Frühstückstisch. Fragen Sie genauer mit *eigentlich*.

2. Was hast du denn heute eigentlich vor? 3. Wie heißt er denn eigentlich? 4. Ist er denn eigentlich nett?

52.

1) Wie heißt der Infinitiv?

2. schneiden 3. lesen 4. wissen 5. denken 6. bringen

2) Wie heißt das Partizip II?

2. gelegen 3. gebrochen 4. genannt 5. gesprochen 6. gebeten

3) Wie hast du das Omelett gemacht?

2. gegeben 3. gemischt 4. geschüttet 5. gebraten

4) Welches Verb passt? Ergänzen Sie das Partizip II. Nicht alle Verben passen.

2. geantwortet 3. gesagt 4. geschlossen 5. gefunden

5) Konsequenzen. Ergänzen Sie die Sätze mit einem passenden Verb.

2. gesehen 3. gegessen 4. gekocht 5. verloren 6. getrunken 7. gewaschen

6) Hast du schon deine Hausaufgaben gemacht? Ergänzen Sie ein passendes Verb.

2. gelernt 3. gemacht 4. gemalt

53.

1) Welches Verb passt? Ergänzen Sie das Partizip II. Nicht alle Verben passen.

2. gekommen 3. gestorben 4. geworden

2) *haben* oder *sein*?

1B: habe 2A: hast 2B. bin 3A: habt 3B: sind 4A: Seid 4B: sind 5A: Seid 5B: haben 6B: habe / bin (vor allem süddeutsch / österreichisch)

3) Eine Ansichtskarte aus Italien. Ergänzen Sie ein passendes Verb im Perfekt.

1. geblieben 2. haben … gefunden 3. sind … gegangen 4. haben … gelegen

4) Schreiben Sie nun Ihrer Freundin / Ihrem Freund eine Ansichtskarte aus Norwegen.

Mögliche Lösung: Am ersten Tag haben wir lange geschlafen. Dann haben wir gefrühstückt. Es hat den ganzen Tag geregnet. Deshalb sind wir in die Sauna gegangen und sind danach drei Stunden im Schwimmbad geblieben. Am Abend haben wir im Restaurant gegessen. Dann sind wir zum Club gefahren.

54.

1) Bilden Sie Partizipien der Verben und ordnen Sie sie in die richtige Spalte.

g…et: gebracht, geregnet, geantwortet, geplatzt

ge…en: geschehen, gestanden, geblieben, gesessen, gewesen, gelaufen, geliehen, geschmolzen, gelegen

…en: verstanden, verboten, vergessen

…t: probiert, entschuldigt, erzählt, übersetzt

…ge…t: zurückgebracht, hingesetzt

…ge…en: mitgenommen, eingeschlafen, mitgekommen, aufgestanden, angefangen

2) Perfekt mit *haben* oder *sein*? Ordnen Sie die Verben aus (1) nach einem anderen Kriterium.

Perfekt mit *haben*: ich habe verziehen, ich habe bezahlt, ich habe eingekauft, ich habe gebracht, ich habe geantwortet, es hat geregnet, ich habe gegessen, ich habe geliehen, ich habe gelegen, ich habe verstanden, ich habe verboten, ich habe vergessen, ich habe probiert, ich habe entschuldigt, ich habe erzählt, ich habe übersetzt, ich habe zurückgebracht, ich habe mich hingesetzt, ich habe mitgenommen, ich habe angefangen

Perfekt mit *sein*: er ist geplatzt, es ist geschehen, ich bin gewesen, ich bin gelaufen, (die Schokolade) ist geschmolzen, ich bin gelegen, ich bin eingeschlafen, ich bin aufgestanden

3) Welches Verb passt? In welcher Form?

2. eingestiegen 3. weggenommen 4. verglichen 5. überwiesen 6. angerufen, gewartet 7. kennengelernt

4) Was hat er gefragt? Stellen Sie die passenden Fragen im Perfekt.

2. Hast du das Buch schon zu Ende gelesen? 3. Ist er umgezogen? 4. Hat sie ihm verziehen?

5) Was haben Sie letzten Sonntag gemacht? Sprechen Sie mit Ihrem Partner / Ihrer Partnerin.

Mögliche Lösung: Dann habe ich geduscht, mich angezogen, lange gefrühstückt und die Zeitung gelesen. Dann habe ich im Internet gesurft und wir haben zusammen Mittag gegessen. Am Nachmittag sind wir zum See gefahren und dort spazieren gegangen. Am Abend habe ich den Kindern ein Buch vorgelesen und wir haben Fernsehen geguckt. Um 10 Uhr sind wir ins Bett gegangen.

55.

1) Wie heißt der Infinitiv?

2. denken 3. frieren 4. regnen 5. ankommen 6. nehmen

2) Ein Bericht. Ergänzen Sie passende Verben im Präteritum. Nicht alle Verben passen.

1. stellten … her 2. war 3. verdienten 4. saßen 5. diskutierten 6. lud … ein 7. war 8. suchte 9. gefiel

3) Perfekt oder Präteritum? Antworten Sie auf die Fragen.

2. Ich war im Theater. 3. Wir sind zu den Nachbarn auf ein Fest gegangen. 4. Wir konnten gestern nicht kommen, wir hatten Besuch.

4) Ein Lebenslauf. Ergänzen Sie die Verben im Präteritum.

1. blieb 2. wechselte 3. machte 4. gewann 5. schloss … ab
6. begann

6) Ein Treffen. Ergänzen Sie passende Verben im Präteritum. Nicht alle Verben passen.

1. gingen 2. spazieren 3. erzählte 4. berichtete 5. saßen
6. schwieg 7. redeten 8. erinnerten 9. war 10. fuhr

56.

4) ABA, ABB oder ABC?
ABA: lassen, ließ, gelassen – vergessen, vergaß, vergessen; ABB: biegen, bog, gebogen – ziehen, zog, gezogen; ABC: helfen, half, geholfen – finden, fand, gefunden

5) Ergänzen Sie die Formen. In welche Spalte gehört das Partizip II?
ABB: bleiben, blieb, geblieben; ABC: sprechen, sprach, gesprochen; ABA: tragen, trug, getragen; ABC: nehmen, nahm, genommen; ABC: treffen, traf, getroffen

57.

1) Wie sagt man meistens?
2. Die Kinder durften nicht länger aufbleiben, es war schon nach 22 Uhr. 3. Nach meiner Operation sollte ich besonders viel spazieren gehen. 4. Gestern Abend war ich zu müde, ich konnte den Film nicht mehr zu Ende sehen. 5. Zum Glück musste sie das gestern nicht mehr machen.

2) Schwierigkeiten beim Filmfestival. Ergänzen Sie die Modalverben im Präteritum. Nicht alle passen.
1. wollten 2. konnten 3. mussten

3) Fähigkeiten und Wünsche. Benutzen Sie ein passendes Modalverb.
1. gewollt 2. gekonnt (gemocht) 3. gekonnt

4) Wie man es macht, ist es verkehrt! Benutzen Sie ein passendes Modalverb im Perfekt / Präteritum.
2. hat ihn nicht trinken wollen 3. hat es nicht lesen wollen 4. hat ihn nicht ansehen wollen

5) *dürfen, müssen, können*? Ergänzen Sie im Präteritum.
1. mussten 2. mussten 3. Konntet 4. konnten

58.

1) Was ist vorher passiert? Wählen Sie ein passendes Verb und formulieren Sie im Plusquamperfekt.
2. Er hatte jemanden erwartet. 3. Ich hatte es schnell gelesen. 4. Jemand hatte sie gegossen. 5. Tante Eva hatte ihn gebacken. 6. Sie war vor einer Stunde angekommen.

2) Befragung. Geben Sie eine passende Antwort.
2. Ich hatte es meinem Bruder geliehen. 3. Frau Bohle hatte mich darum gebeten. 4. Mein Mann war nach Hause gekommen. 5. Ich hatte mich verfahren.

3) Eine Einladung: Die Gäste kommen gleich.
2. die hatte er passend zur Tischdecke gekauft. 3. das hatte er

mit einem Silbertuch geputzt. 4. beides hatte er gefüllt. 5. die hatte er am Morgen gebacken. 6. den hatte er erst im letzten Moment gemischt. 7. die hatte er kurz vorher warm gemacht.

4) Ein Geburtstag. Ergänzen Sie die Verben, entweder im Präteritum oder im Plusquamperfekt.
Wir wohnten damals in Mexiko. Unser Sohn war noch sehr klein. Am 16. Oktober feierten wir seinen dritten Geburtstag. Die Nacht vorher war es recht kalt und wir mussten die Heizung anstellen. Gleich zum Frühstück gab es einen Kuchen mit drei Kerzen darauf; den Kuchen hatte ich noch in der Nacht vorher gebacken. Ben freute sich sehr über alles: die Dekoration, die Lampions, die Girlanden – mein Mann und ich hatten alles um Mitternacht aufgehängt. Die beiden Pakete von den Großeltern durfte er nun endlich aufmachen – sie waren schon eine Woche früher angekommen und hatten die ganze Zeit oben auf dem Schrank gelegen. Was war nur drin? Ben machte das Papier schnell auf – tatsächlich fand er in einem Paket ein Auto mit Fernbedienung: Das hatte er sich schon lange gewünscht. Die Omi hatte mal wieder den Kinderwunsch erraten und genau das Richtige geschickt.

59.

1) Versprechen
1. werde … sein 2. liegen lassen 3. werde … waschen 4. werden … finden 5. haben 6. wirst … kümmern 7. machen

2) Vermutung oder Realität?
2. Vermutung / Prognose 3. zukünftige Realität 4. Vermutung 5. zukünftige Realität

3) Sonst …! Beschreiben Sie, was passieren kann.
2. … werde ich einschlafen! 3. … machen sie sich Sorgen! 4. … ist die Fahrt zu anstrengend!

4) Eine Wahlrede. Sie sind Präsidentschaftskandidat. Was versprechen Sie?
Beispiele: … ich werde die Renten erhöhen, die Eisenbahn ausbauen, den Entwicklungsländern helfen, mehr Gleichberechtigung schaffen, die Wirtschaft ankurbeln, die Benzinpreise senken, …

5) Eine Schulklasse: Was sie werden wollten – was sie geworden sind.
Beispiele: 2. Iris wollte Filmstar werden, aber sie ist Beamtin geworden. 3. Katherina wollte Verkäuferin werden, aber sie ist Politikerin geworden. 4. Markus wollte Fußballer werden, aber er ist Arzt geworden.

60.

1) Kein guter Tag. Unterstreichen Sie die Satzklammer.
Schon vor dem Frühstück hatte Frau Miri sich sehr geärgert. Die Zeitung hatte wieder einmal nicht vor der Tür gelegen, sie hatte die Kinder kaum aufwecken können und dann war auch noch die Milch für den Kaffee übergekocht. Kaum hatte sich Frau Miri an den Frühstückstisch gesetzt, da rief ihr Chef an. „Sie müssen heute dringend nach Gießen fahren, Frau Miri! Die Filiale dort ist einfach nicht effizient genug. Die werden noch die ganze Firma ruinieren! So kann es nicht weitergehen!" Frau

Miri <u>konnte</u> nicht „nein" <u>sagen</u>, es war schließlich ihr Chef. Aber nun <u>musste</u> sie jemanden für die Kinder <u>finden</u>, ihrer Freundin <u>absagen</u>, und zum Yoga <u>konnte</u> sie auch nicht <u>gehen</u>. Kein guter Tag!

2) Was passt?

2e: Sie wollte gestern kommen. 3a: Ich werde mich darum kümmern. 4f: Ich wollte das so gerne fertig machen. 5d: Wo ist nur die Zeit geblieben? 6b: Das hatte niemand vorhersehen können. 6h: Das hatte niemand verhindern können. 7b: Kriege wird man nicht verhindern können. 8g: Bist du hier auch immer spazieren gegangen?

3) 2020 und danach

2. Plötzlich mussten alle Leute zu Hause bleiben. 3. Viele Menschen mussten vorzeitig aus dem Urlaub zurückkehren. 4. Eine endgültige Lösung des Problems wird man nur schwer finden können.

4) Ergänzen Sie die Adverbien.

2. Das hast du wirklich sehr gut gemacht! *Mögliche Lösungen:*

3. Das Spiel findet heute bestimmt nicht statt. / Heute findet das Spiel bestimmt nicht statt. / Bestimmt findet das Spiel heute nicht statt. *Mögliche Lösungen:*

4. Er gibt das Buch wahrscheinlich heute Nachmittag dort zurück. / Wahrscheinlich gibt er das Buch heute Nachmittag dort zurück. / Heute Nachmittag gibt er das Buch wahrscheinlich dort zurück. / Das Buch gibt er wahrscheinlich heute Nachmittag dort zurück. / Dort gibt er das Buch wahrscheinlich heute Nachmittag zurück.

5) Kommst du auf das Fest morgen Abend? Fragen Sie Ihren Partner / Ihre Partnerin. Fragen Sie im Präsens oder im Perfekt. Gehst du auf das Konzert am Dienstag? – Hast du den Unfall gestern Vormittag gesehen? – Siehst du dir die Fernsehsendung heute Abend um 20 Uhr an? – Hast du den Streit zwischen Hanna und Angela miterlebt?

61.

1) Nein, jetzt nicht! Finden Sie die passende Temporalangabe.

2. gleich 3. nachher 4. morgen 5. jetzt, gerade

2) Die Karriere. Ergänzen Sie die passenden Temporalangaben.

2. in fünf Jahren 3. in sieben Jahren

3) Du hast ja keine Ahnung!

1. Um ein Uhr / In einer Stunde 2. Heute Abend 3. Dienstagmorgen 4. gerade

4) Setzen Sie die Temporalangabe an die passende Stelle im Mittelfeld.

2. Fahrt ihr im Sommer wieder an die Ostsee? 3. Ich ruf dich gleich zurück, ich kann gerade nicht telefonieren. 4. Wir treffen uns morgen früh mit Timo in der Stadt.

62.

1) Was passt zusammen?

2a, 3b, 4c

2) Setzen Sie die Temporalangaben ein. Nicht alle passen.

1. gleich 2. gestern Abend 3. Damals 4. Jetzt 5. eben

3) Setzen Sie die Temporalangaben ein. Nicht alle passen.

2. lange 3. immer 4. immer wieder 5. selten

4) Klagen. Welche Temporalangaben passen? Manchmal gibt es mehrere Möglichkeiten.

1. nie 2. dauernd / immer wieder 3. ewig 4. kurz 5. selten 6. nie 7. meistens 8. immer wieder 9. selten

63.

1) Schulsorgen. Ergänzen Sie die Präpositionen mit dem Artikel im richtigen Kasus.

1. Während des Unterrichts 2. nach der Schule 3. am Nachmittag 4. Beim Abendessen 5. in der Nacht 6. Am Morgen

2) Ergänzen Sie die Präpositionen und Artikel (wo nötig). Achten Sie auf Genus und Kasus.

1. Beim 2. Am 3. vor dem 4. Zwischen 5. am 6. in der

3) Vergangenheit. Ergänzen Sie.

2. Vor 100 Jahren hatten nur wenig Menschen Autos. 3. Vor 150 Jahren gab es nicht in allen Städten elektrischen Strom. 4. Vor 100 Jahren reisten nur wenige Menschen mit dem Flugzeug.

4) Schöne neue Welt? Was sind Ihre Prognosen für die Zukunft? *Mögliche Lösungen:* 2. In zehn Jahren werden noch viel mehr Menschen die sozialen Medien digital nutzen. 3. In zehn Jahren werden die USA und China die Weltpolitik noch mehr (immer noch) dominieren. 4. In zehn Jahren werden die Leute immer noch Bücher lesen. / In zehn Jahren wird niemand mehr Bücher lesen.

5) Sitten und Gebräuche. Wie ist das bei Ihnen? Fragen und antworten Sie.

2. In Deutschland ist am Samstag und am Sonntag keine Schule. 3. In Deutschland haben die meisten Kinder am Nachmittag frei. 4. In Deutschland ist es im Winter kalt und es liegt öfters Schnee. 6. In Deutschland haben die meisten Leute im Sommer Urlaub.

64.

1) Was passt?

2c, 3d, 4a

2) Ordnen Sie und schreiben Sie die Sätze. Achten Sie auf die Wortstellung.

2b: Ich bleibe noch drei Tage. 3c: Seit drei Tagen bin ich richtig im Stress. 4a: Vor drei Tagen habe ich angerufen.

3) Die Großmutter erzählt. Ergänzen Sie. Nicht alle Ausdrücke passen.

1. Zuerst 2. dann / danach 3. schon 4. noch 5. bis zum 6. Seit

4) Antworten Sie.

2. Seit drei Jahren. 3. Von 8 (Uhr) bis 17 (Uhr). 4. Nein, sie hat immer noch nicht angerufen.

5) *bis* oder *bis zu*? Ergänzen Sie mit oder ohne Artikel.

2. bis 3. bis 4. bis zu den

6) Immer die Chefin. Setzen Sie *schon, noch* oder *erst* an die richtige Stelle.

• Ah, Herr Mihailovic, gut dass ich Sie sehe. Sie wollen doch nicht <u>schon</u> gehen?

• Nein, nein, Frau Sanchez, ich gehe immer <u>erst</u> um 6 Uhr nach Hause.

• Sehr gut. Wie steht es denn mit dem Vertrag mit der Firma Zettel? Haben Sie den <u>schon</u> entworfen?

• Nein, das tut mir leid, das habe ich <u>noch</u> nicht geschafft.

• Haben Sie <u>schon</u> mit Frau Kummer gesprochen?

• Nein, das Treffen mit Frau Kummer ist <u>erst</u> morgen.

• Na gut, dann arbeiten Sie ein bisschen, ich gehe jetzt <u>schon</u> nach Hause.

65.

1) Was passt zusammen?

2c, 3a

2) Wählen Sie die richtige Satzverbindung (Konjunktion).

2. und 3. oder 4. aber 5. sowohl … als auch 6. weder … noch 7. Entweder … oder … und 8. doch 9. sondern

3) Ein Reisetagebuch. Juan schreibt während seines Skiurlaubs ein Reisetagebuch. Es passieren viele unerwartete Dinge. Beenden Sie den Tagebuchtext und verwenden Sie möglichst viele Konjunktionen.

Beispiel: … Leider gab es nicht genug Schnee. Sollen wir hier bleiben <u>oder</u> nach Hause fahren? Am dritten Tag hat es endlich geschneit, wir konnten <u>sowohl</u> Ski fahren <u>als auch</u> Snowboard fahren. Am nächsten Tag wollten wir Schlitten fahren, <u>doch</u> es regnete. Also konnten wir nicht rausgehen, <u>sondern</u> mussten im Hotel bleiben. Zum Glück gibt es auch ein Schwimmbad. Es gibt auch einen Supermarkt und eine Bäckerei in der Nähe, <u>aber</u> keine Bücherei und kein Kino. <u>Und</u> das WLAN funktioniert leider auch nicht besonders gut.

66.

1) Was passt? Schreiben Sie die Sätze auf, die zusammengehören.

2e, 3b, 4a, 5c

2) Das müssen wir vermeiden! Formulieren Sie mit *sonst*.

2. Geh bitte jetzt einkaufen. Sonst sind die Läden schon zu. 3. Schick bitte das Paket heute ab. Sonst kommt es nicht rechtzeitig zum Geburtstag an. 4. Bleib nicht so lange in der Sonne liegen. Sonst bekommst du einen Sonnenbrand.

3) Schreiben Sie die Satzverbindungen mit *nämlich, trotzdem, sonst* oder *also*.

2. Der Zug war schon abgefahren. Ich konnte also nicht kommen. / Also konnte ich nicht kommen. 3. Wir müssen heute ins Kino gehen. Sonst sehen wir den Film nicht mehr. / Wir sehen sonst den Film nicht mehr. 4. Ich hole dich gern ab – ich bin sowieso in der Gegend. Es ist also kein Problem. 5. Ich habe einen schrecklichen Schnupfen. Trotzdem gehe ich zur Arbeit, denn es gibt so viel tun. 6. Bitte schau genau auf die Landkarte. Sonst verfahren wir uns. / Wir verfahren uns sonst. 7. Dieses Rezept ist sehr kompliziert. Ich probiere es trotzdem aus (Trotzdem probiere ich es aus), es sieht sehr interessant aus. 8. Ich bin nicht baden gegangen. Das Schwimmbad war nämlich total überfüllt.

4) Schreiben Sie diesen Text neu. Benutzen Sie *deshalb (deswegen), nämlich, also* oder *trotzdem*.

Achten Sie auf die logischen Beziehungen und die Wortstellung.

Liebe Carmen,

seit einigen Wochen bin ich endlich mit der Schule fertig. <u>Trotzdem bin ich</u> nicht so richtig glücklich, ich muss mich <u>nämlich</u> für ein Studienfach entscheiden. <u>Deshalb durchsuche ich</u> (Also durchsuche ich) seit Tagen die Webseiten aller möglichen Unis. Es hilft <u>trotzdem</u> nichts: Ich kann mich nicht entscheiden! Vielleicht studiere ich <u>deshalb</u> (<u>deswegen</u>) auch gar nicht. Die Universitäten sind <u>nämlich</u> so anonym. Außerdem gibt es viel zu viele Studierende – man findet <u>nämlich</u> nach dem Studium nicht unbedingt einen guten Arbeitsplatz. <u>Trotzdem gehen alle meine Freunde</u> an die Universität. Hast du nicht einen Rat?

Alles Liebe, dein Philipp

67.

1) Formulieren Sie anders.

2. Er meint, dass wir das falsch machen. 3. Frau Docht behauptet, dass sie die Zukunft sehen kann. 4. Er vermutet, dass seine Freundin allein in Urlaub gefahren ist.

2) Was meinen Sie? Verwenden Sie *dass* oder *ob*.

2. Ich weiß, dass Rauchen ungesund ist. 3. Ich habe keine Ahnung, ob das noch klappt. / Ich frage mich, ob das noch klappt. 4. Ich frage mich, ob wir das wirklich tun sollen.

3) *dass* oder *ob*?

1. dass 2. ob 3. dass 4. ob 5. Dass 6. ob

4) Was steht heute in der Zeitung? Formulieren Sie mit *ob* oder *dass*.

Mögliche Lösungen: 2. Die „taz" (Tageszeitung) fragt, ob wir den Mindestlohn erhöhen sollen. 3. „Die Zeit" meldet, dass der Bundestag über die Steuerreform debattierte. 4. „Die Welt" berichtet, dass in Osteuropa viele Menschen Deutsch lernen.

5) Das ist aber schade!

Mögliche Lösungen: 2. Zu dumm, dass er den Termin verpasst hat. 3. Tut mir leid, dass deine Schwester doch nicht kommen kann. 4. Komisch, dass ich meinen Freund gestern in der Mensa nicht gesehen habe. / … meinen Freund gestern nicht in der Mensa gesehen habe.

6) Bist du sicher, dass du das gemacht hast? Fragen Sie und antworten Sie mit *dass* und *ob*.

2. Bist du sicher, dass du Sara am Morgen angerufen hast? – Ich weiß nicht genau, ob ich sie angerufen haben.

3. Bist du sicher, dass du die Ergebnisse in die Datenbank eingetragen hast? – Ich weiß nicht genau, ob ich sie eingetragen habe. 4. Bist du sicher, dass du die Blumen gegossen hast? – Ich weiß nicht genau, ob ich sie gegossen habe.

68.

1) Eine Schauspielerin bekommt eine neue Rolle. Ihr Agent stellt Fragen an den Regisseur. Formulieren Sie die Fragen mit Nebensätzen.

2. Sie fragt, wie viele Lieder sie singen muss. 3. Außerdem ist es für sie wichtig, wer ihr Partner ist. 4. Sagen Sie uns bitte, wann die Proben beginnen. 5. Und schließlich möchte sie auch wissen, wie hoch die Gage ist.

2) Rajiv ist neu in Bern. Er will alles über die Schweiz wissen. Schreiben Sie auf, was er fragt. Beginnen Sie mit: „Sag mal … / weißt du … / … ."

Mögliche Lösungen: 2. Sag mir doch noch einmal, wie der höchste Berg heißt. 3. Kannst du mir sagen, welches der längste Tunnel ist? 4. Weißt du auch (Weißt du eigentlich), wer Wilhelm Tell genau war? 5. Sag mal, seit wann gibt es eigentlich das Frauenwahlrecht bei euch? 6. Weißt du, warum man in der Schweiz meistens Dialekt spricht?

3) Monika hat einen neuen Job. Sie bekommt ein Formular zum Ausfüllen. Sie ärgert sich darüber.

2. …, wo ich in den letzten 5 Jahren gewohnt habe? 3. …, wer mein Ehepartner ist? 4. Warum wollen sie wissen, wie viele Kinder ich habe? 5. Was geht die das an, was meine letzte Arbeitsstelle war?

4) Carla und Alex sind ein Paar – aber sie kennen sich noch nicht gut. Formulieren Sie die Fragen mit Nebensätzen. Formulieren Sie die Fragen mit Fragewörtern.

2. …, ob du Vegetarier / Vegetarierin bist. 3. …, was dir im Leben wichtig ist. 4. …, was du später mal beruflich machen willst? 5. … , ob wir zusammen in Urlaub fahren.

5) Nachfragen. Robin versteht seine Mutter schlecht. Spielen Sie den Dialog.

Mutter: Wo hast du eigentlich Mariam kennengelernt?
Robin: Wo ich Mariam kennengelernt habe?
Mutter: Hast du schon eine neue Arbeit gefunden?
Robin: Ob ich schon eine neue Arbeit gefunden habe?
Mutter: Wann räumst du eigentlich mal dein Zimmer auf?
Robin: Wann ich mein Zimmer aufräume?
Mutter: Kannst du bitte auf dem Rückweg noch Eier und Milch mitbringen?
Robin: Ob ich noch Eier und Milch mitbringen kann?
Mutter: Ist der Müll schon draußen?
Robin: Ob der Müll schon draußen ist?
Mutter: Warum erzählst du mir nie etwas?
Robin: Warum ich dir nie etwas erzähle?

69.

1) Drücken Sie den Relativsatz als Hauptsatz aus.

2. Der Aufstieg auf den Vulkan ist eine Herausforderung. Die muss man akzeptieren. 3. Mir gefallen die großen Fenster. Aus denen hat man eine schöne Aussicht. 4. Gehen Sie doch zu der Ärztin. Ihre Praxis ist hier ganz in der Nähe.

2) Ergänzen Sie das Relativpronomen.

2. was 3. die 4. der, mit dem

3) Definitionen. Schreiben Sie Relativsätze mit diesen Elementen.

Mögliche Lösungen: 2. Ein Stuhl ist ein Möbelstück, auf dem man sitzt. 3. Ein Klavier ist ein Instrument, mit dem man musiziert. 4. Eine U-Bahn ist ein Transportmittel, mit dem man zur Arbeit fährt. 5. Ein Bett ist ein Möbelstück, in dem man schläft / träumt / … 6. Ein Bad ist ein Zimmer, in dem man sich wäscht / sich duscht, ein Bad nimmt …

4) Schau mal, meine alte Schule! Schreiben Sie die passenden Relativpronomen in die Lücken.

1. der 2. in die 3. bei der 4. den 5. durch das

5) Superlative. Bilden Sie Relativsätze.

2. Das ist der spannendste Film, den ich je gesehen habe! 3. Das ist die weiteste Reise, die ich je gemacht habe! 4. Das ist der tollste Job, den ich je bekommen habe!

6) Formulieren Sie die Eigenschaften in Relativsätzen.

…, die auch Sinn für Humor hat, mit der man schöne Reisen machen kann.
…, der auch Sinn für Humor hat, mit dem man schöne Reisen machen kann.

70.

1) Was passt zusammen?
2a, 3b, e, 4f, 5c, 6d, b

2) So viele Fragen! So viele Antworten!

2. Weil auch die Bremsen kaputt sind. 3. Weil ich kein Geld für eine eigene Wohnung habe. 4. Weil ich die sozialen Medien nicht mag. 5. Weil sie ihre Arbeit verloren haben.

3) Warum ist das so?

2. Da sein Blinddarm entzündet ist, muss der Arzt ihn operieren. 3. Da Bastis Vater die Tierhaltung problematisch findet, ist er seit einem Jahr Vegetarier. 4. Da Annette soziales Engagement wichtig findet, arbeitet sie in einem Altersheim.

4) Drücken Sie das anders aus.

2. Marc hat oft Fernweh, weil er sich zu Hause langweilt. 3. Marga fährt dieses Jahr nach Mexiko, weil sie die Landschaft dort fasziniert. 4. Mariana macht lieber Urlaub zu Hause, weil Fernreisen der Umwelt schaden.

5) Erzählen Sie Ihrem Partner / Ihrer Partnerin, welche Jahreszeit Sie lieben.

Mögliche Antworten: 1. Ich liebe den Frühling, weil die Tage wieder länger werden. / … weil die ersten Blumen wieder blühen. 2. Ich liebe den Sommer, weil ich da Urlaub habe. / … weil man da wieder draußen essen kann. 3. Ich liebe den Herbst, weil die Bäume bunt werden. / … weil man Drachen steigen lassen kann. 4. Ich liebe den Winter, weil es schneit. / … weil ich gerne Ski fahre.

71.

1) Was passt zusammen?
2d, 3e, 4a, 5c

2) Formulieren Sie das Ziel der Handlung mit *um … zu*.

2. Annette studiert Sprachen, um Übersetzerin zu werden. 3. Matthias fährt um 17 Uhr zum Flughafen, um seine Familie

abzuholen. 4. Wir gehen einmal pro Woche schwimmen, um fit zu bleiben. 5. Frau Hansemann fährt in die Stadt, um Geburtstagsgeschenke einzukaufen. 6. Die Firma hat mir geschrieben, um meine Bestellung zu bestätigen.

3) Wozu machen die Leute das?

Mögliche Lösungen: 2. Natalia arbeitet in den Ferien, um eine Reise zu machen. – …, damit ihre Eltern ihr nicht so viel Geld geben müssen. 3. Alfonso geht ins Theater, um die neue Inszenierung von Brecht zu sehen. – …, damit seine Frau in Ruhe ihr Projekt fertig machen kann. 4. Michael putzt heute die ganze Wohnung, um seine Mitbewohner / innen zu überraschen. – …, damit seine Eltern sich wohlfühlen. 5. Anna lernt intensiv Portugiesisch, um ein Praktikum in Portugal zu machen. – …, damit ihr Speisekarten im Urlaub kein Problem bereiten.

72.

1) Was passt zusammen?

2a, 3b, 4d, 5e

2) Das ist immer so!

2. Wenn ich es eilig habe, nehme ich das Auto. 3. Wenn meine Mutter müde ist, trinkt sie einen Mate-Tee. 4. Das wörtliche Übersetzen ist schwierig, wenn es sich um sehr verschiedene Sprachen handelt.

3) Wie kann man das auch anders sagen?

2. Als Michael 2021 eine Geschäftsreise nach Japan machte, lernte er ein wenig Japanisch. 3. Als sie ihren Job verlor, musste sie wieder ganztags arbeiten.

4) *als, wenn* oder *wann*?

2. Wann – Wenn 3. Wann – als 4. Wann – als 5. wann 6. Wann – Wenn

5) Ergänzen Sie die richtige Subjunktion.

2. bis 3. seit 4. Als 5. wenn

6) Was machen Sie, wenn …? Sprechen Sie mit Ihrem Partner / Ihrer Partnerin.

Mögliche Antworten: Wenn ich traurig bin, mache ich einen Spaziergang. Wenn ich sehr glücklich bin, schreibe ich ein Gedicht. Wenn meine Familie plötzlich vor der Tür steht, hole ich eine Pizza vom Pizza-Service zum Essen. Wenn der Chef mich stark kritisiert, nehme ich das (nicht) sehr ernst.

73.

1) Was passiert zuerst? Was passiert danach?

2. sobald 3. als 4. bevor / ehe 5. bevor / ehe

2) Annas Morgenrituale. Bilden Sie Sätze mit den Subjunktionen.

Mögliche Lösungen: 2. Nachdem sie Yoga gemacht hat, duscht sie. 3. Wenn sie im Badezimmer fertig ist, geht sie in die Küche. 4. Während sie frühstückt, liest sie schnell Nachrichten auf dem Handy. 5. Bevor sie das Haus verlässt, füttert sie die Katze.

3) Bei Familie Koch (Vater Harry, Mutter Linda, Tochter Sonia) sieht jeder Morgen so aus. Formulieren Sie mit Nebensätzen.

Mögliche Lösungen: 2. Wenn Linda mit Duschen fertig ist, steht Harry auf. 3. Wenn Harry geduscht hat, steht Sonia auf.

4. Während Harry sich anzieht, macht Linda das Frühstück. 5. Während sie frühstücken, besprechen sie den Tag.

4) Was machen Sie zuerst, was danach?

2. Bevor ich jemanden besuche, rufe ich ihn an. 3. Bevor ich hineingehe, klopfe ich an. / Nachdem ich angeklopft habe, gehe ich hinein. 4. Bevor ich das Obst esse, wasche ich es. / Nachdem ich das Obst gewaschen habe, esse ich es. 5. Bevor ich einen Vortrag halte, sehe ich die Notizen noch einmal an. 6. Bevor ich rede, denke ich nach.

5) Gleichzeitig oder nacheinander?

2. Während ich Radio höre, mache ich Hausaufgaben. 3. Bevor ich eine Reise mache, wechsle ich Geld. 4. Nachdem ich das Kleingedruckte gelesen habe, unterschreibe ich den Vertrag.

6) Kein guter Tag. Ergänzen Sie die passenden Subjunktionen.

1. als 2. dass 3. ob 4. dass 5. nachdem 6. dass

74.

1) Wann machen Sie das?

Mögliche Lösungen: 2d, 3a, b, c, 4f, 5a, b, c, 6e

2) Wie ist es logisch?

Mögliche Lösungen: 2. Wenn ich nicht schlafen kann, nehme ich ein heißes Bad / trinke ich ein Glas Milch / mache ich Entspannungsübungen. 3. Wenn die Haare zu lang sind, gehe ich zum Frisör. 4. Wenn ich müde bin, dusche ich kalt / mache ich Entspannungsübungen / trinke ich ein Glas Milch. 5. Wenn ich viel am Computer arbeite, mache ich Entspannungsübungen. 6. Wenn ich reise, nehme ich die Reiseapotheke mit.

3) Bedingungen und Konsequenzen. Formulieren Sie Konsequenzen.

2. Aber wenn Imke nicht krank ist, geht sie immer ins Schwimmbad. 3. Aber wenn ich meine Schwester sehe, bestelle ich ihr deine Grüße.

4) Ergänzen Sie.

2. wenn / falls 3. da 4. Da 5. ob 6. Falls / Wenn

5) Bedingung oder Konsequenz?

2. Wenn Herr Norden mit dem Fahrrad in die Arbeit fährt, kann er sich das Geld für ein U-Bahn-Ticket sparen. 3. Wenn die Nordens Kräuter und Gemüse im Garten anbauen, brauchen sie weniger Geld im Supermarkt ausgeben. / können sie weniger Geld im Supermarkt ausgeben.

75.

1) *weil* oder *obwohl*? Ergänzen Sie.

Mögliche Lösungen: 2. Sie wird häufig krank, obwohl sie glücklich verheiratet ist. 3. Sie wird häufig krank, weil sie wenig Sport macht. 4. Sie wird häufig krank, weil sie viel arbeitet.

2) *weil* oder *obwohl*? Bilden Sie Sätze.

2. Mohamed will am Strand joggen, obwohl es stark regnet. 3. Zeynab will Lehrerin werden, weil sie Kindern gerne Dinge erklärt. 4. Mariam will Diplomatin werden, obwohl sie keine Fremdsprachen spricht.

3) Sagen Sie das mit *obwohl* oder *weil*.

2. Obwohl Frau Nieden seit zwei Wochen eine Obst-Diät

macht, hat sie noch nicht viel abgenommen. 3. Weil sie gern mit Menschen arbeitet, möchte Theresa eine eigene Praxis als Psychologin aufmachen. 4. Da / Weil meine Eltern vergessen haben, die Heizung abzustellen, ist es nun im Zimmer zu warm. 5. Obwohl die Luft in den Städten immer schlechter wird, ziehen immer mehr Menschen dorthin.

4) Formulieren Sie das mit *trotzdem*.

2. Der Zug kommt erst in einer halben Stunde. Trotzdem steht Polly schon ungeduldig auf dem Bahnsteig. 3. Die Eltern akzeptierten ihren Berufswunsch nicht. Trotzdem ist Julia Malerin geworden. 4. Als Malerin verdient sie nicht viel Geld. Trotzdem ist sie glücklich in ihrem Beruf.

5) Ergänzen Sie die richtige Konjunktion: *obwohl, statt, sobald, dass*.

1. sobald 2. obwohl 3. dass 4. obwohl 5. dass 6. statt

6) Beenden Sie die Sätze.

1. Ich möchte in den Ferien lieber wandern, statt am Strand zu liegen. 2. Ich fahre lieber mit dem Zug in Urlaub, statt im Auto im Stau zu stehen. 3. Wenn ich eine Sprache lerne, höre ich lieber zuerst zu, statt gleich zu sprechen.

76.

1) Wie macht man das am besten?

2a, 3d, 4b

2) Welches Adjektiv passt hier?

2. leise 3. sehr / stark 4. kalt

3) Konsequenzen. Formulieren Sie mit *so dass*.

2. Sie hatte sich ausführlich über die Firma informiert, so dass sie bei der Vorstellung einen guten Eindruck machte. 3. Es regnete tagelang, so dass die Pflanzen sich endlich wieder erholten. 4. Wir wollten gestern Schlittschuh laufen, aber das Eis taute, so dass wir nicht mehr auf den See gehen konnten.

4) Formulieren Sie mit *ohne dass* oder *ohne zu*.

2. Er reist nie, ohne eine Versicherung abzuschließen. 3. Ich hoffe, der Camping-Urlaub geht vorüber, ohne dass jemand krank wird. 4. Er besuchte den Deutschkurs, ohne ein einziges Mal zu fehlen.

5) Formulieren Sie anders.

2. Sara ist nach Hause gegangen, ohne sich zu verabschieden. 3. Luc ist weggegangen, ohne sein Buch mitzunehmen. 4. Sie hat ein Foto von mir online gestellt, ohne mir Bescheid zu sagen.

6) Wie kann man das auch sagen?

2. Am besten pflegt man seine Blumen, indem man sie regelmäßig gießt. 3. Wir lernen viel über die Welt, indem wir ständig fragen.

7) Diskutieren Sie.

Mögliche Antworten: Man lernt am besten eine Sprache, indem man viel liest / indem man einen Sprachkurs besucht / indem man in das Land reist / indem man mit Muttersprachlern spricht / …

77.

1) Was passt?

2c, 3a, 4b

2) Wie kann man das besser ausdrücken?

2. Je weiter die Arbeitslosigkeit steigt, desto verzweifelter sind die Menschen. 3. Je größer die Jugendarbeitslosigkeit ist, desto mehr soziale Programme braucht man. 4. Je mehr Geld die Regierung für die Rüstung ausgibt, desto weniger Geld ist für Bildung übrig.

3) Formulieren Sie.

2. Je kälter es draußen ist, desto gemütlicher ist es drinnen. 3. Je höher man steigt, desto dünner wird die Luft.

4) *als* oder *so … wie*? Ergänzen Sie.

2. schwerer, als 3. früher, als 4. schön, wie 5. anstrengender, als

5) *wie* oder *als*? Ordnen Sie die Sätze zu.

2e, a: … wie du mir gesagt hast. 3a, e: … wie du mir versprochen hast 4b: … als das mit meiner alten Kamera möglich war. 5d: …, als wir zuerst befürchtet hatten.

6) Vermutungen. Formulieren Sie mit *als ob*.

2. …, als ob er nicht gut hört. 3. …, als ob du nicht sehr zufrieden bist.

78.

1) Kombinieren Sie.

2d, b; 3e, 4b, 5a

2) Ergänzen Sie diese Sätze.

2. …, dass alles klappt? 3. …, dass wir früh aufstehen müssen. 4. …, was die neue App für das Handy alles kann. 5. …, dass alle Mitarbeiter die Information erhalten. 6. …, dass er die Serie im Internet schon mal gesehen hat.

3) Bitte antworten Sie.

2. … habe Angst davor, einen Fehler zu machen.

3. … darauf achten, die richtige Präposition zu benutzen.

4. … hör damit auf, mir das zu verbieten – ich warte auf eine wichtige Nachricht.

5. … ärgere mich darüber, dass er mir nie zuhört.

6. … mich dafür bedanken, dass ihr (du) so verständnisvoll seid (bist). 7. … darum, in Zukunft pünktlich zu sein. 8. … streiten darüber, ob Kinder mit 10 Jahren schon ein Handy haben sollen.

9. … er ist enttäuscht, weil sein Freund nicht daran gedacht hat, dass er Geburtstag hat.

4) Wie kann man das auch sagen?

2. Sie erzählen, dass meine Freundin sie besucht hat. 3. Ich habe Lena gerade noch erinnert, dass Matti am Sonntag Geburtstag hat. 4. Ich wundere mich immer wieder darüber, dass er schweigt.

79.

1) Worauf bezieht sich *es*?

1. Aus welchem Jahr stammt *es* denn?

Bezug: das Gebäude dort drüben / das Gebäude von Schinkel

Ich weiß *es* nicht genau. *Bezug:* aus welchem Jahr das Gebäude stammt

2. Hast du dir gemerkt, wie *es* aussah? *Bezug:* das Auto

Nein, ich weiß *es* nicht mehr … *Bezug:* wie das Auto aussah

2) Stellen Sie die unterstrichenen Elemente an den Anfang.

2. Ich glaube, wir machen das Restaurant zu. <u>Heute</u> kommen keine Gäste mehr. 3. Dieser Vortrag war schrecklich. <u>Niemand</u> hat etwas verstanden. 4. Wir sind fast fertig. <u>Die Kerzen</u> fehlen aber noch. 5. Gehen wir morgen ins Konzert? <u>Die Wiener Philharmoniker</u> spielen. 6. <u>Dass du die Prüfung bestanden hast,</u> freut mich!

3) Märchen ohne Ende. Welche Funktion hat das Pronomen es hier? Notieren Sie: T = Pronomen im Text, F = Festes Subjekt, P = Element auf Position 1, N = Bezug auf Nebensatz.

1. T, 2. T, 3. T, 4. T, 5. F, 6. F, 7. P, 8. F, 9. N , 10. N

4) Obligatorisch oder nicht? Formulieren Sie als Frage. Was passiert mit *es*?

2. Fuhr kein Zug nach Salzburg? 3. Gibt es in dieser Gegend keine Läden? 4. Wie geht es dir heute? 5. Kommen auch mal wieder bessere Zeiten?

5) Was gibt es? Fragen Sie Ihren Partner / Ihre Partnerin.

– In Deutschland gibt es lange Sommerferien. Wie ist das bei Ihnen?

– In Deutschland gibt es viele Staus. Wie …

– In Deutschland gibt es viele Radwege. Wie …

– In Deutschland gibt es viele Volksfeste. Wie …

– In Deutschland gibt es wenig Bodenschätze. Wie …

80.

1) Hauptsätze und Nebensätze. Ergänzen Sie das fehlende Wort.

2. Während 3. Wenn 4. was 5. deren 6. oder 7. denn 8. damit 9. obwohl

2) Lieber mit der U-Bahn?

1. ob 2. Weil 3. wenn

3) Sagen Sie das ohne Relativsatz. Schreiben Sie jeweils zwei Hauptsätze.

2. Viele Kinder haben Schwächen im Sprach- und Sozialverhalten. Sie werden in diesem Institut gefördert. Das Institut wird von Theaterpädagogen geleitet. Der Verein hat jetzt ein neues Projekt. Das Projekt soll Geflüchtete unterstützen

4) Seminar für weibliche Führungskräfte. Setzen Sie die passenden Wörter in den Text ein.

1. aber 2. ob 3. um 4. dass 5. als 6. was 7. daran 8. zu 9. aber 10. obwohl 11. damit 12. Damit 13. dass 14. ob

81.

1) Drücken Sie das anders aus.

2. Manche Leute sind es gewohnt, bewundert zu werden. 3. Der Lehrer empfiehlt den Studierenden, die Vokabeln in ein Extra-Heft zu schreiben.

2) Ergänzen Sie die passenden Ausdrücke.

1c: barfuß durch das Gras zu laufen. 2a: hier Platz zu nehmen. 3b: mit mir in den Speisewagen zu gehen.

3) *zu* + Infinitiv oder *dass*?

2. Die Oppositionspartei hat kritisiert, dass die Steuern zu hoch sind. 3. Die Liberalen und die Konservativen haben vorgeschlagen, eine Koalition zu bilden. 4. Der Parteivorsitzende fällt es nicht leicht zurückzutreten. 5. Der Parteivorstand hat Sorge, dass die Wähler die neue Vorsitzende nicht kennenlernen.

4) Fehlt hier ein *zu*? Setzen Sie ein, wenn es fehlt.

2. Ihre Freundin Senna muss immer früh nach Hause gehen.

3. Der Arzt hat mir verboten, schwere Sachen zu heben.

4. Es hat aufgehört zu regnen.

5) Hast du das schon gemacht?

2. …, sie aufzuschreiben. 3. … sie einzuladen 4. … sie zu füttern.

82.

1) Wer macht das?

2. <u>Ich</u> gehe einkaufen. 3. <u>Sie</u> lacht. 4. <u>Matti</u> lernt Ski fahren. 5. <u>Er</u> wäscht die Wäsche 6. <u>Sie</u> bleiben sitzen.

2) Lernprozesse. Ergänzen Sie *lernen* + Infinitiv.

2. Sophie lernt gerade laufen. 3. Daniel lernt gerade Ski fahren. 4. Papa lernt gerade die neue App benutzen. 5. Mutti lernt gerade Motorrad fahren.

3) Hilfst du mir? Ergänzen Sie die Verben und Infinitive.

1. fahre … abholen 2. sitzen bleiben 3. helfe … aufräumen

4) Bieten Sie Ihre Hilfe an!

2. Ich helfe dir gerne das Fahrrad reparieren. 3. Ich helfe euch gerne umziehen. 4. Ich helfe dir gerne die Wohnung streichen.

5) Luxus

2. … ich lasse die Wohnung putzen. 3. … ich lasse die Lebensmittel bringen. 4. … ich lasse die Hemden bügeln.

6) Was ist schon geschehen? Ergänzen Sie im Perfekt.

1. Ja, ich habe sie reparieren lassen 2. Wir sind in ein türkisches Restaurant essen gegangen. 3. Da sind wir etwas länger sitzen geblieben. 4. Ich habe ihn nicht kommen sehen. 5. Das habe ich kommen sehen.

83.

1) Ergänzen Sie die richtige Form von *werden*.

2. worden 3. wurde 4. werdet 5. werden

2) *worden* oder *geworden*?

2. worden 3. geworden 4. worden 5. geworden

3) Formulieren Sie im Passiv.

2. Bei uns wird das Auto nicht viel benutzt. 3. In dem Zeitungsartikel werden viele Einzelheiten verschwiegen.

4. Nach meinem Umzug werden meine Briefe von der Post

nachgeschickt. / Meine Briefe werden nach meinem Umzug von der Post nachgeschickt. 5. Einige Werke des Schriftstellers wurden erst von seinen Nachfahren veröffentlicht.

4) Fragen über Fragen im Passiv

2. Welche Sprachen werden in der Schweiz gesprochen? 3. Wann wurde der Kölner Dom gebaut? 4. Wird in Deutschland viel Baseball gespielt?

5) Was kann oder muss geschehen?

2. Er muss von allen Kollegen korrigiert werden. 3. Bis wann muss sie bezahlt werden? 4. Kann es überhaupt noch repariert werden? 5. Sie müssen unbedingt noch mitgeteilt werden.

6) Wie wird ein Rührkuchen gemacht?

… dann werden Eier und Zucker dazugegeben, das Ganze wird auf höchster Stufe gemixt. Danach wird eine Prise Salz in die Masse gemischt, Milch wird dazugegeben, das Mehl wird esslöffelweise untergehoben. Zum Schluss wird der Teig in die Form gefüllt und bei heißer Temperatur gebacken. Am besten wird er am nächsten Tag gegessen. / Der Kuchen wird am besten am nächsten Tag gegessen.

84.

1) Formulieren Sie im unpersönlichen Passiv mit einem passenden Modalverb.

2. In den Ferien darf endlich mal so richtig gefeiert werden! 3. In den Ferien muss nicht gearbeitet werden! 4. In den Ferien muss nicht so viel organisiert werden!

2) Ich habe dir doch gesagt, dass …

2. Ich habe dir doch gesagt, dass der neue Präsident schon längst gewählt worden ist. 3. Ich habe dir doch gesagt, dass die Einladungen schon längst geschrieben worden sind. 4. Ich habe dir doch gesagt, dass die Aufgaben schon längst verteilt worden sind. 5. Ich habe dir doch gesagt, dass das Bad schon längst geputzt worden ist. 6. Ich habe dir doch gesagt, dass das Fahrrad schon längst repariert worden ist.

3) Woher soll ich das wissen? Ergänzen Sie das unpersönliche Passiv.

2. Einmal hat er mich gefragt, wohin der Sondermüll gebracht wird. 3. Er wollte auch wissen, warum Kreditkarten so wenig benutzt werden. 4. Er konnte auch überhaupt nicht verstehen, warum auf Autobahnen keine Höchstgeschwindigkeit eingeführt wird. 5. Er war überrascht, dass nicht in allen Geschäften Englisch gesprochen wird.

4) Wer macht was mit wem? Formulieren Sie im Passiv.

2. Hier darf geraucht werden. 3. Jetzt muss aufgepasst werden. 4. Auf den Festen wurde viel getanzt.

85.

1) Sitten und Gebräuche. Formulieren Sie mit *man*.

2. In Deutschland bringt man als Gast Blumen mit. 3. In Kanada spricht man viel über das Wetter. 4. In Japan fährt man auf der linken Straßenseite. 5. In den Niederlanden fährt man viel mit dem Fahrrad. 6. In Österreich wandert man oft in den Bergen.

2) Kaum bewohnbar. Notieren Sie die Verben zu den Adjektiven mit -bar.

1. sehen 2. verschließen 3. renovieren 4. machen

3) Das kann man doch (nicht) machen! Formulieren Sie mit -bar.

2. (Auf dem Foto) ist kaum etwas erkennbar. 3. Diese Partei ist nicht wählbar. 4. Viele gefährliche Krankheiten sind heutzutage heilbar. 5. (Ihre Fortschritte) sind messbar. 6. Ist die Reise denn auch bezahlbar?

4) Auf dem Amt ist nicht alles Passiv. Variieren Sie die unterstrichenen Sätze. Sie können z. B. *man, eine Person, jemand, die Leute, der Beamte / die Beamtin* etc. verwenden.

Mögliche Lösungen: 1. An der Pforte hat man mir gesagt, … 2. …, jemand hat mir gesagt, … 3. Nach einer Stunde rief man meine Nummer endlich auf. 4. …, der Beamte hat mich nicht gerade freundlich behandelt. 5. Am Ende hat man mich dann wieder nach Hause geschickt, … 6. …, dass die Regierung bei uns zu Hause nicht daran denkt, …

86.

1) Ergänzen Sie *sich lassen*.

2. lässt sich 3. lässt sich 4. lassen sich 5. lässt sich

2) Ein praktisches Auto. Formulieren Sie mit *sich lassen*.

2. Das Auto lässt sich mit einem Knopfdruck starten. 3. Die Sitze lassen sich ganz einfach herausnehmen. 4. (Ein Sitz) lässt sich in einen Tisch verwandeln.

3) Strenge Hausordnung

2. (Die Fahrräder) sind in den Keller zu stellen. 3. (Die Treppe) ist einmal in der Woche zu putzen. 4. (Die Haustür) ist immer abzuschließen. 5. (Die Gehwege) sind im Winter von Schnee zu reinigen. 6. (Der Rasen) ist im Sommer zu mähen. 7. (Die Miete) ist pünktlich am Ersten des Montas zu bezahlen.

4) Gefühle und Gedanken. Formulieren Sie mit *sich lassen* und mit *sein … zu* + Infinitiv.

2. Manche Gedanken lassen sich nicht leicht aussprechen. / Manche Gedanken sind nicht leicht auszusprechen. 3. Manche Hoffnung lässt sich nicht leicht erfüllen. / Manche Hoffnung ist nicht leicht zu erfüllen. 4. Manche Erfahrung lässt sich nicht leicht vergessen. / Manche Erfahrung ist nicht leicht zu vergessen. 5. Manche Enttäuschungen lassen sich nicht leicht verzeihen. / Manche Enttäuschungen sind nicht leicht zu verzeihen. 6. Manche Ideen lassen sich nicht leicht umsetzen. / Manche Ideen sind nicht leicht umzusetzen.

5) Was kann man oder muss man tun?

2. Man kann die Bedienungsanleitung nur schwer verstehen. 3. Man muss die Sitzplätze älteren Personen und Behinderten überlassen. 4. Man muss Hunde an der Leine führen. 5. Bei Feueralarm muss man das Gebäude sofort verlassen. 6. Das Gebäude kann man von zwei Seiten betreten.

87.

1) Was wäre, wenn …? Verbinden Sie passende Sätze. Es gibt mehrere Möglichkeiten.

2c, 3a, c, 4b, c, d, e

2) Wie würden Sie das sehen? Verbinden Sie passende Sätze im Konjunktiv II.

Mögliche Lösungen: 1d: Ich hätte nichts dagegen, wenn ich berühmt wäre. 2b: Es wäre o. k., wenn die Gäste noch eine Weile bei uns blieben. 3a: Ich würde mich freuen, wenn die ganze Familie mit in den Urlaub fahren würde. 3b: Ich würde mich freuen, wenn die Gäste noch eine Weile bei uns blieben. 4c: Ich fände es nicht so gut (Ich würde es nicht so gut finden), wenn ich die ganze Hausarbeit allein machen müsste.

3) Konjunktiv oder nicht? Ergänzen Sie die Verben.

1. leben würde 2. wäre 3. könnten 4. habe 5. wohnen würde 6. aushelfen würde 7. wüsste 8. sollte 9. habe 10. ginge 11. könnte 12. hätten 13. arbeiten würde 14. wäre 15. wüsste

4) Leider ist es nicht immer ideal.

2. Wenn wir weniger Müll produzieren würden, würde die Umwelt weniger belastet werden. 3. Wenn ich die Sprache des Urlaubslandes sprechen würde, könnte ich mich mit den Bewohnern besser verständigen. 4. Wenn die Ballettgruppe aus Indonesien in unsere Stadt kommen würde, würde ich hingehen. / … in unsere Stadt käme, ginge ich hin.

5) Was würden Sie tun, wenn Sie Filmregisseur / Filmregisseurin wären?

Beispiel: Wenn ich Filmregisseurin wäre, würde ich meine Eltern und Geschwister auftreten lassen; … würde ich auch selbst mitspielen; … würde ich von meiner ersten großen Liebe erzählen; … würde ich nur an authentischen Drehorten filmen; … dürfte der Film nicht länger als 90 Minuten dauern; … müsste er spannend sein; … hätte er ein glückliches Ende; …

88.

1) Sagen Sie das höflicher.

Mögliche Lösungen: 2. Könnten Sie mir bitte helfen? 3. Dürfte ich Sie bitten, einen Moment zu warten? / Wäre es möglich, einen Moment zu warten? 4. Könnten Sie mir sagen, wann der Zug aus Köln ankommt?

2) Höfliche Fragen und Bitten an einen Freund / eine Freundin. Benutzen Sie auch *vielleicht* und *mal*.

Beispiele: Könntest du mir vielleicht mal dein Auto leihen? – Würdest du bitte mal das Handy ausschalten? – Könntest du bitte mal das Radio leiser machen.

3) Im Restaurant: Geht es auch höflicher?

2. Was können Sie empfehlen? 3. Ich würde Steak mit Salat empfehlen. 4. Gut. Könnten Sie mir bitte ein Mineralwasser bringen?

4) Einladung bei einer Kollegin

2. Dürfte ich mal das Telefon benutzen? 3. Könnten Sie die Frage wiederholen? 4. Könnten Sie mir erklären, wie ich zur Autobahn komme?

5) Ratschläge für eine Reise nach Lateinamerika

Beispiele: 1. Zuerst würde ich einen Spanischkurs machen. / … einen guten Reiseführer kaufen. 2. An deiner Stelle würde ich im Internet nachsehen. 3. Auf jeden Fall solltest du dich erkundigen, ob eine Malaria-Impfung nötig ist. 4. Wenn ich du wäre, würde ich die Kreditkarte mitnehmen. / … Hotels vorbestellen.

6) Zwei Briefe – einmal an eine Freundin, einmal an einen Kollegen

Mögliche Lösung: Lieber Herr Fichte, … Könnten Sie mir bitte einen Gefallen tun? Ich brauche ein deutsches Lehrwerk und kann es hier nicht bekommen. Könnten Sie mal nachsehen, ob die Universitätsbuchhandlung es auf Lager hat? Und wäre es möglich, dass Sie es mir schicken? Das wäre sehr nett von Ihnen! Ich würde Ihnen natürlich die Unkosten ersetzen. Könnten Sie mir bitte so schnell wie möglich per E-Mail antworten?

89.

1) Zwei Freunde – verschiedene Ansichten

2. Das hätte ich meiner Freundin nie erzählt. 3. Ich an deiner Stelle hätte keine Wohnung in dem neuen Hochhaus gekauft. 4. Tatsächlich? Den Job hätte ich nie angenommen.

2) Autobiografie

2. Am liebsten hätte ich auch mal auf dem Land gelebt. 3. Am liebsten wäre ich für ein paar Jahre nach Italien gezogen. 4. Natürlich wäre ich auch gern wohlhabend gewesen.

3) Was wäre gewesen, wenn …

2. Wenn sie vor vielen Jahren nicht für ihre Firma im Ausland gearbeitet hätte, hätte sie Juan nicht kennengelernt. 3. Wenn der See zugefroren gewesen wäre, hätten wir Schlittschuh laufen können.

4) Das wäre gemacht worden. Formulieren Sie im Passiv.

2. Wenn sie besser getanzt hätten, wären sie noch einmal engagiert worden. 3. Wenn die Bürger sich beim Bürgermeister beschwert hätten, wären die Straßen repariert worden. 4. Wenn die Kranke zu Hause geblieben wäre, wäre sie von den Familienangehörigen gepflegt worden.

5) Er tut, als wäre nichts geschehen.

2. … das nicht gewusst hätte. 3. … er der Chef wäre. 4. … als hätte er kein Geld.

6) Kennen Sie das?

2. … (als) hätte man kein Interesse. *Mögliche Lösungen:* 3. … man tut so, als wäre man sehr mutig. / … als hätte man keine Angst. 4. … man tut so, als wäre man zufrieden / glücklich.

90.

1) Wünsche. Benutzen Sie Konjunktiv II und die Modalpartikeln *doch* und *nur*.

2. Könnte ich doch Chinesisch sprechen! 3. Wenn ich nur mehr Zeit für meine Hobbys hätte! 4. Wenn mich doch mein Freund anrufen würde!

2) Das wäre gut gewesen. Formulieren Sie mit dem Konjunktiv II der Vergangenheit.

2. Wenn du es mir nur rechtzeitig gesagt hättest! 3. Wenn Ben doch auf seine Eltern gehört hätte! 4. Wenn wir das doch gewusst hätten!

3) Ein verpatzter Urlaub

Frau Unger denkt: … (2) Und wenn wir uns nur vorher über wichtige Sehenswürdigkeiten informiert hätten. (3) Wenn wir doch Hotels gebucht hätten (4) und auch die Kreditkarte eingesteckt hätten. (5) Wenn wir doch etwas über das Klima gewusst (hätten) und genug warme Kleidung dabei hätten.

4) Was hätten Sie besser machen können? Formulieren Sie irreale Wünsche in der Vergangenheit.

Mögliche Lösungen: 2. Wenn wir doch in ein anderes Restaurant gegangen wären! / Wenn wir doch etwas anderes bestellt hätten! 3. Wenn ich doch die Vokabeln besser gelernt hätte!

5) Lisa formuliert vorsichtig.

2. Ja, es könnte (müsste) um 7 Uhr fertig sein. 3. So wie es aussieht, müsste es ein schönes Fest werden.

6) So wäre das Leben leichter! Formulieren Sie Wünsche.

Beispiele: Wenn ich doch mehr Zeit für meine Kinder hätte! Dann könnten wir öfters zusammen einkaufen oder ins Kino gehen. – Wenn ich doch ein Auto hätte! Dann könnte ich am Wochenende ins Grüne fahren. – Wenn ich doch den Beruf wechseln könnte! Dann müsste ich nicht ständig vor dem Computer sitzen. – Wenn ich doch nettere Kollegen hätte! Dann könnten wir uns auch einmal am Wochenende treffen. Wenn …

91.

1) E-Mail an einen Kollegen. Wie kann man diese Sätze auch anders formulieren?

2. Er erklärte uns, dass das Buch schon lange vergriffen sei. 3. Er glaube auch nicht, dass der Verlag an eine Neuauflage denke.

2) Eine Erzählung. Schreiben Sie den dazu passenden Dialog.

Julian: Hast du heute Abend Zeit?

Mila: Ja, ich bin gerade mit dem Artikel für die Sonntagszeitung fertig.

Julian: Kannst du zum Abendessen zu mir kommen?

Mila: Ich komme gern. Was soll ich dir denn mitbringen?

Julian: Das ist nicht nötig. Ich habe nämlich selbst gekocht.

Mila: Ich freue mich sehr auf dich. Wir sehen uns also bald!

3) Drücken Sie die direkte Rede in indirekter Rede aus.

2. *Der Zeitungsbericht*: (Ein Abgeordneter meldete sich zu Wort und forderte,) die Umwelt müsse uns wichtiger sein als der wirtschaftliche Gewinn. Deshalb dürften die Bäume im Park nicht gefällt werden. Außerdem seien die Bäume wichtig für die Vögel und Insekten.

4) Ein Interview

(Auf unsere Frage, ob sie sich über den Preis freue, antwortete sie, dass sie sich natürlich) darüber freue. Nach so viel Training und Spannung sei das eine schöne Belohnung. Wir fragten sie, was denn das Wichtigste am Eiskunstlaufen sei. Sie meinte, das Wichtigste sei, dass man jeden Tag mehrere Stunden lang trainiert. Auch auf die Ernährung müsse man sehr achten.

Wenn sie zu viel wiegen würde, könnte sie nicht mehr so gut springen. Auf unsere Frage, wie viele Stunden am Tag sie denn trainieren würde, antwortete sie, dass zuerst die Gymnastik käme, die sie in der Gruppe machen würden. Danach würden sie noch mal vier bis fünf Stunden aufs Eis gehen, vor einem Wettkampf sogar länger. Wir wollten wissen, ob ihre Familie erleichtert sei, dass das ganz intensive Training erst mal vorbei sei. Das bejahte sie. Besonders ihre kleine Tochter sei froh, dass sie wieder mehr mit ihr spielen könne.

92.

1) Kim beschreibt ihr neues Leben. Setzen Sie folgende Verben in der passenden Zeitform ein: *gehen, haben, können, sein, unterstützen.*

1. sei 2. sei 3. habe 4. können 5. habe 6. unterstütze 7. seien 8. hätten

2) Konjunktiv II in der indirekten Rede: Welche Verben brauchen einen Konjunktiv II statt des Konjunktiv I? Geben Sie auch den Grund dafür an.

2. Sie erzählten, die Affen seien direkt an die Tische der Gäste gekommen und <u>hätten</u> um Futter gebettet. (Grund: haben → hätten, da Konjunktiv I gleich ist wie Indikativ.)

3. Obwohl besonders Jana am Anfang etwas Angst gehabt habe, <u>hätten</u> sie sich am dritten Tag dann schon an die ungewohnten Gäste gewöhnt.

(Grund: haben → hätten, da Konjunktiv I gleich ist wie Indikativ.)

3) Was haben sie gesagt? Drücken Sie die indirekte Rede in direkter Rede aus. Achten Sie dabei besonders auf die Zeitangaben.

2. Leon versprach seiner Freundin: „Ich werde noch heute die Bewerbung an die Firma schicken." 3. Die Gäste sagten: „Wir müssen jetzt gehen, weil unsere Kinder zu Hause allein sind. Wir werden aber morgen gern wieder kommen."

4) Drücken Sie die direkte Rede in indirekter Rede aus.

2. Alex erklärte, er <u>habe</u> sich das einfach nicht erklären können.

3. Lea erzählt, sie <u>habe</u> eine Fachschule für Erzieherinnen besucht. Im letzten Jahr <u>hätten</u> alle ein zweimonatiges Praktikum machen müssen. Nun <u>werde</u> sie wahrscheinlich erst mal in einem Kindergarten arbeiten.

5) Wann haben sie was gesagt?

1b: …, es tue ihm leid, aber er habe kein Kleingeld dabei. 2a: …, dass sie das schon seit Langem wisse.

2b: …, dass sie das schon immer gewusst habe.

93.

1) Schreiben Sie die Zahlen.

2. siebenunddreißig 3. achtundneunzig 4. sechsundsechzig 5. fünfzehn 6. vierundzwanzig 7. siebenhundertelf 8. sechshunderteinundneunzig 9. eintausenddreiundsiebzig

2) Schreiben Sie und rechnen Sie.

2. drei plus vierzehn ist siebzehn 3. zweihundertvier minus drei ist zweihunderteins 4. zwölf mal drei ist sechsunddreißig 5. sechzehn durch zwei ist acht

94.

1) Wie sagt man die Uhrzeit im Gespräch?

2. Es ist halb vier. 3. Es ist zehn (Minuten) vor halb vier. 4. Es ist zehn (Minuten) vor zehn. 5. Es ist Viertel vor zwölf. 6. Es ist fünf (Minuten) vor acht. 7. Es ist fünf (Minuten) vor halb neun. 8. Es ist zwanzig (Minuten) vor fünf.

2) Ein Telefongespräch. Ergänzen Sie die Uhrzeiten in Worten.

1. wann 2. Um siebzehn Uhr fünfundfünfzig. 3. wann 4. Um einundzwanzig Uhr fünfunddreißig 5. fünf (Minuten) vor sechs 6. fünf (Minuten) nach halb zehn

3) Die neue Wohnung. Schreiben Sie die Maße aus der E-Mail in Worten.

2. zwölf Quadratmeter 3. eintausendfünfhundert Euro / fünfzehnhundert Euro

4) Die Einkaufsliste. Schreiben Sie oder diktieren Sie Ihrem Partner / Ihrer Partnerin.

1 1/2 Pfd. Karotten, 2 l Milch, 1 Pfd. Butter, 300 g Käse, 50 g Oliven, 1 l Salatöl

95.

1) Feste Feiertage in Deutschland.

2. der einunddreißigste Dezember 3. der dritte Oktober 5. der fünfundzwanzigste Dezember

2) Einige interessante Daten. Lesen Sie die Zahlen laut und schreiben Sie sie in Worten.

1291: zwölfhunderteinundneunzig

1871: achtzehnhunderteinundsiebzig

1918: neunzehnhundertachtzehn

1939-1945: neunzehnhundertneununddreißig bis neunzehnhundertfünfundvierzig

1989: neunzehnhundertneunundachtzig

3) Setzen Sie die Ordinalzahlen ein.

2. elfte 3. zwanzigsten 4. neunzehnten

4) Terminsorgen. Sprechen Sie die Ordinalzahlen laut und schreiben Sie sie als Wort.

Achten Sie auf die Endung!

1. mit dem fünfzehnten Elften 2. der fünfzehnte Elfte 3. mit dem dreiundzwanzigsten 4. am dreißigsten 5. der dreißigste Elfte

5) Ungeduldig. Schreiben Sie die Zahladverbien.

2. zweitens 3. drittens 4. viertens

6) Lauter Sieger! Setzen Sie die Ordinalzahlen als Pronomen ein. Achten Sie auf Kasus und Artikel.

1. Zweiter 2. Erste 3. Zehnte

96.

1) Welches Genus?

1. *Feminine Nomen*: die Wählerschaft, die Renovierung, die Gesundheit, die Ausnahme, die Chefin, die Schrift, die Höflichkeit, die Rede, die Bewegung 2. Maskuline Nomen: der Maler, der Mixer, der Wissenschaftler, der Boxer 3. Neutrale Nomen: das Künstlertum, das Bächlein, das Flüsschen

2) Woraus bestehen die Nomen?

3. lös(en) + ung 4. klar + -heit 5. der Bürger + -tum 6. der Wald + -chen 7. wahrscheinlich + -keit 8. wähle(en) + -er 9. machen(en) + -t 10. ordn(en) + -ung

3) Was fehlt in der Reihe? Wenn Sie bestimmte Wörter nicht kennen, schauen Sie in einem Lexikon nach.

2. die Lehre, lehren 3. der Fahrer, fahren 4. der Schreiber 5. der Künstler 6. der Sport, die Sportlerin 7. der Wissenschaftler, die Wissenschaftlerin 8. Der Italiener, die Italienerin

4) Eine Person, die …

2. ein Zuhörer / eine Zuhörerin 3. ein Sprecher / eine Sprecherin

4. ein Besucher / eine Besucherin 5. ein Dichter / eine Dichterin

6. ein Berater / eine Beraterin

5) Ein Gerät, mit dem man …

2. ein Schalter 3. ein Geschirrspüler 4. ein Schraubenzieher

6) Bei den Zwergen. Schreiben Sie den Text neu und verwenden Sie *-chen* dort, wo es passt.

Die Zwerge saßen auf kleinen Stühlchen an kleinen Tischchen, sie aßen von kleinen Tellerchen und benutzten kleine Messerchen und Löffelchen. In den Zimmerchen sah es ähnlich aus: Dort standen kleine Bettchen, man schaute in kleine Spiegelchen und setzte sich auf kleine Sesselchen.

97.

1) Woraus bestehen die Nomen?

2. das Leder + der Sessel 3. fahr(en) + die Bahn 4. der Abschluss + der Test 5. der Fußball + der Spieler 6. das Auge + n + die Ärztin 7. rot + das Licht 8. die Sprache + die Schule + die Leiterin 9. häng(en) + der Schrank 10. die Jugend + die Arbeitslosigkeit

2) Was für Geschichten mögen Sie? Fragen Sie auch Ihren Partner / Ihre Partnerin.

Beispiele: Kriminalroman, Katzengeschichten, Reiseroman, Abenteuerfilm, Spionagefilm, Internatsgeschichten, Pferdegeschichten, …

3) Dinge und Zeiten. Was passt zusammen? Es gibt meistens mehr als eine Möglichkeit.

Beispiele: der Badeurlaub, der Sommerurlaub, das Sommergewitter, die Sommerzeit, der Skiurlaub, der Mittagsschlaf, die Mittagszeit, der Winterurlaub, der Kurzurlaub, die Kurznachrichten, das Wochenende, der Schönheitsschlaf, …

4) Verb + Nomen. Erklären Sie die Bedeutung.

2. ein Zimmer, in dem man schläft 3. ein Becken, an dem man sich wäscht 4. eine Stunde, in der man Unterricht hat 5. ein Tisch, an dem man isst 6. ein Platz zum Spielen

5) Ordnen Sie nach der Bedeutung.

wofür / für wen? Heizöl, Sportplatz, Wartezimmer, Handcreme

wo / wohin? Bergtour, Waldweg

wann? Abendspaziergang

von wem? Dichterlesung, Expertenvortrag

woraus? Vollkornbrot

worüber? Umweltdiskussion

funktioniert mit? Windkraftrad

98.

1) Woher kommen die Adjektive?

2. der Feind + -lich 3. die Orientierung + -los 4. jetzt + -ig 5. die
Dauer + -haft 6. der Fachmann + -isch 7. der Morg(en) + -ig
8. der Mensch + -lich

2) Landschaft und Wetter. Bilden Sie Adjektive mit *-ig* und *-los*.
Benutzen Sie immer den Singular.

2. eine baumlose Landschaft 3. eine hügelige Gegend 4. ein
sonniger Tag 5. eine sternlose Nacht

3) Zugehörigkeit

2. (die Ideologie des) Sozialismus 3. das Zeitalter Europas 4.
eine philosophische Theorie 5. theologische Fragen

4) Was passt? Manchmal gibt es mehrere Möglichkeiten.

Beispiele: sich kindisch verhalten, sprachlos dastehen,
verständlich schreiben, verantwortlich handeln, indisch kochen,
sich verantwortlich verhalten, freundlich reagieren

5) Hoffnungslos? Ergänzen Sie die passenden Adjektive. Nicht
alle Adjektive passen!

2. skrupellos 3. ideenlos 4. mutlos 5. rücksichtslos

99.

1) Was passt zusammen?

2h: glasklar 3a: hellwach 4e: kerngesund 5c: eisenhart 6d:
schneeweiß 7f: kinderleicht 8g: todtraurig

3) Das Land der Superlative

1. erfindungsreich 2. eiskalten 3. pechschwarz 4. schneeweißen
5. blitzschnell 6. todmüde

4) Bilden Sie Adjektive.

2. Dies ist ein fettarmer Käse. 3. Dies ist ein fehlerloser Text.
4. Dies ist eine fantasievolle Dichterin. 5. Dieser Patient ist
(jetzt) schmerzfrei.

5) Umwelt und Gesundheit. Nicht alle Adjektive passen!

1. schadstoffbelasteten 2. energiesparende 3. umweltfreundlich
4. computergesteuerten

6) Schlechtes Zeugnis

Herr Wieser ist ein sehr unordentlicher, unhöflicher und
unangenehmer Mensch. Er hat ein unsicheres Auftreten
und ist äußerst unkooperativ. Mit allen technischen Dingen
geht er sehr ungeschickt und unvorsichtig um. Er arbeitet
unselbstständig und kompliziert. / Seine Arbeitsweise ist
unselbstständig und kompliziert. / Er ist unselbstständig und
kompliziert.